ŚLADAMI
JEZUSA

Tytuł oryginału
IN THE STEPS OF JESUS

Redaktor prowadzący
Beata Kołodziejska

Redakcja
Andrzej Sujka

Redakcja techniczna
Julita Czachorowska

Korekta
Olimpia Sieradzka

Świat Książki
Warszawa 2008
Bertelsmann Media sp. z o.o.
ul. Rosoła 10
02-786 Warszawa

Skład i łamanie
Plus 2

Druk i oprawa
Východoslovenske Tlačiarne A.S., Koszyce

ISBN 978-83-247-0826-0
Nr 6118

ŚLADAMI
JEZUSA
Wędrówka po Ziemi Świętej

Peter Walker

Z angielskiego przełożył Marek Czekański

Świat Książki

Dla Georgie,
multis quam gemmis pretiosiori
z wyrazami wdzięczności i miłości

Spis treści

Wprowadzenie

Mówi się, że podróże kształcą. Zapewne pogłębiają też myślenie, a nawet zmieniają je. Udając się do miejsc, w których nigdy nie byliśmy, oglądając świat oczyma innych ludzi i ucząc się słuchać tego, co mają do powiedzenia (zarówno o przeszłości, jak i o chwili obecnej), rozszerzamy swoje horyzonty i powracamy z nową wizją rzeczywistości.

Ta powszechna właściwość ludzkiego doświadczenia dotyczyła z pewnością także ludzi żyjących w odległej przeszłości i dawała o sobie znać, kiedykolwiek ich podróże motywowały cele inne niż elementarna konieczność. Może się nam to kojarzyć ze słynnymi słowami Chaucera, od których rozpoczyna on swoje *Opowieści z Canterbury*: „Gdy wiosnę czuje się w powietrzu (...), ludzie tęsknią do pielgrzymowania". Dziś podróżujemy w wielu różnych celach – udajemy się na konferencje, jeździmy na wakacje – nie można się więc dziwić, że wszystko, co ma związek z podróżowaniem, dynamicznie się rozwija. Odnosi się nawet wrażenie, że niektórzy mają w sobie jakiegoś „bakcyla podróży".

Książka ta przeznaczona jest dla takich właśnie ludzi, jak również dla tych, którzy chętnie by podróżowali, lecz z jakichś powodów nie mogą tego robić. Jej osnową jest podróż szla-

kiem miejsc biblijnych. Zabiera Czytelników do jednej z tych części naszego globu, które na przestrzeni wieków najczęściej wizytowano. Współczesne problemy polityczne tego regionu zniechęcają wielu potencjalnych gości. Wszystkim takim osobom książka pomoże odbyć podróż w wyobraźni, przybliżając im różne jej aspekty.

Można ją zatem traktować jak „przewodnik dla niepodróżujących". Z całą pewnością zmobilizuje ona wielu Czytelników do odwiedzenia opisanych w niej miejsc. Dla innych stanie się wyzwaniem odmiennego typu – zaproszeniem do osobistej podróży duchowej. Opisane dalej miejsca są tłem opowieści o losach tajemniczego Człowieka z I wieku naszej ery – być może najsławniejszego, jaki kiedykolwiek żył na świecie. Ludzie często odwiedzają Ziemię Świętą, pragnąc dowiedzieć się o Jezusie czegoś więcej (niemalże fizycznie go poszukując), czasami jednak wracają głęboko rozczarowani. W odróżnieniu bowiem od sławnych budowniczych, takich jak Herod Wielki, Jezus nie pozostawił żadnych widocznych, dotykalnych śladów swojej obecności. W tym znaczeniu fizyczny kontakt z ziemią, po której chodził, nie zbliża nas do Niego.

Niczego też nie napisał, w przeciwieństwie do działającego w I stuleciu po Chr. Józefa Flawiusza (Iosephus Flavius, właśc.: Josef Ben Matatia) – żydowskiego uczestnika powstania

Fotografia satelitarna półwyspu Synaj z widoczną ku północy Ziemią Obiecaną

Nowy Testament zawiera dwie księgi Łukasza – relację z życia Jezusa (jedną z czterech Ewangelii, które to słowo oznacza „dobrą nowinę") oraz relację z działalności pierwszych chrześcijan, zwłaszcza zaś Pawła Apostoła (Dzieje Apostolskie). Teksty te stanowią około 40 proc. Nowego Testamentu. Co wiemy o tym człowieku – autorze tak znacznej części przekazów biblijnych?

Towarzysz św. Pawła

Z listów św. Pawła wiemy, że Łukasz był jednym z jego towarzyszy podróży oraz że odwiedzał go w więzieniach. W Liście do Kolosan Paweł nazywa go „umiłowanym lekarzem" (Kol 4,14), może więc zajmował się także medycyną. Niektórzy zastanawiali się, czy to on właśnie był nienazwanym z imienia „bratem", którego Paweł posłał z Tytusem do Koryntu, pisząc, że jego „sława w Ewangelii rozchodzi się po wszystkich Kościołach" (2 Kor 8,18). Czy jest to dowód na to, że Łukasz dysponował w owym czasie materiałem ustnej i pisanej tradycji (zaczątkiem swojej Ewangelii), podsumowującym życie i nauki Jezusa?

Z Dziejów Apostolskich możemy wywnioskować nieco więcej. W niektórych miejscach autor zaczyna nagle pisać w pierwszej osobie, np.: „wsiedliśmy na okręt" (Dz 27,2). Na tej podstawie orientujemy się, kiedy Łukasz podróżował z Pawłem. Mógł on pochodzić z okolic Troadu (w pobliżu starożytnej Troi, na północno-zachodnim wybrzeżu dzisiejszej Turcji) – a przynajmniej tam po raz pierwszy dołączył do Pawła, podróżując z nim do Filippi i do kraju Filipian (por. Dz 16,10-40). Wydaje się, że mieszkał tam do czasu kolejnej podróży z towarzyszami Pawła do Jerozolimy (por. Dz 20,5-6). Następnie pozostawał w Palestynie przez cały okres dwuletniego uwięzienia Pawła w Cezarei (por. Dz 23-26), potem udał się razem z nim w podróż do Rzymu, podczas której doszło do katastrofy morskiej w pobliżu Malty (por. Dz 27-28).

Autor przesłania

Nie wiemy, co działo się z Łukaszem po jego przybyciu do Rzymu. Najprawdopodobniej spotkał tam św. Marka Ewangelistę (zob. Kol 4,10: Paweł poświęca kilka wersetów Markowi, po czym wspomina o Łukaszu). Spotkanie z Markiem mogło sprawić, że Łukasz poświęcił część swego czasu na przygotowanie własnego materiału do publikacji.

Przypuszczalnie wykorzystał pobyt w Palestynie (57–59), docierając do ludzi związanych z Jezusem oraz badając miejsca, w których przebywał On sam i apostołowie. Być może tam właśnie powstał pierwszy szkic jego Ewangelii. Nie wiemy, kiedy zredagował jej ostateczną wersję. Wielu historyków sugeruje bardzo późne daty, takie jak rok 85, wydaje się jednak, że bardziej prawdopodobne są lata siedemdziesiąte lub sześćdziesiąte I stulecia. Nie można wykluczyć, iż Ewangelia według św. Łukasza przyjęła swój kształt ostateczny po zniszczeniu Jerozolimy w roku 70, co Łukasz mógł postrzegać jako integralną część historii, którą opisywał – dramatycznej serii wydarzeń wynikłych z przybycia Jezusa do Jerozolimy.

Tekst Łukasza charakteryzuje się wyraźnie rozpoznawalną jakością. Reprezentuje on najwyższy poziom starożytnej historiografii, mimo że często poddawano ten fakt w wątpliwość. Pisze bardzo pięknym stylem w języku greckim (który mógł być jego mową ojczystą), zachowując przy tym żydowski koloryt właściwy wielu źródłom, z których korzystał. Używa zwrotów brzmiących sensowniej w języku semickim niż w greckim.

Święty Łukasz będzie więc naszym przewodnikiem w wędrówce śladami Jezusa. Dla wielu okazał się już w tej roli dostępnym i wiarygodnym cicerone.

w Galilei, który walczył najpierw z Rzymianami, nieco później przeszedł na ich stronę, a pod koniec życia poświęcił się pracy pisarskiej, tworząc wspomnienia wojenne i dzieła historyczne, w których znaleźć można wiele relacji z przeszłości narodu żydowskiego. Jego pisma są źródłem cennych informacji historycznych. Zawierają również liczne osobiste wypowiedzi, w których bronił siebie oraz usprawiedliwiał zmianę swoich poglądów i postaw – zupełnie inaczej, niż ów Galilejczyk z I stulecia, któremu książkę tę poświęcamy. Nie bez powodu niektórzy pisali o nim jako o „cieniu Galilejczyka".

Mamy jednak aż *cztery* relacje o Jego życiu i naukach (co czasem budzi zazdrość badaczy starożytności), napisane przez różne osoby, odległe w czasie mniej więcej o jedno pokolenie. Ewangelie, znacznie krótsze od rozpraw Flawiusza oraz pisane przez ludzi nie czujących potrzeby usprawiedliwiania się, są tekstami zwięzłymi i treściwymi, których autorzy maksymalnie koncentrują się na głównym temacie, pragnąc wszelkimi dostępnymi im środkami ożywić i przybliżyć czytelnikom wyjątkową postać z najnowszej dla nich historii.

Jakkolwiek cytować będziemy wszystkich czterech ewangelistów, to jednak szczególną uwagę skupimy na jednym z nich, na uprawiającym profesję medyczną Łukaszu. Czynimy tak

Łukaszowe postrzeganie Jezusa z Nazaretu

Ewangelista Łukasz ma szczególny dar przekazywania subtelności emocjonalnych i uczuciowego ciepła. Wykreowany przezeń portret Jezusa, sprawia wrażenie najbardziej „ludzkiego". Widzimy w nim rozmaitość reakcji na działania Mistrza. W Ewangelii tej – częściej niż w innych – występują kobiety (które, jak się wydaje, mogły być ważnymi informatorami autora). W wielu relacjach zachowany jest też ich punkt widzenia zdarzeń. Do ważnych przykładów należą narodziny Jezusa, relacjonowane z perspektywy jego Matki – Maryi. Na tej podstawie niektórzy domyślają się, że Łukasz mógł być nie tylko „umiłowanym lekarzem", lecz także wspaniałym psychologiem. Być może dzięki swym bliskim kontaktom z ludźmi cierpiącymi na różne przypadłości zawdzięczał szczególną zdolność empatii i rozumienia ludzkich słabości.

Trzymając się tego sposobu postrzegania, Łukasz podkreśla troskę Jezusa o dobro wszystkich ludzi, bez względu na ich status materialny, płeć, wiek, narodowość, wyznanie czy przynależność do tradycji żydowskiej lub jej brak. Ta ostatnia cecha postawy Mistrza mogła mieć dla Łukasza szczególne znaczenie osobiste, jest bowiem niemal pewne, że nie urodził się i nie wzrastał w kręgu religijnej kultury judaizmu. Jednocześnie mógł skłaniać się ku jego etyce i doktrynie, zanim dowiedział się o Jezusie i Jego przesłaniu. Na obrzeżach przestrzeni synagogalnej było wówczas wielu takich „bogobojnych" ludzi. Kiedy apostołowie zaczynali głosić, że każdy może wkroczyć do królestwa Bożego – także i ten, kto nie należy do wspólnoty żydowskiej (i np. nie był obrzezany) – była to rzeczywiście „dobra nowina".

Łukasz pociesza zatem wszystkich nie-Żydów, potwierdzając ich przynależność do Bożej rodziny oraz wskazując, że Jezus okazywał im życzliwość podczas swojej ziemskiej misji, czego przykładem jest choćby przypowieść o dobrym Samarytaninie (por. Łk 10,25-37). Ewangelista podkreśla również, że Jezusowe przesłanie dotyczy wyłącznie „zbawienia" i „odpuszczenia grzechów" (por. Łk 2,11; 7,48; 24,46-47). Kulminacją kluczowego w jego Ewangelii epizodu (w którym Jezus spotyka nieuczciwego zwierzchnika celników Zacheusza) jest wyraźne stwierdzenie Mistrza, że „przyszedł szukać i zbawić to, co zginęło" (Łk 9,10). W istocie Łukasz poświęca cały piętnasty rozdział radości towarzyszącej odnajdywaniu się tych, którzy pobłądzili, czego najdobitniejszym wyrazem jest przypowieść o „synu marnotrawnym" przyjętym przez ojca z miłością i wybaczeniem.

Tak więc Ewangelia według św. Łukasza jest obszernym i rozbudowanym zaproszeniem dla ludzi wszelkich wyznań i narodowości, zawsze mile widzianych i serdecznie przyjmowanych przez Jezusa.

z kilku powodów. Po pierwsze, tok narracji Łukasza ma szczególnie ludzkie zabarwienie – przenosi nas umiejętnie i niepostrzeżenie w świat myśli zwykłych ludzi tamtej epoki, starających się zrozumieć nadzwyczajną Osobę, która się wśród nich pojawiła, i odpowiednio na Nią reagować. Po drugie, ewangelista Łukasz ma autentyczne wyczucie historyka, który – relacjonując przeszłość – pragnie zakotwiczyć ją w realiach oraz przedstawić jasno w kategoriach znanych czytelnikom. Po trzecie, nie będąc Żydem, potrafi szczególnie dobrze pomóc innym „autsajderom", wkraczającym w świat tradycji żydowskiej, chroniąc ich przed zagubieniem się w niej. Ciepło ich zaprasza, by przyszli i zobaczyli.

Jednak wybieramy Łukasza na przewodnika przede wszystkim dlatego, że lubił podróżować. Z Dziejów Apostolskich jasno wynika, że odbył podróż z północnej Grecji do Jerozolimy oraz z Palestyny do Rzymu. Przemieszczał się – najpierw w kierunku Ziemi Świętej, a potem w stronę przeciwną. W swoich pismach dzieli się przemyśleniami, zachęcając czytelników (także tych, którzy nie mogli zastępować prawdziwych podróży formami wirtualnymi) do duchowego podróżowania – do Ziemi Świętej i w stronę przeciwną. Jego zaproszenie pozostaje wciąż aktualne.

Przyjmijmy je więc i zobaczmy, dokąd nas św. Łukasz zaprowadzi. Rozpoczyna on swoją Ewangelię od krótkiego prologu, po którym przenosi nas wprost do świątyni jerozolimskiej – największego sanktuarium żydowskiego – by zrelacjonować dziwne wydarzenia, rozgrywające się wśród pobożnych Izraelitów obojga płci, oczekujących przez całe życie nadejścia Mesjasza – wcielenia Boga – mającego wypełnić to wszystko, co w ich rozumieniu było Jego obietnicą. Łukasz chce nam uzmysłowić, że opowieść, którą rozpoczyna, jest w jakimś sensie „opowieścią wewnątrz opowieści".

Albowiem centralna postać Łukaszowej narracji jest częścią znacznie większego obrazu – długiej historii, sięgającej w ponad tysiącletnią przeszłość, jaką były dzieje Izraela. Zgodnie z relacją tego ewangelisty Jezus najwyraźniej postrzegał siebie jako ostateczne spełnienie i kulminację owego długiego oczekiwania; jako kogoś, kto miał zmienić bieg historii, nadając jej nowy kierunek. Działalność Jezusa miała stać się punktem zwrotnym dziejowej narracji. Od tej chwili nic nie miało być takie same, zaświtała bowiem jutrzenka nowej ery. Rozpoczęła się nowa epoka.

Rozpoczynamy więc naszą wędrówkę z ewangelistą Łukaszem (po ważnych „przystankach", takich jak Betlejem, Nazaret i Pustynia Judzka) z Galilei do Jerozolimy, którą uczeni – korzystnie dla nas – nazwali Łukaszową „relacją z podróży". Ta szczegółowa opowieść zajmuje u św. Łukasza znacznie więcej miejsca niż w innych Ewangeliach. Autor chce, byśmy mu towarzyszyli. Byśmy czuli doniosłość tego wydarzenia i stale pytali siebie o to, jak to wszystko, co miało się wkrótce dokonać w Jeruzalem, wpłynie na bieg historii – otwarcie nowej epoki.

W prowadzenie

11

Ważne daty z czasów Jezusowych

Zamieszczona poniżej chronologia zawiera przegląd najważniejszych wydarzeń, poprzedzających okres nauczania Jezusa i następujących po nim. Niektóre daty nie są całkiem pewne. Omówienie dyskusyjnej kwestii daty narodzin Jezusa znajduje się na stronie 22. Alternatywną datą Jego ukrzyżowania jest rok 33. Jeśli Jezusa ukrzyżowano w piątek, który zgodnie z kalendarzem żydowskim był dniem przygotowań do Paschy, to mógł to być tylko jeden z dwóch dni – 7 kwietnia roku 30 lub 3 kwietnia roku 33. W zestawieniu umieszczona została wcześniejsza z tych dat.

37 prz. Chr.	Herod Wielki obejmuje władzę na interesującym nas obszarze.
27 prz. Chr.	Oktawian przyjmuje tytuł cezara (August)
5 prz. Chr.	Narodziny Jezusa w Betlejem (w kwietniu?)
4 prz. Chr.	Śmierć Heroda Wielkiego (w marcu); podział podległego mu terytorium między trzech synów, nazywanych również Herodami: Archelaosa (Idumea, Judea i Samaria); Antypasa (Galilea i Perea); oraz Filipa (Trachonityda); poważna rebelia stłumiona przez Rzymian dowodzonych przez namiestnika Syrii Warusa
6 po Chr.	Obalenie i wygnanie Archelaosa; przejście Judei pod panowanie rzymskie (pierwszym prokuratorem [namiestnikiem] zostaje Coponius); rewolta pod przywództwem Judasza Galilejczyka
14	Początek panowania cezara Tyberiusza (do roku 37)

26	Poncjusz Piłat przybywa do Palestyny jako prokurator (namiestnik) Judei; Herod Antypas przenosi stolicę Galilei z Seforis (Cippori) do Tyberiady
26	Nauczanie Jana Chrzciciela
27–30	Nauczanie Jezusa
30	Ukrzyżowanie Jezusa
35	Nawrócenie Pawła w drodze do Damaszku
36	Poncjusz Piłat brutalnie tłumi powstanie Samarytan i zostaje odwołany do Rzymu
38	Wizyta Pawła w Jerozolimie (i późniejszy wyjazd do Tarsu); Herod Agryppa I zostaje następcą Filipa i Antypasa
39	Kaligula (cezar w latach 37–41) próbuje umieścić swój posąg w świątyni jerozolimskiej, wywołując zdecydowany opór Żydów (Józef Flawiusz, Dawne dzieje Izraela 18,8)
41	Herod Agryppa przejmuje kontrolę nad Judeą i Samarią, otrzymując tytuł „króla"; rozpoczyna budowę nowego „trzeciego" muru w północnej części Jerozolimy (Józef Flawiusz, Dawne dzieje Izraela 19,7); cezar Klaudiusz panuje do roku 54
44	Śmierć Heroda Agryppy I (Dz 12, 1-23); Rzym wysyła „prokuratorów"

49	Sobór Apostolski w Jerozolimie (Dz 15,1-29); rozruchy w Jerozolimie zakończone krwawą masakrą (Józef Flawiusz, Wojna żydowska 2,12)
52	Antoniusz Feliks obejmuje urząd prokuratora (namiestnika) i sprawuje go do roku 59
54	Początek rządów cezara Nerona
57–59	Paweł i Łukasz odwiedzają Jerozolimę (Dz 21); Paweł zostaje aresztowany i uwięziony w Cezarei Nadmorskiej; Porcjusz Festus przybywa z Rzymu jako prokurator (59–61)
62	Sąd pod przewodnictwem arcykapłana Annasza Młodszego skazuje Jakuba (krewnego Jezusa) na śmierć (Józef Flawiusz, Dawne dzieje Izraela 20,9)
64	Wielki pożar Rzymu; prześladowania chrześcijan przez Nerona
66	Wybuch pierwszego żydowskiego powstania przeciw Rzymianom w Cezarei; jerozolimscy chrześcijanie uciekają z miasta (prawdopodobnie do Pelli)
67–70	Rzymianie pod dowództwem Wespazjana oblegają Jerozolimę
70	Syn Wespazjana Tytus burzy świątynię jerozolimską w sierpniu (a następnie we wrześniu podpala Górne Miasto)
74	Upadek Masady

W Jerozolimie naprawdę wiele się wówczas działo – były tam łzy, konflikty, nieporozumienia i niejawne działania, wreszcie tragedia i zamęt, lecz także nieoczekiwany „obrót sprawy", będący zarazem końcem opowieści oraz początkiem nowego wymiaru rzeczywistości.

Nic więc dziwnego, że Łukasz zdecydował się pisać o tym, co działo się później. Kulminacja pewnego ciągu zdarzeń stała się punktem wyjścia procesów w znacznie większej skali; należało więc opowieść kontynuować. Ewangelista prezentuje swoim czytelnikom dwa obrazy – pary ludzi oddalających się od Jerozolimy i starających się zrozumieć sens tego, co działo się wówczas w tym mieście (por. Łk 24,13-35), oraz – na samym końcu Ewangelii – ludzi wypełniających świątynię jerozolimską (miejsce, w którym wszystko się zaczęło), przepełnionych ożywczą radością i oczekujących z nadzieją dalszego ciągu wydarzeń; ludzi, których podróż, jak się okazuje, dopiero się rozpoczęła.

Na kartach tej książki śledzić będziemy kolejne wątki opowieści św. Łukasza. Mamy nadzieję, że zgodnie z logiką jego pism, również ta książka znajdzie swoją kontynuację, podążającą szlakiem kolejnych podróży ewangelisty z Jerozolimy do różnych zakątków świata. Na razie jednak zakończymy wędrówkę „na krawędzi urwiska", przyjmując formułę otwartą i nie starając się tworzyć wrażenia „zamknięcia". Pozostawimy też wiele pytań, domagających się odpowiedzi.

Jakkolwiek nasza podróż zakończy się nieopodal Jerozolimy (niedaleko miejsca, w którym ją rozpoczniemy), to z pewnością w czasie jej trwania napotkamy wiele spraw wartych przemyślenia. Być może spojrzymy na znane nam skądinąd sprawy w zupełnie nowym świetle. Zatoczymy krąg, kończąc wędrówkę w miejscu jej rozpoczęcia, lecz nie będzie ono już takie samo; być może znajdziemy w nim drogowskaz do całkiem nowej podróży, w którą zechcemy wyruszyć. Stwierdzimy (nawet ci z nas, którzy przez cały czas nie będą opuszczali fotela), że faktycznie odbyliśmy podróż mentalną z gatunku tych, które naprawdę „kształcą".

Najlepszy sposób wykorzystania książki

W każdym z czternastu rozdziałów koncentrujemy się na konkretnym miejscu lub obszarze związanym z życiem Jezusa. Każdy zaczyna się też od ogólnej charakterystyki terenu w czasach Jego działalności. Staramy się w ten sposób przedstawić nauczanie Jezusa w oryginalnym kontekście oraz przekonać się, czy są jakieś szczególne czynniki związane z rolą poszczególnych miejsc w historii biblijnej, mogące pogłębić zrozumienie wypowiedzi i działań Jezusa. Czytelnicy pragnący skupić się na samym tekście Pisma Świętego (w szczególności zainteresowani najnowszymi wynikami studiów nad Ewangeliami i tematami teologii biblijnej) mogą ograniczyć się w pierwszym podejściu do tych początkowych fragmentów rozdziałów. Zawierają one charakterystyki miejsc widzianych z perspektywy całej Biblii (w niektórych przypadkach inspirowane potrzebą wprowadzenia Czytelników w ich egzotykę). Czytane w kolejności rozdziały pozwalają podążać ściśle za naszym przewodnikiem z I wieku, śledząc wątki jego opowieści.

Po tym ogólnym wprowadzeniu w każdym rozdziale następuje jego część główna poświęcona interpretacji tego, co w danym obszarze geograficznym można dzisiaj obejrzeć. Z konieczności musi ona zawierać zarys wszystkiego, co zadecydowało o zmianach w okresie minionych 2000 lat. Zajmujemy się więc archeologią, oceną autentyczności miejsc, świadectwami pielgrzymek chrześcijan w różnych okresach historii oraz innymi aspektami historycznymi. Oddalając się od ewangelisty Łukasza, rozpatrujemy różne „blaski i cienie" czasów pobiblijnych. Dane te mogą interesować historyków Kościoła, a także archeologów w ogólności, nie zakładamy jednak jakichkolwiek doświadczeń *in situ* u Czytelników. Piszemy raczej

Józef Flawiusz o Janie Chrzcicielu i Jezusie

Józef Flawiusz (Iosephus Flavius, właśc.: Josef Ben Matatia) pisał w Rzymie pod koniec pierwszego stulecia naszej ery. Dwa jego najważniejsze dzieła – *Wojna żydowska* oraz *Dawne dzieje Izraela* – dostarczają nam ważnych danych, pozwalających zrozumieć świat Żydów w czasach Jezusa. Pisma te potwierdzają również wiele wydarzeń opisanych w Ewangeliach. Oto, co pisze ten autor o Janie Chrzcicielu i Jezusie z Nazaretu:

Jan Chrzciciel

Niektórzy Judejczycy uważali, że to Bóg wytracił wojsko Heroda, sprawiedliwie wymierzając królowi karę za zgładzenie Jana, zwanego „Chrzcicielem". Ów Jan, którego kazał zabić Herod, był zacnym mężem; zachęcał Judejczyków, by kształcili w sobie cnotę i by do chrztu przystępowali, zachowując sprawiedliwość w stosunkach wzajemnych i gorliwie czcząc Boga (...). Gdy zewsząd nadciągały rzesze, bo nauki Jana rozniecić wśród ludzi niesłychany entuzjazm, Herod ulękł się, by tak wielki autorytet owego męża nie popchnął ich do buntu przeciw władzy (...). Z powodu więc takiego podejrzenia Heroda, spętano Jana i zaprowadzono do wyżej wspomnianej twierdzy Macheront, gdzie go też zabito (...).

Józef Flawiusz, *Dawne dzieje Izraela* 18,5.2 (por. Mk 6,14-29)

Jezus

W tym czasie żył Jezus, człowiek mądry, jeżeli w ogóle można go nazwać człowiekiem. Czynił bowiem rzeczy niezwykłe i był nauczycielem ludzi, którzy z radością przyjmowali prawdę. Poszło za nim wielu Żydów, jako też pogan. On to był Chrystusem. A gdy wskutek doniesienia najznakomitszych u nas mężów, Piłat zasądził go na śmierć krzyżową, jego dawni wyznawcy nie przestali go miłować. Albowiem trzeciego dnia ukazał im się znów jako żywy, jak to o nim oraz wiele innych zdumiewających rzeczy przepowiadali boscy prorocy. I odtąd, aż po dzień dzisiejszy, istnieje społeczność chrześcijan, którzy od niego otrzymali tę nazwę.

Józef Flawiusz, *Dawne dzieje Izraela* 18,3.3

To, co Józef Flawiusz pisał o Jezusie, było przedmiotem wielu sporów. Niektóre sformułowania (ujęte w cytatach w prostokątne nawiasy) wydają się interpolacjami późniejszych kopistów chrześcijańskich. Oczywiste jest jednak, że Flawiusz wiedział o Jezusie, o wczesnych chrześcijanach, o tym, że Jego nauki przyciągały także ludzi spoza Izraela, że osobiście potwierdzał On swą mesjanistyczną misję oraz że został ukrzyżowany za rządów Poncjusza Piłata.

z myślą o tych, którzy nigdy nie byli w Ziemi Świętej (i nie wybierają się tam w najbliższej przyszłości), pomijamy jednak całkowicie praktyczne informacje „turystyczne" – choć autorowi byłoby łatwiej konstruować teksty, „oprowadzające" po owych miejscach wyimaginowanego „turystę".

Części biblijne i historyczno-współczesne poszczególnych rozdziałów rozdzielają – a właściwie łączą – listy ważnych dat związanych z miejscami, którym są poświęcone. Zestawienia chronologiczne obejmują daty sprzed narodzenia Chrystusa (szczególnie istotne dla pierwszych fragmentów rozdziałów) oraz późniejsze (ważne w częściach post-biblijnych). Formuła taka integruje rozdziały oraz nawiązuje do chrześcijańskiego przekonania o centralnej pozycji Jezusa w dziejach ludzkości (znajdującej wyraz w sposobie oznaczania dat w kulturze zachodniej słowami „przed Chrystusem" oraz „po Chrystusie"). W zestawieniach chronologicznych znajduje się również wiele faktów i cytatów przytaczanych w obu częściach rozdziałów. Mamy nadzieję, że taki układ tekstów pozwoli ogarnąć jednym rzutem oka historię każdego z omówionych miejsc.

W każdym rozdziale umieszczamy również teksty graficznie wyodrębnione, zawierające dodatkowe szczegóły natury geograficznej, historycznej, kulturowej lub archeologicznej. W tekstach tych znajdują się dłuższe cytaty z innych źródeł starożytnych.

Wiele cennych informacji z okresu nowotestamentalnego zawdzięczamy historykowi Józefowi Flawiuszowi, który – jak już wspomnieliśmy – znał dobrze Galileę i Jerozolimę. Był on dowódcą jednego z powstańczych oddziałów żydowskich. W dramatycznych okolicznościach (opisanych w *Wojnie żydowskiej* 3,8) przeszedł na stronę Rzymian, trafnie przewidując, że Wespazjan, który wziął go do niewoli, będzie następnym cezarem. Dwadzieścia lat później Flawiusz opisał szczegółowo przebieg wojny (*Wojna żydowska*), a drugie obszerne dzieło o ogólniejszym charakterze (*Dawne dzieje Izraela*) poświęcił historii Izraelitów. Teksty te nie grzeszą zwięzłością (niektóre „mowy" zawierają więcej słów niż cztery Ewangelie razem wzięte); ich autor wyolbrzymiał też dane liczbowe, w sposób szczególny obciążając religijnych „radykałów" żydowskich odpowiedzialnością za wywołanie powstania (oraz twierdząc, że stanowili oni znikomą mniejszość, wywierającą nieproporcjonalnie silny wpływ na resztę Żydów palestyńskich, w rzeczywistości nie żywiących do Rzymian tak wielkiej wrogości). Mimo tych mankamentów pisma Flawiusza dostarczają najlepszych pozaewangelicznych dowodów, potwierdzających wydarzenia interesującego nas okresu. Czytając Flawiusza, uświadamiamy sobie mocne osadzenie relacji ewangelistów w ówczesnych realiach, weryfikowanych na podstawie innych źródeł. Trzeba również pamiętać, że Palestyna była w czasach Jezusa regionem politycznych niepokojów, dalekim od błogiego spokoju i quasi-mistycznej „pozacielesnej szczęśliwości". Lektura Flawiusza pozwala dokładniej „usłyszeć" przekazy ewangelistów (i Jezusa!) – jako wybitnie realistyczne komunikaty.

Okresu późniejszego dotyczą obszerne teksty autorów odwiedzających Ziemię Świętą w dobie wszesnego Kościoła. Euzebiusz (ok. 260–339) mieszkał na wybrzeżu Cezarei. Znana jest jego dziesięciotomowa *Historia kościelna* (będąca chrześcijańskim odpowiednikiem wcześniejszych dzieł Flawiusza – materiałem, bez którego nasza wiedza o wczesnym okresie dziejów Kościoła byłaby bardzo ograniczona). Był on także biskupem Cezarei w krytycznym okresie władzy Konstantyna nad całym Imperium Rzymskim (później Bizantyjskim). Pod koniec życia Euzebiusz napisał biografię cesarza (*Życie Konstantyna*) oraz liczne prace o tematyce biblijnej i dotyczące regionu palestyńskiego, a między innymi: *O męczennikach palestyńskich* (w Ziemi Świętej chrześcijanie byli obiektem poważnych prześladowań w latach 303–310); *Komentarz do Psalmów* oraz *Onomastikon* – alfabetyczny słownik miejsc biblijnych. Ostatnie z tych dzieł (wydane po raz pierwszy w roku 290) ogromnie ułatwia identyfikację autentycznych miejsc ewangelicznych, ukazując, jak pamiętano (lub nie) o nich w okresie pierwszych trzystu lat po Jezusie.

Inne cytaty z okresu późniejszego obejmują fragmenty relacji z podróży Pielgrzyma z Bordeaux (człowieka o ewidentnie prostej umysłowości, który opisał szczegóły swojej wizyty w Ziemi Świętej w roku 333) oraz Egerii (prawdopodobnie hiszpańskiej zakonnicy, autorki pełniejszych i obszerniejszych dzienników z trzyletniej podróży na Wschód, odbytej w latach 381–384). Jako źródła informacji wykorzystujemy również pisma św. Cyryla Jerozolimskiego (ok. 315–384) – entuzjastycznego biskupa Jerozolimy z połowy IV wieku, autora dwudziestu czterech katechez adresowanych do kandydatów do chrztu w bazylice Grobu Świętego w okresie wielkopostnym roku 348; oraz św. Hieronima (biblisty działającego w Betlejem po roku 384).

Uzasadnieniem wykorzystania tych źródeł jest ogromny wpływ chrześcijan wczesnego okresu bizantyjskiego na Ziemię Świętą, co może potwierdzić każdy odwiedzający dziś miejsca znane z Ewangelii. W owych czasach krajobraz tych ziem radykalnie się zmienił. W miejscach, o których mowa, wcześniej zatartych lub zapomnianych, zaczęto budować kościoły. W kategoriach archeologicznych nie możemy więc dzisiaj docierać do czasów Jezusowych, nie przebijając się przez warstwę reprezentującą okres bizantyjski. Osoby pragnące podążać „śladami Jezusa", szybko orientują się, że wielu czyniło to już przed nimi. Niewielu jednak odwiedzających Ziemię Świętą ma dostęp do ważnych tekstów z tego okresu. Mam nadzieję, że moja książka pomoże pokonać tę trudność, dając całkiem nowe spojrzenie na ziemię narodzin Jezusa.

Czytelnicy z pewnością zauważą też stosunkowo niewielki zakres odniesień do zdarzeń ostatniego stulecia. Jest to decyzja świadoma, bowiem literatura dotycząca skomplikowanych problemów politycznych współczesnej Palestyny mogłaby wypełnić osobną bibliotekę. Dotykam tych spraw w innych moich publikacjach pt. *The Land of Promise* (*Ziemia Obiecana*, 2000) i *Walking in His Steps* (*Idąc Jego śladami*, 2001). Istnieje też wiele prac innych autorów (częściowo uwzględnionych w bibliografii), zajmujących się politycznymi i teologicznymi problemami współczesnego Izraela i Palestyny. (Skalę problemu obrazuje chociażby trudność znalezienia dla tego biblijnego regionu jednej, najbardziej odpowiedniej nazwy; „Izrael", „Palestyna", „Ziemia Święta"; każde z tych określeń budzi zastrzeżenia – podobnie jak w pierwszym stuleciu naszej ery).

Fakt pominięcia przeze mnie problematyki współczesnej nie oznacza uznania jej za mało ważną, ani też przekonania, że osoby odwiedzające Jerozolimę nie powinny zwracać uwagi na najnowsze, jakże bolesne wydarzenia. A zdarza się, że niektórzy turyści nie chcą zajmować się obecną sytuacją polityczną w Ziemi Świętej. Wystarczy powiedzieć, że skupienie się na naukach Jezusa w ich oryginalnym kontekście (takich jak w tej książce) mogłoby pomóc w rozwiązaniu niektórych współczesnych, jakże bolesnych paradoksów ziemi, po której kiedyś On stąpał.

Wędrówka osobista

Pragnę też powiedzieć, że książka ta to swoiste podsumowanie mojego wieloletniego pobytu w Ziemi Świętej, gdzie pracowałem jako przewodnik, prowadziłem badania naukowe i wykłady. Po raz pierwszy odwiedziłem Jerozolimę w roku 1981 i natychmiast zafascynowały mnie jej zagadki. Kolejnym etapem były dwie fazy badań doktoranckich. W pierwszej z nich zajmowałem się Jerozolimą i miejscami znanymi z Ewangelii w okresie bizantyjskim (ze zwróceniem szczególnej uwagi na kontrast między Euzebiuszem z Cezarei i Cyrylem Jerozolimskim); w fazie drugiej badałem te same kwestie w okresie nowotestamentowym. W czasie bliższym teraźniejszości zainteresowałem się teologią biblijną (a zwłaszcza związkami Starego i Nowego Testamentu w poszczególnych kwestiach) oraz badaniem różnych strategii pisarskich w Ewangeliach synoptycznych (szczególnie św. Łukasza). Wszystkie te wątki znalazły swoje odbicie na kartach tej książki.

Wdzięczny jestem wielu osobom, które pomagały mi w mojej pracy – rodzinie i przyjaciołom oraz kolegom biblistom. Czytelnicy bez trudu odnajdą osobiste wpływy wielu autorów wymienionych w bibliografii. Na moją wdzięczność zasługuje niezmiennie Jerome Murphy-O'Connor OP – autor niezrównanego przewodnika archeologicznego pt. *The Holy Land* (*Przewodnik po Ziemi Świętej*, Warszawa 2001, s. 428), z którego wielokrotnie korzystałem. Jemu, a także innym partnerom w mojej osobistej podróży tym fascynującym szlakiem składam serdeczne podziękowania.

Żywię nadzieję, że Czytelnicy zechcą pójść razem z nami tą drogą oraz że książka ta – niezależnie od tego gdzie się znajdują – pozwoli im uczestniczyć wspólnie we wspaniałej przygodzie, jaką jest wędrówka „śladami Jezusa".

Peter Walker
Uniwersytet Oksfordzki

Ważne daty z historii Ziemi Świętej

Starożytny Izrael (1003–587 prz. Chr.)

ok. 1003 prz. Chr.	Król Dawid zakłada Jerozolimę
ok. 970 prz. Chr.	Król Salomon buduje świątynię jerozolimską
721 prz. Chr.	Upadek Samarii i Północnego Królestwa Izraelskiego
587/586 prz. Chr.	Zdobycie Jerozolimy przez Nabuchodonozora

Persowie (538–332 prz. Chr.)

ok. 538 prz. Chr.	Powrót pierwszych Żydów z niewoli babilońskiej
458 prz. Chr.	Powrót Żydów pod wodzą Ezdrasza (a w roku 445 powrót Nehemiasza)

Grecy (332–168 prz. Chr.)

ok. 168 prz. Chr.	Antioch IV Epifanes sprofanował świątynię jerozolimską

Niepodległe Królestwo Izraelitów (168–63 prz. Chr.)

168–164 prz. Chr.	Powstanie Machabeuszy

Rzymianie (63 prz. Chr.–313 po Chr.)

ok. 63 prz. Chr.	Pompejusz Wielki włącza Palestynę do Imperium Rzymskiego i osobiście wkracza do świątyni jerozolimskiej
37–4 prz. Chr.	Rządy Heroda Wielkiego
66 po Chr.	Pierwsze powstanie Żydów przeciwko Rzymianom
70	Upadek Jerozolimy
132–135	Drugie powstanie Żydów pod przywództwem Szymona Bar-Kochby

135	Cesarz Hadrian nakazuje wybudować na gruzach Jerozolimy rzymskie miasto pod nazwą Aelia Capitolina

Bizancjum (313–637)

325	Cesarz Konstantyn zwołuje Sobór Nicejski
333	Pielgrzym z Bordeaux odwiedza Ziemię Świętą
335	Euzebiusz z Cezarei wygłasza mowę z okazji poświęcenia bazyliki Grobu Świętego
348–384	Cyryl biskupem Jerozolimy
361–363	Rządy Juliana Apostaty (Flaviusa Claudiusa Iulianusa), który wydaje Żydom zgodę na odbudowę świątyni
381–384	Wizyta Egerii; Hieronim zakłada klasztor w Betlejem
451	Sobór Chalcedoński; Jerozolima staje się patriarchatem
614	Podbój i splądrowanie Jerozolimy przez Persów pod wodzą Chosroesa

Arabowie (637–1099)

637	Zajęcie Jerozolimy przez kalifa Omara
691	Abd al-Malik buduje Złotą Kopułę na Skale
1009	Kalif el-Hakim, wojujący wyznawca Allacha, nakazuje zniszczyć wszystkie kościoły chrześcijańskie, także bazylikę Grobu Świętego

1048	Cesarz Konstantyn Monomach odbudowuje bazylikę Grobu Świętego
1054	Schizma – rozpad Kościoła na Wschodni i Zachodni

Kościół rzymski (1099–1187)

1099	Pierwsza wyprawa krzyżowa
1187	Bitwa pod Rogami Hittinu; Saladyn zdobywa Jerozolimę
1188–1192	Trzecia wyprawa krzyżowa

Mamelukowie (1247–1517)

1291	Upadek Akki
1453	Upadek Konstantynopola

Turcy otomańscy (1517–1917)

1537–1542	Sulejman Wspaniały odbudowuje mury Jerozolimy
1808	Pożar niszczy bazylikę Grobu Świętego
1841	Anglikanie i luteranie zakładają wspólne biskupstwo w Jerozolimie
1897	Konferencja syjonistyczna w Bazylei

Brytyjczycy (1917–1948)

1917	Deklaracja z Balfour

Mapa Palestyny z czasów Jezusa

Betlejem

W owym czasie wyszło rozporządzenie Cezara Augusta, żeby przeprowadzić spis ludności w całym państwie. (...)

Udał się także Józef z Galilei, z miasta Nazaret, do Judei, do miasta Dawidowego, zwanego Betlejem, ponieważ pochodził z domu i rodu Dawida, żeby się dać zapisać z poślubioną sobie Maryją, która była brzemienna. Kiedy tam przebywali, nadszedł dla Maryi czas rozwiązania. Porodziła swego pierworodnego Syna, owinęła Go w pieluszki i położyła w żłobie, gdyż nie było dla nich miejsca w gospodzie.

W tej samej okolicy przebywali w polu pasterze i trzymali straż nocną nad swoją trzodą. Naraz stanął przy nich anioł Pański (...). „Nie bójcie się! Oto zwiastuję wam radość wielką, która będzie udziałem całego narodu: dziś w mieście Dawida narodził się wam Zbawiciel, którym jest Mesjasz, Pan. A to będzie znakiem dla was: znajdziecie Niemowlę, owinięte w pieluszki i leżące w żłobie".

Ewangelia według św. Łukasza, 2,1.4-9a.10b-12

Rozległe pola na południe od górskiego miasta Betlejem; nierówny teren (ze starymi murami, tarasami i wieżami obserwacyjnymi ustępuje miejsca jałowej Pustyni Judzkiej, zaczynającej się kilka kilometrów dalej ku wschodowi

Skromne początki

Betlejem

20

*A ty, Betlejem,
ziemio Judy,
nie jesteś zgoła
najlichsze spośród
głównych miast
Judy.*

Mt 2,6a (zob. Mi, 5,1)

Betlejem było małą wioską przycupniętą na zboczu jednego z łagodnych wzgórz, z których widać było pustynię na wschodzie. Położone dziesięć kilometrów na południe od Jerozolimy, musiało być częstym przystankiem dla podróżujących Drogą Patriarchów, biegnącą wzdłuż łańcucha wzniesień – od Sychem na północy do Hebronu na południu. Nazwa Betlejem oznacza dosłownie „dom chleba"; najpewniej było to więc dogodne miejsce, w którym zatrzymywali się wędrowcy. Było one otoczone ornymi polami, obsianymi pszenicą.

W tej właśnie starożytnej wiosce rozpoczyna się historia ziemskiej wędrówki Jezusa. W pewnym sensie – jak się przekonamy – zaczyna się ona znacznie wcześniej, w odległej przeszłości i w zupełnie innych miejscach. Tu jednak było miejsce Jego narodzin.

Betlejem przed Jezusem

Wydarzenie, o którym mowa, nadało Betlejem rangę nie mieszczącą się w żadnych proporcjach i w żadnej skali. Miejscowość ta miała jednak również swoją własną ciekawą historię. Wiąże się z nią kilka opowieści, dotyczących postaci starotestamentowych:

* Jakub wraz ze swą rodziną wędrował Drogą Patriarchów (z Betel do Mamre). Nieopodal Betlejem (znanego też pod nazwą Efrata), zmarła jego żona, rodząc Beniamina („syna prawicy"); została więc tam pochowana, a na jej grobie ustawiono stelę (zob. Rdz 35,16-20).
* Z Betlejem wiąże się relacja z Księgi Rut. Rut pochodziła z Moabu (na wschodzie), przez małżeństwo weszła jednak do rodziny żydowskiej. Po śmierci męża wyruszyła w podróż, wraz z pogrążoną w żałobie teściową Naomi, do jej rodzinnego miasta Betle-

jem, w którym spotkała i poślubiła jej krewnego Booza, by zostać później babką króla Dawida.

- Samuel – jeden z największych proroków Izraela – przybył do Betlejem, by odwiedzić rodzinę człowieka imieniem Jesse. Namaścił tam jego najmłodszego syna Dawida, który został, po Saulu, królem Izraela.

- W późniejszym okresie życia Dawida, kiedy Betlejem okupowali Filistyni, zdarzyło się, że pragnął on napić się wody ze znajdującej się tam studni. Wówczas trzech z jego „bohaterów" potajemnie zaczerpnęło jej dla niego, aby mu podać, on jednak odmówił wypicia, ofiarując wodę Bogu (por. 2 Sm 23,13-17).

- Później Betlejem związane było z wielkim królem Dawidem. A kiedy narastały oczekiwania, że Bóg przyśle kolejnego, takiego jak on władcę, prorok Micheasz przepowiedział, iż z miasta tego, choć jest „najmniejsze wśród plemion judzkich", wyjdzie Ten, który „będzie władał w Izraelu, a pochodzenie Jego od początku, od dni wieczności" (Mi 5,1).

Tak więc Betlejem było ze wszech miar właściwym miejscem narodzin Jezusa. W biblijnej pamięci kojarzyło się z zagrożeniem dla Racheli i dla ludzi Dawida, jak również z radością (narodziny Beniamina, namaszczenie Dawida, nadzieja na przyjście Mesjasza). Naomi (której imię oznacza „błogosławieństwo") po śmierci obu synów chciała, by nazywano ją „Mara" (co oznacza „gorycz"); owa gorycz została jednak przemieniona w radość. Zatem także narodziny Jezusa postrzegane były przez Łukasza jako okazja do „wielkiej radości", powiązanej z cierpieniem. Na przykład: Jego przyjście na świat przywodzi na myśl Herodową rzeź niewinnych dzieci (zob. Mt 2,16-18), a nieco później – jak wiemy z relacji Łukasza – Maryja dowiaduje się, że z życiem jej dziecka wiązać się będzie „upadek i powstanie wielu w Izraelu", oraz że jej „duszę miecz przeniknie" (por. Łk 2,34-35).

Betlejem było również miejscem utrwalonym w zbiorowej pamięci jako miasto rodzinne

Zachód Słońca nad Betlejem; bazylikę Narodzenia Pańskiego przesłaniają nowo wzniesione kościoły, a za miastem widać niewysokie wzgórza Pustyni Judzkiej, zaś w dalszej perspektywie nieco wyższe wzniesienia Transjordanii po drugiej stronie Morza Martwego

króla Dawida – wielkiego władcy, który był kiedyś pasterzem. Ewangeliczni pasterze otrzymują polecenie udania się do „miasta Dawidowego", by zobaczyć Jezusa, który w odpowiednim czasie zostanie nazwany w Nowym Testamencie „synem Dawidowym" – z dawna oczekiwanym Mesjaszem i „dobrym Pasterzem".

Ponadto Betlejem było już miejscem trwale skojarzonym z boskimi przemianami. Dawid był dzieckiem, najmłodszym synem, gdy Bóg go wezwał, zmieniając radykalnie ludzkie oczekiwania wobec osoby władcy. „Człowiek patrzy na to, co widoczne dla oczu, Pan natomiast patrzy na serce" (1 Sm 16,7) – komentuje jeden z biblijnych autorów. W narodzeniu Jezusa widzimy teraz coś analogicznego – skromne narodziny w małej wiosce Osoby, o której w stosownym czasie mówić się będzie na całym świecie.

Gwiazda Betlejemska

Opowieść o narodzinach Jezusa jest ogólnie znana, choć wiele jej popularnych szczegółów odtwarzanych tradycyjnie w jasełkach i okolicznościowych kalendarzach nie ma oparcia w pierwotnych relacjach ewangelistów. Nie ma w nich na przykład „stajenki", a poród Maryi mógł się odbyć w jakiejś pieczarze na tyłach zajazdu (patrz: s. 24). Jest również mało prawdopodobne, by pasterze i „mędrcy ze Wschodu" odwiedzili nowo narodzonego Jezusa w tym samym czasie. Ci ostatni nie byli też „trzema królami". Nie wiemy dokładnie ilu ich było. Nie byli to władcy, a raczej astronomowie lub (co bardziej prawdopodobne) astrologowie.

Późniejsze dodatki mogą być podłożem cynicznego traktowania innych szczegółów opowieści, które także zaczęto odczytywać z niedowierzaniem. Do tej kategorii należy często poddawana w wątpliwość „gwiazda betlejemska", którą widzieli mędrcy. Święty Mateusz (zob. Mt 2,7-9) pisze o gwieździe, która w owym czasie miała się ukazać, przemieszczać na niebie i zatrzymać nad Betlejem.

Istnieją przesłanki, iż mogła to być kometa. Zgodnie z chińskimi danymi astronomicznymi w czasach poprzedzających narodziny Jezusa widoczne były aż trzy jasne komety (w latach 12, 5 i 4 prz. Chr.), z których tylko druga pasuje do chronologii wydarzeń. Wiemy, że Jezus miał „około trzydziestu lat" w roku 29 (zob. Łk 3,23), zatem kometa obserwowana w roku 12 prz. Chr. pojawiła się przed Jego narodzinami, a ta, którą zauważono w roku 4 prz. Chr. – po tym fakcie, albowiem Herod Wielki – który tak negatywnie zareagował na wiadomość o Jezusie – zmarł przed końcem marca roku 4 prz. Chr. Źródła chińskie podają, że kometa obserwowana w roku 5 prz. Chr. (w przeciwieństwie do dwóch pozostałych) miała dobrze widoczny „ogon" i obserwowano ją na wschodnim niebie przez 70 dni.

A zatem kometa z 5 roku prz. Chr. mogła być Mateuszową „gwiazdą", obserwowaną przez mędrców w godzinach rannych na wschodnim niebie, gdy jednak dotarli oni do Jerozolimy dwa miesiące później, jej położenie na sferze niebieskiej przesunęło się w kierunku południowym. Betlejem leży na południe od Jerozolimy, kiedy więc mędrcy tam zmierzali, kometa mogła być nad nim widoczna. W opisach komet inni autorzy, tacy jak Dio Cassius i Józef Flawiusz, używali zwrotów mówiących o ich „zatrzymaniu się" nad jakimś miastem – np. Rzymem czy Jerozolimą. Ogony komet mogły być obserwowane w pionie ponad ich jądrami, co sprawiało silne wrażenie, jakby owe ciała niebieskie „wskazywały" określone miejsca na Ziemi.

W latach poprzedzających przyjście na świat Jezusa miały też miejsce inne zjawiska astronomiczne, mogące interesować mędrców, a mianowicie koniunkcja Saturna z Jowiszem w gwiazdozbiorze Ryb w 7 roku prz. Chr. (zdarzająca się co 900 lat) oraz koniunkcja Saturna, Jowisza i Marsa w tymże gwiazdozbiorze w roku 6 prz. Chr. (co dzieje się jeszcze rzadziej). Kiedy w konstelacji Koziorożca pojawiła się kometa, był to, w rozumieniu astrologicznym, trzeci i ostateczny znak sugerujący narodziny kogoś bardzo ważnego – np. władcy – na ziemi Izraela. Widząc go mędrcy, wyruszyli w podróż.

Identyfikacji Mateuszowej „gwiazdy betlejemskiej" z kometą dokonano już w czasach Orygenesa w III wieku, choć próbowano potem tę interpretację obalić w myśl przekonania (całkiem fałszywego), jakoby pojawianie się komet uważano w starożytności za zjawiska zwiastujące wyłącznie wydarzenia niepomyślne. Najnowsze badania astronomiczne sugerują, iż ta wczesna wykładnia mogła być zupełnie sensowna.

Jeżeli w istocie tak było, moglibyśmy dokładnie oszacować prawdopodobną datę narodzin Jezusa. Kometa zaczęła być widoczna między 9 marca i 6 kwietnia 5 roku prz. Chr., mędrcy mogli więc dotrzeć do Jerozolimy najwcześniej w maju lub czerwcu. Jakkolwiek Jezus mógł się urodzić znacznie wcześniej, to jednak ewangelista Mateusz kojarzy Jego przyjście na świat z pierwszym pojawieniem się komety (por. Mt 2,7). Jeśli tak, to mógł się On narodzić w 5 roku prz. Chr., w czasie bliskim Paschy (przypadającej wtedy w dniu 20 kwietnia). Dwa tysiące lat od tej chwili minęło w kwietniu 1995 roku.

Zgadzałoby się to z informacją, że pasterze byli w nocy na polach przy trzodzie, co nie byłoby możliwe w miesiącach zimowych (od grudnia do lutego). Fakt ten może też wskazywać na okres rozrodu owiec. Data 25 grudnia została ustalona na początku IV wieku w Kościele zachodnim. Jej wybór pozwalał zastąpić pogańskie święto Sol Invictus („Niezwyciężonego Słońca") świętem chrześcijańskim.

Jest jednak bardziej prawdopodobne, że Jezus urodził się w kwietniu, w okresie paschalnym. Przypuszczalnie Maryja i Józef zgłosili około sześciotygodniowe niemowlę w świątyni, a następnie powrócili do Betlejem. Nieco później odwiedzili ich mędrcy, zostali jednak ostrzeżeni o intencjach Heroda, który chciał Jezusa zgładzić, i szybko uciekli do Egiptu.

Pytania związane z Bożym Narodzeniem

Kilka spraw związanych z narodzinami Jezusa jest niepewnych. Jedną z nich jest dokładna data, ale nie jedyną. Dlaczego Maryja wybrała się w podróż z Józefem, będąc w zaawansowanej ciąży? Przejazd z Nazaretu na mułach lub osłach mógł trwać pięć do sześciu dni. Można przypuszczać, że Józef mógł odbyć tę podróż sam. Fakt, iż Maryja mu towarzyszyła, może jednak wskazywać na posiadanie przez nią jakiejś własności w okolicach Betlejem, która musiała być przez nią osobiście zarejestrowana u władz rzymskich podczas spisu. To z kolei oznaczałoby, że jej ojciec już nie żył oraz że nie pozostawił męskich potomków, a ona była jego najstarszą córką. Józef wyruszył do Betlejem z oczywistych powodów, lecz i on mógł mieć jakiś majątek w okolicy, a jednocześnie musiał parafować zeznania spisowe Maryi jako jej prawny opiekun.

Kolejne pytanie: dlaczego „nie było dla nich miejsca w gospodzie"? Najprostsze wyjaśnienie jest takie, że Betlejem było zatłoczone przez ludzi przybyłych w celu złożenia w tej starożytnej wiosce zeznań spisowych. Mogło być wielu takich „potomków Dawida", rozproszonych po całym kraju. W Nazarecie mogła też mieszkać spora ich grupa, co by oznaczało, że podczas podróży na południe Józef i Maryja mieli licznych towarzyszy.

Istnieje jednak interpretacja alternatywna. Słowa ewangelisty Łukasza można rozumieć jako stwierdzenie, że gospoda nie była odpowiednim miejscem dla kobiety spodziewającej się rychłego porodu. Jeśli to właśnie autor chciał przekazać, to znaczy, że ów rzekomo gru-

Czyż Pismo nie mówi, że Mesjasz będzie pochodził z potomstwa Dawidowego i z miasteczka Betlejem?
J 7,42

▮ Ważne daty – Betlejem

ok. 1350 prz. Chr.	Betlejem wspomniane przez władcę Jerozolimy w jednym z listów z el-Amarna	125 po Chr.	Protoewangelia Jakuba (18) wspomina o narodzinach Jezusa „w pieczarze"; św. Justyn Męczennik podaje tę samą wersję w *Dialogu z Żydem Tryfonem* (78)	ok. 384	Święty Hieronim zakłada w Betlejem klasztor i wspomina o wybudowanej niedawno bazylice „na Polu Pasterzy" (*List* 46,12)
ok. 1020 prz. Chr.	Wizyta Samuela, podczas której namaszcza on Dawida, syna Jessego (zob. 1 Sm 16,1-13)			ok. 530	Renowacja bazyliki przez cesarza Justyniana; dodanie nawy, kruchty i trzech absyd zachowanych do dnia dzisiejszego
ok. 920 prz. Chr.	Miasto umacnia fortyfikacjami wnuk Dawida – król Roboam (2 Krn 11,5-6)	135–325	Wygnanie Żydów z okolic Jerozolimy przez Hadriana; w opuszczonym Betlejem powstaje leśny gaj poświęcony wiejskiemu bożkowi (św. Hieronim, *List* 58)	614	Bazylika nie doznaje uszczerbku podczas najazdu perskiego (z powodu dobrze znanego Persom ubioru mędrców przedstawionych na fasadowej mozaice)
ok. 720 prz. Chr.	Betlejem Efrata pojawia się w proroctwie Micheasza jako „najmniejsze z plemion judzkich"(Mi 5,1)	ok. 230	Orygenes (*Przeciw Celsusowi* 1,51) pisze, że odwiedzającym pokazywana była „pieczara" oraz „żłób" jako miejsca związane z narodzinami Jezusa	ok. 1009	Bazylika nie doznaje uszczerbku mimo rozkazów Hakima (ponieważ pozwolono muzułmanom używać południowego transeptu)
538 prz. Chr.	Powrót 123 „mężów z Betlejem" z wygnania (por. Ezd 2,21)	ok. 315	Euzebiusz z Cezarei pisze, że „mieszkańcy pokazują pieczarę przybywającym z zagranicy, którzy chcą ją obejrzeć" (*Ewangeliczny dowód* 3,2)	ok. 1165–1169	Renowacje (obejmujące m.in. nowy dach, prawdopodobnie ufundowany przez króla Anglii Edwarda I) były wspólnym przedsięwzięciem krzyżowców (Franków) i Bizantyńczyków
ok. 5 prz. Chr.	Narodziny Jezusa; koniunkcja Saturna i Jowisza w gwiazdozbiorze Ryb (maj, październik i grudzień)	ok. 326	Święta Helena, matka Konstantyna, inicjuje budowę bazyliki w miejscu narodzenia Chrystusa (Euzebiusz z Cezarei, *Życie Konstantyna* 3,41)	1925	Barluzzi buduje franciszkański kościół na Polu Pasterzy
5-4 prz. Chr.	Wizyta „mędrców" i „rzeź niemowląt" z rozkazu Heroda Wielkiego (por. Mt 2,1-18)	333	Pielgrzym z Bordeaux wspomina o bazylice zbudowanej w Betlejem przez Konstantyna	1948	Wokół Betlejem powstają obozy uchodźców
4 prz. Chr.	Śmierć Heroda Wielkiego (Józef Flawiusz, *Dawne dzieje Izraela* 17,8)	339	Konsekracja bazyliki Narodzenia Pańskiego w dniu 31 maja	1995	Betlejem przechodzi pod nadzór Autonomii Palestyńskiej

biański „karczmarz" (występujący w wielu jasełkowych scenariuszach!) być może chciał Maryi pomóc, szukając w pobliżu bardziej intymnego i cieplejszego miejsca. Miejscem takim mogła być właśnie owa pieczara na tyłach domostwa.

Teraz może nam się to wydawać dziwne, ale w I wieku domy często budowano w pobliżu naturalnych grot, w których w warunkach szczególnie niskich temperatur przetrzymywano cenny inwentarz hodowlany. Niemal na pewno nie była to stajnia usytuowana na polu i wystawiona na silne podmuchy wiatru, lecz jakieś zaciszne miejsce, w którym Maryja dała światu swoje pierworodne Dziecię. Po rozwiązaniu mogła Je rzeczywiście ułożyć w znajdującym się tam korytku lub żłobie.

Był to – trzeba przyznać – bardzo skromny początek życia.

Skromny początek życia

Ewangelista Łukasz mocno podkreśla skromne okoliczności narodzin Jezusa. Nie można się więc dziwić, że w jego relacji pierwszymi odwiedzającymi byli miejscowi pasterze. Ujęcie takie kontrastuje z Ewangelią według św. Mateusza, której autor eksponuje królewską naturę tych narodzin. Opisani przez niego mędrcy (zapewne przybywający znacznie później, jako że Herod rozkazał zabijać wszystkie dzieci do lat dwóch) są bardziej egzotyczni. To tajemniczy „goście" ze Wschodu, pragnący obejrzeć nowo narodzonego „króla żydowskiego" i przynoszący dary w postaci mirry, kadzidła i złota.

Łukasz daje jednak również do zrozumienia, że działo się tam coś więcej niż to, co mogło zarejestrować ludzkie oko. Pojawienie się aniołów z potężnym przesłaniem nie pozostawia wątpliwości, iż nie były to zwykłe narodziny. Dziecko, które przyszło na świat, jest zesłanym przez Boga Zbawcą. Dla Łukasza dobrą nowiną było również to, że nie był to tylko oczekiwany przez Żydów Mesjasz (Chrystus), lecz Posłaniec Boży przynoszący „wszystkim narodom" błogosławieństwo „pokoju na ziemi". Owo zdarzenie w zacofanej, odległej prowincji Imperium Romanum z dala od cezara Oktawiana Augusta, mogło wydawać się mało znaczące. Łukasz chce jednak, by jego czytelnicy rozpoznali w Jezusie prawdziwego, uniwersalnego Mistrza – Pana całego świata, od którego zaczną się boskie zmiany w wielkiej, globalnej skali. Albowiem w tym Dziecięciu – jak głoszą inni autorzy Nowego Testamentu – widzimy samego Boga, wcielającego się w ludzką postać i wkraczającego do własnego świata – „Słowa stającego się ciałem" (por. J 1,14).

Oznacza to, że w Betlejem wieczność zmaterializowała się w wymiarze czasu, a Stwórca zstąpił do świata stworzonego. Stało się to w małym, niewiele znaczącym miejscu, którego „ciemna noc" – zgodnie ze słowami kolędy – „w jasności promienistej brodzi".

Po prawej: Tarasowe uprawy w gajach oliwnych koło Betlejem; wiele takich tarasów liczy sobie ponad trzy tysiące lat

Skrajnie po prawej: Widok z lotu ptaka na Herodion – fortecę króla Heroda w pobliżu Betlejem

Betlejem dzisiaj

Dzisiejsze Betlejem jest chaotycznie rozrastającym się miastem arabskim, z którym sąsiadują dwa inne skupiska o podobnym charakterze – Bait Jala (na zachodzie) i Bait Sahur (nieco niżej, na wschodzie, w kierunku pustyni). Mimo niewielkiej odległości od Jerozolimy (tylko 10 km), podróż może trwać dłużej niż w czasach biblijnych – z powodu procedur w punkcie kontrolnym na granicy palestyńskiej enklawy. „Mur bezpieczeństwa", wzniesiony w roku 2004, niesie własne, potężne i smutne przesłanie. Ci, którzy pokonują go nie bez trudności w kierunku Betlejem, być może kierują swoje myśli ku wszystkim, którzy mieszkając w okolicach tej miejscowości byliby bardzo szczęśliwi, mogąc bez przeszkód opuszczać od czasu do czasu swój rejon, nie ograniczani godziną policyjną i innymi restrykcjami. Obecność muru powoduje, że Betlejem sprawia dziś wrażenie otwartego więzienia.

Zwiedzający to miasto udają się zwykle w pierwszej kolejności na tak zwane **Pole Pasterzy** (na granicy wioski Bait Sahur), skąd rozciąga się widok w kierunku Betlejem, położonego na łagodnych stokach wzniesienia. Daje on pewne wyobrażenie o jego naturalnym położeniu przy Drodze Patriarchów, biegnącej na południe, wzdłuż łańcucha wzgórz, w kierunku Hebronu. Z Pola Pasterzy widać także wyraźnie bazylikę Narodzenia Pańskiego, której położenie wskazuje miejsce usytuowania wioski w I wieku – na zboczu, z widokiem na pola.

Rozległy widok mamy też w kierunku wschodnim, gdzie szczególnym akcentem jest stożkowa forma fortecy Herodion (naturalnego wzniesienia na pustyni, zaadaptowanego przez króla Heroda jako jego „bun-

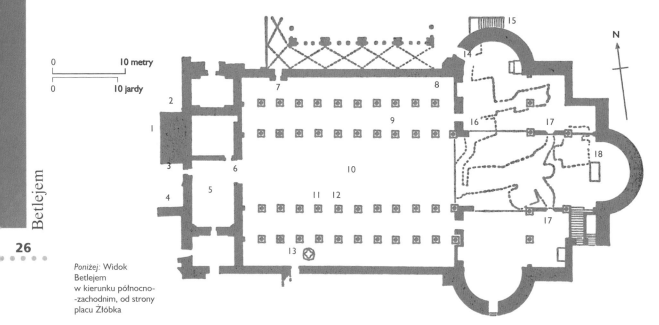

0 10 metry

0 10 jardy

N

Poniżej: Widok
Betlejem
w kierunku północno-
-zachodnim, od strony
placu Żłóbka

Bazylika Narodzenia Pańskiego. 1. Przypora; 2. Nadproże
z VI w.; 3. Wejście; 4. Nadproże z VI w.; 5. Narteks;
6. Rzeźba ormiańska; 7. Wejście do franciszkańskiego
krużganka; 8. Zamknięcie nawy; 9. Św. Katal; 10. Posadzka
mozaikowa z IV w.; 11. Św. Kanut; 12. Św. Olaf;
13. Chrzcielnica z IV w.; 14. Wejście do kościoła
franciszkanów; 15. Wejście do grot; 16. Posadzka
mozaikowa z IV w.; 17. Wejścia do groty Narodzenia
Pańskiego; 18. Główny ołtarz grecko-prawosławny

kier"). Dalej na wschód roślinność jest coraz
uboższa. Można tam zauważyć kilka dobrze
zachowanych starożytnych tarasów uprawnych, służących rolnikom do zwiększania żyzności dość nieurodzajnej gleby.

Na przestrzeni lat używano różnych
miejsc, mających pomóc pielgrzymom w wyobrażeniu sobie pasterzy, odwiedzających
Jezusa po Jego narodzinach. Znajdują się
one na terenie budowli należących obecnie
do organizacji YMCA, do instytucji rzymskokatolickich oraz do Greckiego Kościoła
Prawosławnego. Ten ostatni obiekt znajduje
się przypuszczalnie w rejonie dawnego kościoła z IV wieku, o którym wspomina Egeria
(a później Arculf w roku 670), zbudowanego
na miejscu istniejącej tam kiedyś pieczary.
Świątynia ta, przebudowana w V wieku, zachowała się w idealnym stanie do dnia dzisiejszego. Później, wraz z rozwojem osadnictwa monastycznego, zbudowano jeszcze jedną kaplicę powyżej jej dachu, ale odwiedzający mogli nadal spoglądać w dół w kierunku

pieczary. W okresie bizantyjskim na terenie będącym własnością franciszkanów istniało osadnictwo klasztorne. Obecnie znajduje się tam niewielki kościół z barwnymi malowidłami ściennymi, zaprojektowanymi przez Barluzziego; a także obszerna grota, dająca dobre wyobrażenie o naturalnych miejscach nocnego schronienia, których mogli dawniej używać pasterze.

Czternastoramienna gwiazda w grocie Narodzenia Pańskiego – tradycyjnym miejscu narodzin Jezusa

Osoby odwiedzające Betlejem jako miejsce narodzin Jezusa docierają tradycyjnie do placu Żłóbka, z którego w kierunku wschodnim widać nieprzeniknione mury klasztoru ormiańskiego po stronie prawej i katolicki kościół św. Katarzyny – nieco dalej po lewej. Na wprost znajduje się **bazylika Narodzenia Pańskiego**, zbudowana pierwotnie przez Konstantyna w początkach IV wieku, a następnie poddana renowacji w VI wieku z inicjatywy cesarza Justyniana. Bazylika uniknęła zniszczenia podczas kolejnych najazdów i jest obecnie najstarszym, nieprzerwanie funkcjonującym kościołem na świecie.

W Betlejem istnieje grota, w której się urodził Jezus i żłób, w którym Go położono.

Orygenes, Przeciw Celsusowi 1,51

Zarysy pierwotnych **wejść** są wyraźnie widoczne w strukturze murów bazyliki. Są to m.in. potężne nadproża z VI wieku oraz średniowieczny łuk zbudowany w celu uniemożliwienia krzyżowcom wjazdu do świątyni na koniach. Obecnie wszyscy wchodzący muszą się pochylić w niskim przejściu, pochodzącym z okresu panowania tureckiego. Wiele osób uważa to za okoliczność bardzo odpowiednią, ponieważ bazylika upamiętnia akt wielkiej pokory.

Pozbawione ozdób, dostojne wnętrze bazyliki robi silne wrażenie. Jej długość i otwarta architektura dają wyobrażenie o cechach stylu bizantyjskiego. Pod posadzką znajdują się piękne (osłonięte drewnianymi klapami) mozaiki z wcześniejszej bazyliki Konstantyna. W górze, ponad kolumnami zauważyć można pozostałości niektórych **mozaik ściennych**. Niższe partie przedstawiają przodków Jezusa, zgodnie z zapisami św. Łukasza – umieszczonymi na północnej ścianie nawy; oraz św. Mateusza – widocznymi na ścianie południowej. Partie górne podsumowują niektóre decyzje podjęte we wczesnym okresie historii Kościoła. Dekrety sześciu synodów prowincjalnych przedstawione są na ścianie północnej, a pierwszych sześciu soborów ekumenicznych (ogólnokościelnych) – takich jak Sobór Nicejski i Sobór Chalcedoński –

Zachodnia fasada bazyliki
Narodzenia Pańskiego; nad
niedużym wejściem widać
zarys średniowiecznego łuku

*Bowiem Ten, który
był „Bogiem z nami",
podjął się narodzenia
w grocie pod ziemią,
a miejsce Jego
Narodzenia w ciele
nazywane jest przez
Hebrajczyków
słowem „Betlejem".
Dlatego
najpobożniejsza
cesarzowa [Helena]
niezwykłymi
pomnikami uczciła
miejsce porodu Tej,
która była Bożą
Rodzicielką.*

**Euzebiusz z Cezarei,
Życie Konstantyna 3,43**

na południowej. W ten sposób odwiedzający – podobnie jak w dawnych wiekach – mogą sobie w pełni uświadomić prawdziwe, głębsze znaczenie upamiętnionych tutaj narodzin. W kategoriach fizycznej percepcji było to zdarzenie całkiem zwyczajne, widziane jednak przez pryzmat wiary oraz z perspektywy czasu – zupełnie niezwykłe, polegające na wkroczeniu Boga w świat ludzki.

Po przejściu przez transept południowy zwiedzający schodzą po mocno wytartych schodach do **groty Narodzenia Pańskiego**. Pomieszczenie to, z wielką ilością świec i pokrytych azbestem ozdób, robi dość tajemnicze wrażenie, jest bowiem jedną z wielu starożytnych grot, spotykanych często na tyłach wiejskich domostw z I wieku. Tę właśnie grotę – ze względu na jej szczególne położenie, postanowiono w IV wieku uczynić symbolem narodzin Jezusa, czego wyrazem jest gwiazda znajdująca się na posadzce po prawej stronie.

W pierwszym odbiorze miejsce to może wydawać się dość dziwne. Nie ma „stajenki" (o której Pismo Święte nigdzie nie wspomina), a „żłóbek" (stojący w małej kapliczce po lewej stronie, na poziomie niższej posadzki) w sposób oczywisty bardzo odbiega od oryginału. Mimo to wiele przemawia za autentycznością terenu, na którym się znajdujemy. Tradycja mówiąca o tym, że Jezus urodził się w pieczarze, sięga roku 135, a w I wieku pieczary takie rzeczywiście istniały na zachodnich obrzeżach tamtejszych wiosek. Budowniczowie Konstantyna mogli czerpać informacje z tradycji lokalnych, od wielu pokoleń pielęgnowanych przez chrześcijan. Jest więc całkiem prawdopodobne, że gdzieś w tej właśnie okolicy Maryja powiła swego Pierworodnego. Jest to sceneria chwili, w której Bóg stał się Człowiekiem.

Podczas zwiedzania bazyliki przez grupy turystów grota często bywa zatłoczona, warto

Święty Hieronim w Betlejem

Święty Hieronim należał do najsławniejszych mieszkańców Betlejem. Był wielkim badaczem i znawcą literatury klasycznej. W roku 384, w epoce, w której wielu chrześcijan odwiedzało Ziemię Świętą i wielu decydowało się w niej pozostać, udał się do Palestyny, gdzie z jego inicjatywy powstało wiele społeczności zakonnych, przyciągających osoby pragnące modlić się i studiować.

W Betlejem Hieronim założył własne zgromadzenie, mające swą siedzibę w pobliżu zbudowanej przez Konstantyna bazyliki Narodzenia Pańskiego. Wkrótce dołączyło do niego wiele innych osób, a wśród nich kobieta imieniem Paula oraz jej córka Eustochia. Obie pomogły Hieronimowi w rozbudowie znaczącej i cieszącej się powszechnym szacunkiem społeczności zakonnej.

Największą sławę przyniósł Hieronimowi przekład Biblii Starego i Nowego Testamentu na język łaciński (znany pod nazwą Wulgaty, czyli wersji „popularnej"). Wcześniej zachodni chrześcijanie dysponowali tylko Biblią w języku greckim. W Betlejem Hieronim studiował oryginalne hebrajskie teksty Starego Testamentu, tworząc nowe ich przekłady po konsultacjach z miejscowymi rabinami. Wulgata wytrzymała znakomicie próbę czasu i do wieku XX była oficjalną, autorytatywną wersją Biblii w Kościele katolickim.

Hieronim pisał również własne komentarze biblijne oraz tłumaczył na język łaciński niektóre kluczowe prace wcześniej-

szych biblistów z Ziemi Świętej, takich jak Orygenes i Euzebiusz z Cezarei. Z wszystkich jego tekstów (w tym także bogatej korespondencji) wyłania się dość wyrazisty obraz współczesnej mu Palestyny. W *Liście* 108 opisuje pielgrzymkę Pauli do „miejsc świętych", związanych z nauczaniem Jezusa, oraz zachęca niektórych przyjaciół do odwiedzenia Ziemi Świętej. Innym jednak odradza taką podróż, zapewniając, iż nie zbliży ich ona do Boga bardziej niż wyprawa na odległe Wyspy Brytyjskie. Uważał, że dostęp do bram niebios jest równie łatwy w Brytanii, jak w Jerozolimie (por. *List* 58).

Odwiedzającym pieczary sąsiadujące z grotą Narodzenia Pańskiego pokazywane jest pomieszczenie będące celą św. Hieronima. Czy było nią naprawdę, trudno powiedzieć, nie można jednak wykluczyć, że Hieronim mógł tam pracować. Dla każdego, kto ceni sobie Biblię jako „słowo Boże", potężnym przeżyciem jest wyobrażenie sobie tego wielkiego uczonego, piszącego przekład „słowa" w bezpośredniej bliskości miejsca narodzin Jezusa, którego ewangelista Jan opisuje jako najwyższe „Słowo", pochodzące od Boga (por. J 1,1).

Hieronim pisał, że Paula została „pochowana w podziemiach bazyliki, obok groty Pana"; i sam również zadbał o to, by jego ciało po śmierci tam spoczęło. Ich groby nie zachowały się, choć z pewnością musiały być gdzieś w tych pieczarach – możliwie blisko miejsca narodzin Tego, którego uważali za swojego Pana.

jednak powrócić do niej trochę później, gdy nie ma w niej nikogo, wstępując po drodze do kościoła św. Katarzyny, gdzie schody po prawej stronie prowadzą do celi **św. Hieronima** – jednego z czterech wielkich łacińskich Ojców Kościoła, autora przekładu Biblii na język łaciński (Wulgata) oraz inicjatora osadnictwa monastycznego w Betlejem w IV wieku. Mapa znajdująca się na ścianie ukazuje połączenia tych grot z grotą Narodzenia Pańskiego.

Wracając do groty Narodzenia Pańskiego, po obejrzeniu celi św. Hieronima, łatwiej ją sobie wyobrazić bez ozdób, co pozwala odczuć prostotę upamiętnionego tam wydarzenia. Oczyma duszy nietrudno ujrzeć pasterzy odwiedzających Maryję, która, wiedząc więcej niż mogła powiedzieć, „zachowywała wszystkie te sprawy i rozważała je w swoim sercu" (Łk 2,19). Od tamtej pory wielu, zdając sobie sprawę z tego, kto przyszedł na świat w tych skromnych warunkach, oddaje Mu cześć i głosi Jego chwałę.

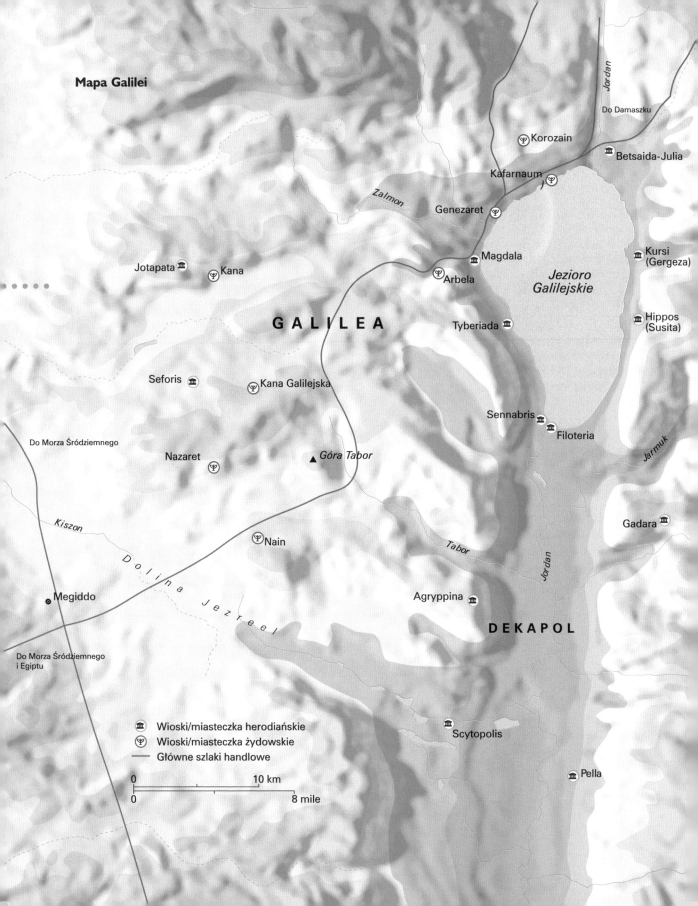

Mapa Galilei

Do Damaszku

Jordan

Korozain

Betsaida-Julia

Kafarnaum

Zalmon

Genezaret

Magdala

Kursi
(Gergeza)

Jotapata Kana

Arbela

*Jezioro
Galilejskie*

G A L I L E A

Tyberiada

Hippos
(Susita)

Seforis Kana Galilejska

Sennabris

Filoteria

Jarmuk

Do Morza Śródziemnego

Nazaret

▲ *Góra Tabor*

Kiszon

Gadara

Nain

Tabor

D o l i n a   J e z r e e l

Jordan

Megiddo

Agryppina

Do Morza Śródziemnego
i Egiptu

D E K A P O L

Scytopolis

Pella

🏛 Wioski/miasteczka herodiańskie

🕎 Wioski/miasteczka żydowskie

— Główne szlaki handlowe

0 ————————— 10 km

0 ————————— 8 mile

Nazaret

*Potem powrócił Jezus w mocy Ducha do Galilei (...). Przyszedł również do Naze-
retu, gdzie się wychował. W dzień szabatu udał się swoim zwyczajem do synagogi
i powstał, aby czytać. Podano Mu księgę proroka Izajasza. Rozwinąwszy księgę,
natrafił na miejsce, gdzie było napisane:*

*„Duch Pański spoczywa na Mnie,
ponieważ mnie namaścił i posłał Mnie,
abym ubogim niósł dobrą nowinę,
więźniom głosił wolność,
a niewidomym przejrzenie;
abym uciśnionych odsyłał wolnymi,
abym obwoływał rok łaski od Pana".*

*Zwinąwszy księgę oddał słudze i usiadł; a oczy wszystkich w synagodze były
w Nim utkwione. Począł więc mówić do nich: „Dziś spełniły się te słowa Pisma,
któreście słyszeli".*

*A wszyscy przyświadczali Mu (...). I mówili: „Czy nie jest to syn Józefa?" Wte-
dy rzekł do nich: „Z pewnością powiecie Mi to przysłowie: Lekarzu, ulecz samego
siebie; dokonajże i tu w swojej ojczyźnie tego, co wydarzyło się, jak słyszeliśmy,
w Kafarnaum". I dodał: „Zaprawdę, powiadam wam: Żaden prorok nie jest mile widziany w swojej ojczyźnie (...). I wielu trędowatych było w Izraelu za proroka
Elizeusza, a żaden z nich nie został oczyszczony, tylko Syryjczyk Naaman".*

*Na te słowa wszyscy w synagodze unieśli się gniewem. Porwali Go z miejsca,
wyrzucili Go z miasta i wyprowadzili aż na stok góry, na której ich miasto było
zbudowane, aby Go strącić. On jednak przeszedłszy pośród nich oddalił się.*

Ewangelia według św. Łukasza 4,14.16-24. 27-30

Środowisko dzieciństwa

„Czyż może być co dobrego z Nazaretu?" (J 1,46). Tak kpił człowiek imieniem Natanael, gdy
dowiedział się, gdzie Jezus spędził swoje dzieciństwo. Sam Jezus przyznał, że pytanie to nie
było pozbawione racji.

Nazaret był bowiem maleńką wioską, w której – według pewnych oszacowań – mieszkało
około stu ludzi, usuniętą w cień przez Seforis (stolicę Galilei) oraz inne większe miasta położone wokół Jeziora Galilejskiego (takie jak Betsaida-Julia – rodzinne miasto Natanaela).
Tak więc w oczach współczesnych Jezusowi Żydów Nazaret niewiele znaczył – nawet z perspektywy innych galilejskich miejscowości.

Widok w kierunku południowo-
-wschodnim ponad centrum
współczesnego Nazaretu
i bazyliką Zwiastowania
(w starożytności była to wieś
położona w kotlinie otoczonej
wzgórzami); dalej na południe
rozciąga się pustynna dolina
Jezreel

Ukryte lata dzieciństwa

Może jednak o to chodziło. Być może Nazaret – spokojna wioska zaszyta w kotlinie wśród
łagodnych wzniesień Galilei – była idealnym miejscem przygotowań Jezusa do Jego działalności publicznej, miejscem z którego mógł dyskretnie „obserwować otaczający świat".
Ze wzgórz leżących na południe od Nazaretu widoczna była dolina Jezreel. Z tych
niewysokich gór mógł młody Jezus śledzić intensywny ruch handlowy wzdłuż Drogi Morskiej – szlaku łączącego Galileę z Syrią, Morzem Śródziemnym i Egiptem.

Tam właśnie Jezus „wzrastał" i – zgodnie ze słowami ewangelisty Łukasza – „czynił po-
stępy w mądrości, w latach i w łasce u Boga i u ludzi" (Łk 2,52). Poza jedną relacją doty-
czącą Jezusa dwunastoletniego (która mówi, że rodzice zgubili Go podczas podróży powrotnej ze święta Paschy w Jerozolimie), o latach Jego wczesnej młodości nie wiemy nic.

Do dnia dzisiejszego trwa fascynacja tym okresem Jego życia; ludzie zadawali bowiem,
i nadal zadają, wiele pytań dotyczących Świętej Rodziny: W jakim zakresie Jezus uczył się
zawodu uprawianego przez św. Józefa? Kiedy Józef zmarł? Jakie relacje łączyły Jezusa
z jego kuzynami? Czy w latach młodości objawiały się któreś z cudownych mocy znanych
z Jego późniejszej działalności? W Ewangeliach apokryficznych, takich jak *Ewangelia To-
masza*, zwana też *Ewangelią dzieciństwa*, znajdują się różne osobliwe relacje, mówiące np.

o tym, jak młody Jezus zamieniał wystrugane z drewna ptaszki w żywe stworzenia. Kościół podjął jednak dość wcześnie (w latach 150-200) decyzję o odrzuceniu tych świadectw jako zbyt późnych i nie w pełni wiarygodnych. Nieliczne wzmianki zawarte w czterech Ewangeliach kanonicznych (tj. oficjalnie uznanych) potraktowano wówczas jako wystarczające. Tak więc wieloletni okres życia Jezusa pozostaje dla nas zagadką. Możemy jedynie próbować wyobrazić sobie, co mogło się w tym czasie dziać.

Z czterech ewangelistów jedynie Łukasz zamieszcza komentarz na temat tego okresu, co może wynikać z faktu, iż w latach 57-59, w trakcie dwuletniego pobytu w Palestynie ze św. Pawłem, odwiedzał miejsca, w których Jezus spędził dzieciństwo i młodość. Podczas tych wizyt mógł rozmawiać z wieloma osobami pamiętającymi Jezusa, nie wyłączając jego matki Maryi. Relacja Łukasza, dotycząca narodzin i dzieciństwa Jezusa, wydaje się uwzględniać Jej świadectwo. Ewangelista, pisząc, że „Maryja zachowywała wszystkie te sprawy i rozważała je w swoim sercu" (Łk 2,19), być może daje czytelnikom do zrozumienia, że nie miał przyzwolenia na publikację wszystkiego, co – być może – Maryja przekazała mu „w zaufaniu".

Wokół Seforis – stolicy Galilei

Nazaret był miejscem korzystnym także z przyczyn politycznych. Galilea była wtedy odrębną jednostką administracyjną, oddzieloną od Judei (z głównym ośrodkiem w Jerozolimie). Gdy Józef i Maryja wrócili z Egiptu, udali się na północ do Nazaretu (a nie do Betlejem w Judei). Ostrzeżeni przez anioła we śnie, czuli, że ich Dziecko będzie tam bezpieczniejsze, żyjąc dalej od gwałtownego Archelaosa – syna Heroda Wielkiego – rządzącego wówczas Judeą. Prowincjonalność Nazaretu raz jeszcze ukazała swe strategiczne znaczenie. Jezus musiał pozostawać w ukryciu – „poza zasięgiem królewskiego radaru", jak byśmy dziś powiedzieli – do czasu osiągnięcia pełnej dojrzałości.

Galileą rządził Herod Antypas. W porównaniu z Judeą był to obszar mniejszy, obejmujący wzgórza położone na zachód od jeziora Genezaret, geograficznie dzielący się na północną Galileę Górną – z wyniosłościami do 1000 m n.p.m. – i Dolną w części południowej. Nazaret leży na południowych rubieżach Galilei Dolnej, w granicznym paśmie wzgórz, z których widoczna jest judzka dolina Jezreel, w odległości zaledwie 6,5 km od Seforis – stolicy Heroda Antypasa.

Seforis nie występuje ani razu w tekstach Nowego Testamentu, możemy więc jedynie snuć domysły, czy Jezus kiedykolwiek je odwiedzał. Z pism Józefa Flawiusza wiemy, że zostało ono kompletnie zrównane z ziemią przez Rzymian podczas tłumienia powstania po śmierci Heroda Wielkiego w 4 roku prz. Chr., lecz Herod Antypas postanowił natychmiast je odbudować. Oznacza to, że w latach dzieciństwa i wczesnej młodości Jezusa było ono wielkim placem budowy, a więc idealnym miejscem zatrudnienia dla kogoś takiego jak św. Józef. Ewangelista Marek (zob. Mk 6,3) określa jego zawód słowem *tekton*, które często bywało tłumaczone jako „cieśla". Oznaczało ono jednak rzemieślnika budowlanego o szerszych kwalifikacjach w zakresie obróbki kamienia i drewna. Był więc św. Józef prawdopodobnie kamieniarzem, murarzem i cieślą, czyli – w dzisiejszym ujęciu – specjalistą rzemiosł budowlanych. Korzystne perspektywy zatrudnienia mogły skłonić rodzinę do przeprowadzki na północ od Nazaretu.

Czy Józef chodził codziennie pieszo z Nazaretu do pracy w Seforis, co zajmowałoby mu około 50 minut w jedną stronę? Czy zdarzało się, że towarzyszył mu Jezus, gdy był chłopcem? Czy Jezus uczył się tam rzemiosła budowlanego? Czy tam dowiedział się o ko-

Znacie sprawę Jezusa z Nazaretu, którego Bóg namaścił Duchem Świętym i mocą. Dlatego że Bóg był z Nim, przeszedł On dobrze czyniąc i uzdrawiając wszystkich, którzy byli pod władzą diabła.

Dz 10,38

Starożytne Seforis

Warus wysłał część sił do graniczącej z Ptolemidą Galilei pod wodzą jednego ze swoich przyjaciół, Gajusza, który rozproszył zachodzących mu drogę nieprzyjaciół, zajął i spalił miasto Seforis, a jego mieszkańców zaprzedał w niewolę. Sam ruszył z całą armią ku Samarii, lecz oszczędził miasto przekonawszy się, że nie brało ono udziału w zamieszkach.

Józef Flawiusz, *Wojna żydowska* 2,5

W okresie dzieciństwa Jezusa Seforis było stolicą Galilei odległą zaledwie o 6,5 km od Nazaretu. Józef Flawiusz nazywa to miasto „ozdobą Galilei" (*Dawne dzieje Izraela* 18,27), co może być aluzją do jego walorów estetycznych lub warunków obronności. Nazwę (kojarzoną z hebrajskim słowem *zippor*, oznaczającym „ptaka") odnoszono do doskonałego położenia. Seforis, uznane przez Rzymian za najważniejsze miasto regionu, zostało zdobyte przez Heroda Wielkiego w 38 roku prz. Chr. podczas burzy śnieżnej.

Po śmierci tego władcy w roku 4 prz. Chr. stało się głównym ośrodkiem żydowskiej rebelii i wkrótce zostało zniszczone przez wojska rzymskie, którymi dowodził rzymski namiestnik w Syrii, Warus. Herod Antypas postanowił odbudować je od podstaw, czyniąc je swoją siedzibą i stolicą regionu.

Oznacza to, że w latach dzieciństwa i wczesnej młodości Jezusa Seforis oferowało wiele możliwości zatrudnienia fachowcom takim jak św. Józef. Założenie Tyberiady w roku 20 po Chr. na pewien czas ograniczyło jego znaczenie, pozostawało ono jednak ważnym ośrodkiem do końca I wieku. Mieszkańcy Seforis – całkiem rozsądnie – nie poparli kolejnej rewolty przeciwko Rzymianom w roku 67, a w następnym pokoleniu miastu nadano nazwę Diocesarea na cześć cezara.

Prowadzone niedawno prace archeologiczne ujawniały zakres rekonstrukcji przeprowadzonej przez Heroda Antypasa. Większość wykopalisk pochodzi jednak z okresów późniejszych, w których Seforis było pomyślnie rozwijającym się miastem żydowskim. Współcześni turyści mogą podziwiać amfiteatr w stylu rzymskim z początków II wieku, którego widownia mieściła ponad 4000 osób. Zachowały się również ruiny rezydencji z początków III wieku ze wspaniałą mozaiką pokrywającą posadzkę jadalni (znaną jako „mozaika Dionizosa" z racji wizerunku w jej środkowej części). Piękne mozaiki można obejrzeć również w synagodze z VI stulecia, położonej w niższej części miasta. Obszar ten ukazuje ekspansję przestrzenną miasta w okresie do IV wieku. Zachowały się ślady kolumnad wzdłuż prostopadłych ulic oraz akweduktów doprowadzających wodę z odległości 5 km.

Antyczny amfiteatr w północno-wschodniej części Seforis

nieczności dobrego planowania przed rozpoczęciem budowy wieży (por. Łk 14,28-30) oraz postawienia domu na skale, a nie na piasku (por. Mt 7,24-27), jak również o greckich dramatach i „maskach" używanych przez aktorów na scenie? Przychodzi też na myśl słowo „obłudnicy" (w oryginalnych tekstach Ewangelii bliskoznaczne z określeniem greckich aktorów) – używane często w głoszonych przez Jezusa naukach (Mt 23,13). Czy w swoich stronach rodzinnych miał okazję spotykać ludzi innych narodowości i wyznań, odczuwając, co oznaczała przynależność do narodu Izraelitów w państwie, którego zewnętrzne granice były tak trudne do utrzymania? Tego wszystkiego nie wiemy. Niektórzy sugerowali, że ewangeliczne milczenie na temat ewentualnych wizyt Jezusa w innym mieście Heroda Antypasa – Tyberiadzie – mogłoby oznaczać jego odmowę przebywania w ośrodkach pogaństwa. Z drugiej strony wiele jest dowodów, potwierdzających aktywną gotowość Jezusa do kontaktów z ludźmi innych narodowości. Wydaje się więc mało prawdopodobne, by wykluczał odwiedzanie jakichkolwiek miast. Najprawdopodobniej Józef i Maryja pozwalali Mu podróżować, kiedykolwiek tylko chciał.

Mimo tej swobody uczyli Go zapewne ścisłych, tradycyjnych zasad zachowywania „czystości" wśród innowierców, tym bardziej że Józef pochodził z „rodu Dawidowego", a więc był potomkiem największego władcy w historii Izraela (por. Łk 2,4). Dowody przytaczają ewangeliści Mateusz i Łukasz (por. Mt 1,6.17.20; Łk 1,27.32; 3,31). Wiele przemawia też za tym, że w Nazarecie mieszkało więcej takich osób, które – choć ubogie – pielęgnowały czystość królewskiego pochodzenia, na przykład nie zawierając podważających ją małżeństw. Niektórzy uczeni sugerują, iż Nazaret został zasiedlony przez Żydów z południa kraju około 100 roku prz. Chr. w ramach programu „rejudaizacji" Galilei. Jeśli to prawda, byłoby to jeszcze jedno uzasadnienie powrotu Józefa i Maryi w te strony po narodzinach Jezusa w Betlejem. Można również przypuszczać, że mieszkańcom Nazaretu zależało na utrzymaniu miejscowej tradycji rodzin legitymujących się królewskim rodowodem.

Maryja i Józef z maleńkim Jezusem; wielu artystów portretowało Świętą Rodzinę z Nazaretu w sposób daleko odbiegający od najbardziej prawdopodobnych realiów tamtej epoki

Dziwne odwiedziny u Maryi

Relacje ewangelistów dotyczące publicznej działalności dojrzałego już Jezusa zaczynają się od wydarzeń w Kafarnaum nad jeziorem Genezaret. Z Nazaretem wiążą się w tych tekstach tylko trzy lub cztery epizody, z których jeden dotyczy wydarzenia poprzedzającego narodziny, nazywanego „zwiastowaniem". „Posłał Bóg anioła Gabriela do miasta w Galilei, zwanego Nazaret" – czytamy w Ewangelii według św. Łukasza (por. 1,26-38). W ten sposób młoda Maryja została uprzedzona o dramatycznych zdarzeniach, mających odmienić jej życie.

Spróbujmy wyobrazić sobie to wydarzenie, tak często przedstawiane w artystycznych formach, w scenerii niewielkiej wioski z I wieku – być może w jednym z małych kamiennych domów lub na pobliskim polu. Popularna miejscowa tradycja głosi, że miało to miejsce w chwili, gdy Maryja czerpała wodę ze studni na północnym krańcu wsi.

Jest to sekwencja o wielkiej sile wyrazu, pełna niespodzianek, zakończona dwoma ważnymi stwierdzeniami. Z jednej strony powtórzona zostaje biblijna teza, iż „dla Boga nie ma nic niemożliwego", a z drugiej – Maryja deklaruje z pokorą swoje posłuszeństwo: „Niech mi się stanie według twego słowa!" (Łk 1,37-38). Biorąc pod uwagę ubóstwo i prowincjonalność Nazaretu, trudno się dziwić, że Maryja postrzega to wszystko jako znak Boskiej ingerencji w sferę ludzkich wartości: „Bo wejrzał na uniżenie Służebnicy swojej. (...) rozprasza [ludzi] pyszniących się zamysłami serc swoich. (...) wywyższa pokornych" (Łk 1,48.51-52). Czy tak wielkie dobro może pochodzić z Nazaretu? Czy to właśnie jest miejsce, w którym ma się rozpocząć realizacja wielkiego planu Bożego dla świata?

Pobliska Kana

Autor czwartej Ewangelii relacjonuje także epizod związany z inną miejscowością, położoną na północny wschód od Nazaretu – cudowną przemianę wody w wino w Kanie Galilejskiej (por. J 2,1-11). Ów „cud weselny" cieszy się zasłużoną sławą – 570 litrów wspaniałego wina pozwoliło mieszkańcom wioski radować się przez kilka dni! Uratowało też gospodarzy od kompromitacji i niesławy. Święty Jan wskazuje jednak na głębsze, symboliczne znaczenia: nadzwyczajną szczodrość Najwyższego oraz „nowe wino" królestwa Jezusowego, reprezentujące nową erę, zapoczątkowaną przyjściem Jezusa. Jest również dialog Jezusa z Maryją, sugerujący punkt zwrotny w Jego ziemskim życiu. Lecz przede wszystkim mamy tu pierwszy „znak" chwały Jezusa oraz objawienie Jego tożsamości i mocy.

Jezus w synagodze w Nazarecie

Dla Łukasza najważniejszym wydarzeniem z wczesnej młodości Jezusa było jednak to, co się stało w dniu szabatu, gdy Jezus wszedł do synagogi nazaretańskiej (zob. cytat na s. 31) i po odczytaniu fragmentu z Księgi Izajasza (Iz 61,1-2) powiedział, że zawarte w niej proroctwo spełnia się w Jego osobie. W świątyni zapadła wówczas grobowa cisza. Powiedział wyraźnie, że nadzieje związane z proroctwami Starego Testamentu znajdą spełnienie w Jego osobie, że to właśnie On jest Tym, którego „namaścił" Duch Boży, Tym, który ma moc uwalniania uwięzionych, „obwoływania roku łaski od Pana" i głoszenia ubogim dobrej nowiny.

Pierwsza reakcja słuchaczy była życzliwa, zaczęła się jednak zmieniać, gdy Jezus oznajmił, że tym razem od dawna oczekiwane duchowe spełnienie i błogosławieństwo Boże będzie udziałem wszystkich narodów – nie tylko Izraelitów (podobnie jak Bóg pobłogosławił Syryjczyka Namaana za czasów Elizeusza). To nie było zgodne z poglądami i oczekiwaniami prawowiernych Żydów (wśród których nie brakowało zapewne potomków Dawida). Dlatego rozgniewani i zgorszeni sąsiedzi wywlekli Jezusa ze świątyni i wyprowadzili „aż na stok góry". Mogło to być strome urwisko na południe od Nazaretu, z którego rozciąga się widok na dolinę Jezreel, bądź też krawędź któregoś z pól uprawnych na zboczu pobliskiego wzniesienia. Tak czy owak, był to dramatyczny finał powrotu Jezusa „do domu" z uroczystości szabatowych. Autorytet Młodzieńca z sąsiedniej chałupy zdecydowanie odrzucono, może dlatego, że ludzie ci pamiętali Go jeszcze jako dziecko. Szczególnej mocy nabiera w tym kontekście

Tylko w swojej ojczyźnie, wśród swoich krewnych i w swoim domu może być prorok tak lekceważony.

Mk 6,4

Umiejscowienie Kany Galilejskiej

Dokładna lokalizacja Kany Galilejskiej jest sprawą dyskusyjną. Musiała to być wioska położona między Nazaretem a jeziorem Genezaret. Według relacji ewangelisty Jana (por. J 4,46-54), przebywający w Kanie Jezus oznajmił urzędnikowi królewskiemu, że jego syn, który umierał właśnie w gorączce w Kafarnaum, przeżyje. Człowiek ten wyruszył w drogę i niebawem spotkał posłańców niosących wiadomość, że stan syna poprawił się dnia poprzedniego o godzinie pierwszej po południu, czyli dokładnie w chwili gdy Jezus o nim mówił. Z relacji o tym spotkaniu (do którego doszło mniej więcej w połowie drogi z Kany do Kafarnaum) możemy wnioskować, że miejscowości te były oddalone od siebie o sześć do ośmiu godzin marszu (24–32 km).

Ewangelista Jan mówi o Kanie Galilejskiej, być może w celu odróżnienia od innego miasta o tej samej nazwie (np. położonego znacznie dalej na północ, w pobliżu Sydonu, wzmiankowanego w Księdze Jozuego (Joz 19,28). Pod koniec IV wieku Kana, o której mowa w Ewangeliach, była niezna-

na. W swoim dziele *Onomastikon* (napisanym około roku 290) Euzebiusz z Cezarei dość ryzykownie łączy tę nazwę z informacją z Księgi Jozuego, lecz z biegiem czasu odwiedzający Ziemię Świętą zaczęli identyfikować ją z wioską (nazywaną obecnie Kafr Kanna), leżącą około 6 km na północny wschód od Nazaretu. Miejscowość ta znajduje się bardzo blisko drogi wiodącej w kierunku jeziora oraz niedaleko od góry Tabor, identyfikowanej wówczas ze sceną Przemienienia Pańskiego (patrz: s. 96). Wybór ten wydaje się raczej podyktowany względami praktycznymi i prawdopodobnie nie ma oparcia we wcześniejszej tradycji.

W ostatnich latach archeolodzy sugerują miejscowość Chirbet Qana, leżącą w odległości 13 km na północny wschód od Nazaretu. Prowadzone tam wykopaliska odsłoniły niewielką, dobrze rozplanowaną wioskę z dużą liczbą zbiorników na wodę, rozmieszczonych między domami. Odległość tego miejsca od Kafarnaum wynosi w linii prostej 27 km.

wypowiedziany przez Niego pouczający morał: „Zaprawdę, powiadam wam: żaden prorok nie jest mile widziany w swojej ojczyźnie" (Łk 4,2).

Zdarzenie to jest ważne z wielu powodów. Dla historyków to najstarszy znany opis tego, co działo się w żydowskich synagogach w I wieku. Mamy tutaj szereg fascynujących szczegółów, dotyczących regularnych obrzędów szabatowych, jak choćby ten, że asystent podawał wybraną księgę w formie zwoju osobie, która wstawała i głośno odczytywała jej fragment.

Dla Łukasza epizod ów był jednak głównie objawieniem misji Jezusa – tego, co było celem Jego przyjścia. Ewangelista świadomie umieszcza to zdarzenie na samym początku relacji dotyczących nauczania (choć wie, że Jezus zaczął już uzdrawiać w Kafarnaum), aby czytelnicy mogli dokładnie zrozumieć cel przybycia Jezusa, jakim było wskazanie duchowej drogi do wolności i oświecenia nie tylko Izraelitom, lecz wszystkim ludziom. Nadejście tej dobrej nowiny może być przyczyną podziałów, a tragicznym tego wyrazem – odrzucenie Jezusa przez tych, którzy mieli najlepszą możliwość jej przyjęcia.

Po lewej: Synagoga zbudowana niedawno w ramach „wioski Nazaret"; synagogi miały zwykle jedno wejście (często zwrócone w stronę Jerozolimy) oraz miejsca do siedzenia wzdłuż wszystkich ścian: możemy zatem wyobrazić sobie wzrok zgromadzonych Żydów, skupiony na Jezusie, który właśnie usiadł po odczytaniu fragmentu Księgi Izajasza

„Czyż może być coś dobrego z Nazaretu?" Tak – odpowiada Łukasz – właśnie Nazaret to punkt wyjścia Ewangelii, mającej zostać błogosławieństwem dla całego świata. W oczach świata Nazaret może być mało znaczącym miejscem na ziemi, Bóg wybrał jednak tę wioskę oraz jej prostych mieszkańców na źródło Dobrej Nowiny, przeznaczonej dla najdalszych jej zakątków.

Od tamtej pory wyznawcy Jezusa z Nazaretu pielęgnują te skromne początki, deklarując swą wierność, lojalność i oddanie. Niektórzy nawet nazywają siebie „nazarejczykami" lub przez innych tak są nazywani (*notzrim* to hebrajskie słowo używane przez Żydów na określenie chrześcijan). Podążając za Mistrzem z maleńkiego Nazaretu, akceptujemy to, że kiedyś inni ujrzą śmieszność i absurdalność pytania: „Czyż może być coś dobrego z Nazaretu?"

Nazaret dzisiaj

Nazaret: od którego Chrystus zyskał imię „Nazarejczyka"; i od którego my, których teraz nazywają „chrześcijanami", od dawna nosiliśmy to imię. [Wioska] istnieje nadal w Galilei (...), w pobliżu góry Tabor.

Euzebiusz z Cezarei, *Onomastikon* 138–140

W chwili obecnej Nazaret jest dużym, szybko rozrastającym się miastem. Z wyjątkiem nowego osiedla (zwanego Nazareth Illit, czyli „Nazaret Górny", zbudowanego na wzgórzu po stronie wschodniej dla osadników żydowskich), ludność miasta stanowią izraelscy Arabowie (65 proc. muzułmanów, 35 proc. chrześcijan). Najstarsza część znajduje się w centrum, po północno-wschodniej stronie bardzo ruchliwej głównej ulicy.

W ostatnich latach rozgorzał gwałtowny spór wokół projektu budowy meczetu w tej okolicy, lecz, jak dotąd, **bazylika Zwiastowania NMP** z dużą, stożkową, widoczną z daleka kopułą wciąż dominuje w miejskim krajobrazie.

Tę współczesną świątynię wybudowali franciszkanie w miejscu, w którym mógł się znajdować rodzinny dom Jezusa. Bazylika ma konstrukcję wielopoziomową. W obszer-

Ważne daty – Nazaret

4 prz. Chr.	Śmierć Heroda Wielkiego, a po powstaniu żydowskim następuje zniszczenie miasta Seforis.	ok. 200	Rabin Jehuda ha-Nasi kieruje synagogą w Seforis i tworzy zbiór Miszny, który został włączony do Talmudu	ok. 383	Egeria ogląda i opisuje „wielką i wspaniają grotę, w której przebywała Maryja" (Piotr Diakon, *Liber de locis sanctis*, sekcja T)
3 prz. Chr.	Herod Antypas rozpoczyna odbudowę Seforis jako swojej nowej stolicy; powrót rodziny Jezusa z Egiptu	ok. 200	Juliusz Afrykańczyk (Africanus Sextus Julius) donosi, że w Nazarecie mieszkają nadal jacyś chrześcijanie pochodzenia żydowskiego, powiązani z rodziną Jezusa (Euzebiusz z Cezarei, *Historia kościelna* 1,7)	ok. 650	Arculf ogląda „dwa wielkie kościoły" w Nazarecie (prawdopodobnie w miejscach domu Jezusa i zwiastowania jego Matki)
ok. 28 po Chr.	Wystąpienie Jezusa w synagodze w Nazarecie			ok. 1099	Krzyżowcy odbudowują bazylikę Zwiastowania NMP w miejscu naturalnej pieczary w centrum Nazaretu
ok. 58	Przypuszczalna wizyta Łukasza w Galilei w poszukiwaniu śladów życia Jezusa; spotkania ewangelisty z niektórymi Jego krewnymi	251	Chrześcijanin imieniem Conon (zamęczony w Azji Mniejszej) oświadcza: „Pochodzę z Nazaretu w Galilei; należę do rodziny Chrystusa, któremu oddaję cześć jak moi przodkowie" (*Analecta Bolladiana* 18,180)	ok. 1620	Franciszkanie otrzymują zgodę na wykup ruin bazyliki Zwiastowania NMP
ok. 95	Według Euzebiusza z Cezarei (*Historia kościelna* 1,7) dwaj wnukowie Judy, bliskiego krewnego Jezusa, zostają doprowadzeni przed oblicze cesarza Domicjana, a następnie zwolnieni jako politycznie niegroźni	ok. 330	Józef z Tyberiady otrzymuje zgodę cesarza Konstantyna na budowę kościołów w Seforis i Nazarecie (Epifaniusz, *Panarion* 30,11)	ok. 1730	Franciszkanie odbudowują bazylikę
				1955	Franciszkanie dokonują rozbiórki starej bazyliki, wznosząc na jej miejscu obecną świątynię (konsekrowaną w roku 1968)

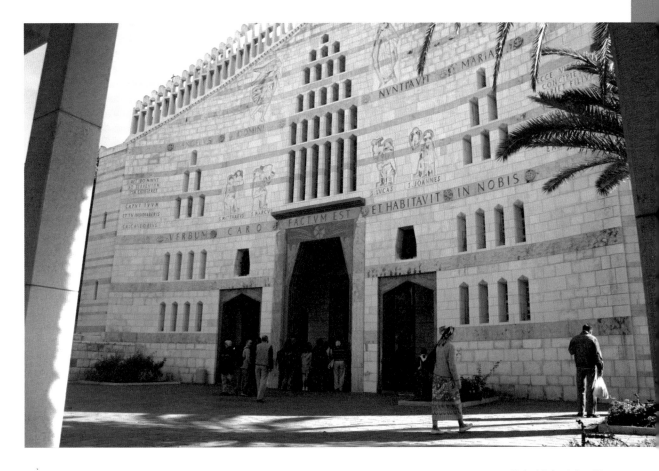

Zachodnia fasada bazyliki Zwiastowania NMP z wizerunkami ewangelistów oraz (w części górnej) zwiastowania Maryi przez archanioła Gabriela; łaciński tekst nad wejściem głosi: VERBUM CARO FACTUM EST ET HABITAVIT IN NOBIS („Słowo stało się ciałem, zamieszkało wsród nas" – J 1,14)

nej części górnej (z barwnymi freskami przedstawiającymi wizerunki Maryi pochodzącymi od różnych narodów) odbywają się regularne nabożeństwa. Jest ona również udostępniana pielgrzymom. Kościół dolny nosi niektóre cechy dawnej świątyni krzyżowców; panuje w nim atmosfera ciemnej, tajemniczej krypty. Odwiedzający mogą stamtąd zejść na poziom jeszcze niższy, na którym widoczne są wyraźne ślady struktur bizantyjskich, skupionych wokół naturalnych pieczar. W V wieku był tam niewielki kościółek (z przylegającym doń klasztorem), mieszczący baptysterium z czasów poprzedzających cesarza Konstantyna. Z boku znajduje się mozaikowa posadzka z inskrypcją: „Dar Conona, diakona z Jaruzalem", pochodzącą prawdopodobnie z połowy III wieku (o ile darczyńcą był ten sam Conon, który mieszkał w Nazarecie i zginął śmiercią męczeńską w roku 251). Niewielkie groty miały najwyraźniej ogromne znaczenie dla pierwszych chrześcijan. Możemy tu zatem mieć do czynienia z bardzo starą tradycją, sięgającą I wieku – miejscem, w którym znajdowała się kiedyś synagoga (co jest najbardziej prawdopodobne) albo dom Jezusa.

Od strony północnej do świątyni przylega **muzeum**, w którym obejrzeć można liczne dzieła sztuki z I stulecia. Jest tam również prasa do tłoczenia oliwy oraz znajdują się fundamenty domu mieszkalnego, które mogłyby pochodzić z czasów Jezusa. Niektóre inskrypcje sugerują, że chrześcijanie bizantyjscy uważali to miejsce za święte.

Około 137 metrów na zachód (pod klasztorem **Sióstr Nazaretanek**) znajdują się ruiny, których wiek nie jest pewny; mogą pochodzić z I wieku, niektórzy jednak uważają, że re-

Dekret nazaretański

Wolą moją jest, aby mogiły i grobowce pozostawały nie niepokojone po wieczne czasy (...). Szacunek dla tych, którzy są pochowani, jest ogromnie ważny; nikt nie powinien ich niepokoić w jakikolwiek sposób. Nakazuję, by każdy, kto to uczyni, był ukarany jak za obrabowanie grobu.

Ten tak zwany Dekret nazaretański wzbudza spore zainteresowanie. Znaleziono go w rejonie Nazaretu na kamiennej płycie, która została przywieziona do Paryża w roku 1878. Zabytek pochodzi z I wieku. Widniejący na nim tekst to najprawdopodobniej rozporządzenie cezara – być może Klaudiusza (pełniącego tę funkcję w latach 41–54) – wydane w okresie, w którym Galilea wróciła pod bezpośrednie panowanie rzymskie.

Dekret cesarski tej treści mógł być reakcją władcy na grabieże grobów. Niektórzy zastanawiali się jednak, czy nie miał on jakiegoś związku z pogłoskami o zniknięciu ciała Jezusa z Jego grobu w Jerozolimie. Czy umiejscowienie płyty w Nazarecie wynika z faktu, iż w tej małej wiosce Jezus spędził dzieciństwo, a jej nazwę kojarzono z Jego wyznawcami („nazarejczykami")? Czy treści rozpowszechniane przez uczniów Jezusa, dotyczące Jego zmartwychwstania, dotarły do świadomości władz rzymskich? Wyznawcy Jezusa byli z całą pewnością dość wcześnie oskarżani o kradzież Jego ciała (por. Mt 28,13-15), dekret mógł więc być próbą stłumienia ich przekonań w zarodku.

Niezależnie od tego, czy dokument ten ma powiązanie z Jezusem z Nazaretu, świadczy niewątpliwie o tym, że ówczesne władze Imperium postrzegały rabunek grobów jako wyjątkowo poważne przestępstwo. W tych warunkach wydaje się mało prawdopodobne, by uczniowie Jezusa (już wcześniej zastraszani) ryzykowali podjęcie takiego działania.

prezentują czasy wypraw krzyżowych. Można w nich rozpoznać kamienne ściany oraz wejście do domu.

Najbardziej intrygującym aspektem tych wykopalisk jest jednak grobowiec z I wieku, mający formę komory, mogącej pomieścić cztery do pięciu osób, z okrągłym kamieniem przy niskim wejściu. W czasach Jezusa mogło to być żydowskie miejsce pochówkowe położone za wsią. Niektórzy snuli domysły, iż mógł to być grób Józefa. Tak czy owak, obiekt ten daje dobre wyobrażenie o rozmiarach i kształcie grobowców w czasach Jezusowych. Zważywszy, że Nazaret był wtedy niewielką wioską, można śmiało założyć, iż zwiedzając to miejsce, poruszamy się w terenie, w którym Jezus spędzał dzieciństwo.

Kościół św. Józefa

Miejsce, w którym stoi obecnie kościół pod wezwaniem św. Józefa, zbudowany w roku 1914, z podziemną komorą, od kilkuset lat kojarzone jest z byłym warsztatem majstra z Nazaretu.

Źródło Najświętszej Maryi Panny

Źródło położone w odległości 400 metrów na północny wschód od bazyliki Zwiastowania NMP (do której prowadzi dziś główna ulica) było prawdopodobnie główną studnią wioskową w I stuleciu. Nazywane jest Źródłem Najświętszej Maryi Panny, w związku z sugestiami, iż przy nim mogło dokonać się zwiastowanie. Tuż obok znajduje się wzniesiony przez prawosławnych mnichów greckich kościół pod wezwaniem św. Gabriela z pięknymi freskami, dającymi wyobrażenie o cechach tego typu architektury.

Wioska Nazaret

Jest to współczesna rekonstrukcja starożytnej wioski, usytuowana na starożytnych tarasach uprawowych w odległości ponad pół kilometra na południowy zachód od bazyliki Zwiastowania NMP – bardzo piękne miejsce warte obejrzenia.

Życie codzienne w czasach Jezusa

Za życia Jezusa Nazaret był niewielką wioską. Niektórzy szacują liczbę jej mieszkańców na około 1000; inni uważają, że było tam nie więcej niż dwadzieścia domostw. Mieszkający w wiosce rzemieślnicy (tacy jak św. Józef) chodzili być może do pracy w pobliskim Seforis, większość trudniła się jednak pasterstwem i pracą na roli (niektóre uprawiane przez nich pola mogły znajdować się w dolinie Jezreel). Klimat Nazaretu był dość umiarkowany, bez skrajnie wysokich i niskich temperatur, występujących w sąsiednich rejonach (np. w Dolinie Jordanu i w Górnej Galilei).

Niektóre gospodarstwa były własnością obszarników, którzy z pewnością wyzyskiwali robotników rolnych, płacąc im minimalne wynagrodzenia. Cała ludność Galilei była opodatkowana. Ponadto wszystkie rodziny żydowskie płaciły tzw. „podatek świątynny" w wysokości dwóch drachm rocznie na rzecz świątyni w Jerozolimie.

Według prawa żydowskiego każdy mężczyzna powyżej dwunastego roku życia był zobowiązany do uczestniczenia trzy razy w roku w najważniejszych uroczystościach religijnych w Jerozolimie, w praktyce jednak większość Żydów odwiedzała Święte Miasto co kilka lat w okresie Paschy. Wyprawa taka była poważnym przedsięwzięciem, odrywającym od pracy na okres do trzech tygodni. Z całą pewnością wieśniacy wykonywali solidarnie obowiązki sąsiadów udających się do Jerozolimy. Wędrówki do Jerozolimy starano się też podejmować grupowo. Ewangelista Łukasz pisze, że Józef i Maryja zabrali Jezusa do Jerozolimy, gdy ukończył dwanaście lat (por. Łk 2,41-52), nie wiemy jednak, czy takie rodzinne pielgrzymki podejmowane były w latach późniejszych.

Krąg kalendarzowy ukazuje miesiące roku żydowskiego, terminy uroczystości religijnych i pory prac rolniczych

Można tam zwiedzić zrekonstruowaną synagogę z I wieku (zbudowaną wyłącznie metodami znanymi w tamtym czasie z zastosowaniem używanych wówczas materiałów) oraz spożyć autentyczny posiłek z czasów Jezusowych pod dużym namiotem. Cały projekt, usytuowany na starożytnych tarasach uprawowych, daje znakomite wyobrażenie o życiu codziennym mieszkańców Nazaretu w tamtej epoce. Zwiedzając teren nazaretańskiej „wioski", całkowicie pozbawiony atrybutów cywilizacji współczesnej, można sobie łatwo wyobrazić górzyste pejzaże, które Jezus oglądał w wieku chłopięcym.

Rzeka Jordan

Było to w piętnastym roku rządów Tyberiusza Cezara. (...) skierowane zostało sło-
wo Boże do Jana, syna Zachariasza, na pustyni. Obchodził więc całą okolicę nad
Jordanem i głosił chrzest nawrócenia dla odpuszczenia grzechów, jak jest napisa-
ne w księdze mów proroka Izajasza:

Głos wołającego na pustyni:
Przygotujcie drogę Panu,
prostujcie ścieżki dla Niego!
Każda dolina niech będzie wypełniona,
każda góra i pagórek zrównane,
drogi kręte niech się staną prostymi,
a wyboiste drogami gładkimi!
I wszyscy ludzie ujrzą zbawienie Boże.

Mówił więc do tłumów, które wychodziły, żeby przyjąć chrzest od niego: „Plemię żmijowe,
kto wam pokazał, jak uciec przed nadchodzącym gniewem? Wydajcie więc owoce godne
nawrócenia; i nie próbujcie sobie mówić: «Abrahama mamy za ojca», bo powiadam
wam, że z tych kamieni może Bóg wzbudzić dzieci Abrahamowi. Już siekiera do korzenia
drzew jest przyłożona. Każde więc drzewo, które nie wydaje dobrego owocu, będzie wycię-
te i w ogień wrzucone". (...) „Ja was chrzczę wodą; lecz idzie mocniejszy ode mnie, które-
mu nie jestem godzien rozwiązać rzemyka u sandałów. On chrzcić was będzie Duchem
Świętym i ogniem. Ma On wiejadło w ręku dla oczyszczenia swego omłotu: pszenicę zbie-
rze do spichlerza, a plewy spali w ogniu nieugaszonym".

Ewangelia według św. Łukasza 3,1a.2b-9.16-17

Chrzest i nawrócenie

Niektóre wypowiedzi o Jordanie mogłyby sugerować rzekę potężną, podobną do Nilu lub
Amazonki. W niektórych hymnach jest ona rzeką śmierci – niemożliwą do przekroczenia
bez Bożego przewodnictwa i łaski.

    Prawdziwy Jordan jest niewielki, jego szerokość rzadko przekracza 13 metrów. Nie bez
racji około roku 730 prz. Chr. Naaman (wódz wojska z Damaszku z VIII wieku prz. Chr.)
wyrażał się o nim lekceważąco: „Czyż Abana i Parpar, rzeki Damaszku, nie są lepsze od
wszystkich wód Izraela?" (2 Kr 5,12). Raz lub dwa razy w roku jego nurt na krótki czas
wzbiera; kiedy indziej toczy on swe wody leniwie niekończącymi się meandrami na dnie
rozległej pradoliny. Źródła Jordanu znajdują się na północno-zachodnich stokach Hermonu, a wody jego górnego odcinka wpływają do Jeziora Galilejskiego (Genezaret). Południowa część rzeki, łącząca to jezioro z Morzem Martwym, ma ogólną długość 105 km, lecz

Wędrując brzegami Jordanu,
uciszam swe lęki
i niepokoje.
Ty, który zwyciężasz śmierć
i moce piekielne,
pozwól mi wylądować
bezpiecznie po kananejskiej
stronie.

William Williams, Guide me,
O Thou Great Jehovah
(Prowadź mnie, Wielki Jahwe)

faktyczna długość nurtu, z uwzględnieniem licznych zakoli, jest o 30 procent większa. Jordan nie jest rzeką żeglowną z powodu licznych przeszkód skalnych na niewielkich głębokościach oraz faktu, iż kończy swój bieg w pustynnym akwenie Morza Martwego.

Jordan w Starym Testamencie

W czasach Jezusa ta niewielka i niewiele znacząca gospodarczo rzeka związana była trwale z myślą biblijną i kluczowymi epizodami dziejów Izraela.

Przede wszystkim była ona wschodnią granicą Ziemi Obiecanej (zob. Pwt 3,17). Mojżesz nigdy jej nie przekroczył, ale jego następca Jozue przeniósł przez nią Arkę Przymierza. Tam właśnie dokonała się nowa „konsekracja" Izraelitów podczas straszliwych doświadczeń „na stepach Jerycha" (Joz 4,13). Na brzegu rzeki umieszczono dwanaście kamieni wydobytych z jej łożyska, mających przypominać ludowi Izraela o Bożej pomocy w krytycznym momencie dziejowym – w chwili wkroczenia do ziemi, którą mu Bóg obiecał. Żydzi pamiętali o nim jako o akcie podobnym do cudownego przejścia przez Morze Czerwone podczas ucieczki z Egiptu, będącego dla ich przodków ważnym rytualnym „symbolem przeprawy".

Jordan kojarzono też z wielkimi prorokami z VIII stulecia prz. Chr. – Eliaszem i Elizeuszem (zob. 2 Krl 2). Przed odejściem na „ognistym rydwanie" Eliasz przeszedł przez rzekę, uderzając w jej wody swoim zwiniętym płaszczem. Kiedy Elizeusz pozostał sam na jej wschodnim brzegu, musiał wykazać się wiarą, używając Eliaszowego płaszcza w taki sam sposób. Ci, którzy obserwowali wówczas cud, stwierdzili, że duch Eliasza musiał najpewniej spocząć na Elizeuszu. Był to znak, iż prorok Elizeusz rzeczywiście przyjął Eliaszową „szatę". Tak jak kiedyś Jordan był świadkiem przejęcia przez Jozuego dziedzictwa Mojżeszowego, tak teraz przechodziło ono z Eliasza na Elizeusza.

Trzeci biblijny epizod związany z Jordanem dotyczy wspomnianego wcześniej trędowatego Syryjczyka Naamana. Nie wychodząc na jego spotkanie Elizeusz przesłał mu wiadomość, że zostanie uleczony, gdy obmyje się siedem razy w najważniejszej dla Żydów rzece. Po serii aroganckich protestów, ów ważny dowódca, uległszy perswazjom służących, doradzających mu, by posłuchał rady „męża Bożego", dokonał zaleconych ablucji, i wówczas „ciało jego stało się na powrót jak ciało małego dziecka". I wtedy służący w armii wrogów Izraela Naaman przyznał: „Oto przekonałem się, że na całej ziemi nie ma Boga poza Izraelem!" (2 Krl 5,15).

Tak więc niewielki Jordan miał znaczące biblijne powiązania. Był miejscem nowych początków – dla pojedynczych osób i całego narodu – miejscem uzdrowień i nawróceń dla ludzi nie związanych z jego tradycją, oraz miejscem objawiania się wierności i mocy Bożej.

Nowe początki

Nie jest więc przypadkiem, że św. Jan Chrzciciel nauczał właśnie na brzegach Jordanu, i że w jego wodach udzielał Izraelitom symbolicznego chrztu z wody. Był on bowiem miejscem *par excellence* odpowiednim dla nowych początków.

Jordan reprezentował ideę nowego początku dla narodu Izraela. Według biblijnych autorów Bóg wyróżnił ów lud w przeszłości, wskazując jego miejsce na ziemi, a w czasie poprzedzającym misję Jezusa wyróżnił nowy lud. Wzywając do chrztu w Jordanie, Jan dawał Izraelitom nowy znak, wskazujący ich obowiązki wobec Boga. Czyniąc to, oferował im coś bardzo podobnego do „chrztu nawrócenia", któremu poddawali się nie-Żydzi, pragnący zostać członkami ludu Izraela. Było to nieoczekiwane i zdumiewające wyzwanie, gdyż sugerowało ono, że nadszedł czas zawarcia nowego przymierza z Bogiem. Jan Chrzciciel dawał Żydom do zrozumienia, że sama świadomość Abrahamowego rodowodu nie jest wystarczająca: „(...) nie próbujcie sobie mówić: «Abrahama mamy za ojca», bo powiadam wam, że z tych kamieni może Bóg wzbudzić dzieci Abrahamowi" (Łk 3,8).

Brzeg Jordanu był także miejscem, w którym Izraelici zostali wezwani do nowego etapu „uświęcenia" jako formy przygotowania nawrócenia, które miało się wśród nich rozpocząć. Wielu odrzuciło to wezwanie, ponieważ św. Jan podważał ich utwierdzone przywileje. Sprzeciwiali się więc – w sposób nie różniący się wiele od protestów Naamana – i, jak wspomniałem w poprzednim rozdziale, pozwalali sobie na

„Drogę dla Pana przygotujcie na pustyni, wyrównajcie na pustkowiu gościniec naszemu Bogu" (Iz 40,3). Nie ma wątpliwości, że słowa te inspirowały Jana Chrzciciela. Postrzegał on siebie jako tego, którego misją było przygotowywanie ludu Bożego na dzień spełnienia przez Boga obietnic danych Izraelowi.

Słowa te inspirowały też innych. W II wieku prz. Chr. powstało zgromadzenie monastyczne mające swą siedzibę na pustyni, w pobliżu brzegów Morza Martwego. Jego członkowie, zniechęceni i zgorszeni postawami świątynnej hierarchii w Jerozolimie, postanowili powołać społeczność alternatywną. Założycielem tej wspólnoty był ktoś, kogo jej członkowie nazywali „Nauczycielem Sprawiedliwości". Mieszkający na pustyni i zajęci studiowaniem Pism, w szczególności ksiąg profetycznych, przypuszczalnie postrzegali siebie – zgodnie z wizjami Izajasza – jako awangardę przygotowującą Boską epokę spełnienia. Być może ich duchowe aspiracje,

szczere dążenie do świętości oraz zapał w zgłębianiu Pisma Świętego przyśpieszyły dzień, w którym Bóg przyszedł do swego ludu.

Członkowie tej społeczności znani są jako esseńczycy. Józef Flawiusz zalicza ich ruch do najważniejszych „filozofii" judaistycznych w I wieku po Chr., przybliżając również swoim czytelnikim sposób

ich życia. Niektórzy z nich żyli w różnych rejonach kraju, większość jednak mieszkała w monastycznym skupisku w pobliżu Morza Martwego, znanym pod nazwą Qumran. Niewielka początkowo społeczność zaczęła się powiększać około roku 100 prz. Chr. W czasach Heroda Wielkiego, a zwłaszcza w latach prowadzonych przez niego działań wojennych, mających zapewnić mu panowanie w kraju (40–37 prz. Chr.), nastąpiło częściowe jej rozproszenie, po którym esseńczycy ponownie się skonsolidowali. Ich główna siedziba istniała do roku 68 po Chr., w którym została zniszczona przez rzymskie oddziały wojskowe.

Badania ruin ośrodka esseńczyków dają dokładne wyobrażenie o ich życiu. Na pobliskim cmentarzu znajduje się około tysiąca grobów. Znalezione szczątki pozwalają wnioskować, iż społeczność ta składała się w większości (choć nie wyłącznie) z mężczyzn praktykujących celibat. Zachowały się pozostałości akweduktu, jadalni, sali obrad i *scriptorium*, w ktorym kopiowano Pismo Święte oraz inną literaturę. Słynna była qumrańska biblioteka.

W roku 1947 nieletni beduiński pasterz Muhammed ed-Dhib odkrył w jaskini położonej na zachód od ruin Qumran starożytne zwoje pism. Poszukiwania podjęte w rejonie tego odkrycia pozwoliły znaleźć jedenaście pieczar z zasobami bibliotecznymi. Przechowane w nich starożytne skarby nazwano „zwojami znad Morza Martwego". Odnalezione księgi były zapewne częścią biblioteki esseńczyków, którą postanowili uratować przed nadejściem rzymskiego legionu.

Od pół wieku materiały te są przedmiotem intensywnych badań i sporów. Szczególne zainteresowanie budzi kompletna księga Izajasza (eksponowana obecnie w Muzeum Izraela w Jerozolimie). Pochodzący z I wieku manuskrypt jest prawie o tysiąc lat starszy od najstarszych znanych dotąd tekstów hebrajskich. Mimo to porównanie obu tekstów wykazuje jedynie bardzo niewielkie różnice. Świadczy to dobitnie o kompetencji osób, przekazujących teksty Pisma Świętego kolejnym pokoleniom oraz utwierdza w przekonaniu, że obecna wersja niewiele odbiega od oryginału.

Wiedza o zgromadzeniu qumrańskim daje nam również fascynujący wgląd w środowisko, w którym działali Jezus z Nazaretu i jego uczniowie oraz rzuca nowe światło na treści Nowego Testamentu. Dotyczy to m.in. pojęć „światła" i „ciemności" używanych czę-

gwałtowne reakcje podobne to tej, jaką wywołał Jezus, przypominając mieszkańcom Nazaretu biblijny epizod z syryjskim oficerem jako przykład intencji Najwyższego, dotyczącej zbawienia wszystkich dusz ludzkich (por. Łk 4,24-30). Zarówno Jan Chrzciciel, jak i Jezus z Nazaretu spotykali się z agresywnymi reakcjami zwłaszcza wtedy, gdy kwestionowali przekonanie Żydów o ich szczególnym, uprzywilejowanym statusie. Ewangelista Łukasz, który sam nie był Żydem, nie mógł nie zauważyć tego ważnego wątku Boskiej intencji włączenia wszystkich ludzi do „nowego ludu Bożego". Dlatego rozpoczyna relację działalności Jana Chrzciciela na brzegu Jordanu od cytatu z Księgi Izajasza (por. Iz 40,3-5), przewidującego czas, w którym „wszyscy ludzie ujrzą zbawienie Boże". Była to nowa inicjatywa Stwórcy adresowana do „nowego ludu".

sto w Ewangelii według św. Jana. Wcześniej uczeni uważali je za świadectwo wpływów greckich, obecnie jednak postrzegane są jako element systemu pojęć, którymi w I wieku operowali Żydzi, mieszkający w Palestynie. Istnieje też wiele innych ciekawych analogii między kulturą qumrańską a Nowym Testamentem. Esseńczycy tęsknili bowiem do czasów, w których świątynię jerozolimską zastąpią ludzie ożywieni boskim duchem świętości – niekoniecznie „urzędujący" w nowej bądź zmodyfikowanej fizycznie budowli. Autorzy ksiąg Nowego Testamentu dają świadectwo, iż podobny był sposób myślenia Jezusa, który uważał siebie za spełnienie tej tęsknoty, oraz że Jego uczniowie i wyznawcy zaczęli w niedługim czasie postrzegać siebie (przez organiczny związek z Jezusem) jako społeczność nowej „świątyni" napełnionej Duchem Świętym (por. 1 Kor 3,16-17; 19 2,4-10).

Nie jest jednak całkiem jasne, czy autorzy Nowego Testamentu znali jakiekolwiek pisma esseńczyków. Nie mamy też pewności, czy Jan Chrzciciel lub sam Jezus mieli bezpośrenie kontakty z tym ruchem. Można mówić o podobieństwach między ascetycznym trybem życia św. Jana Chrzciciela a dyscypliną duchową społeczności qumrańskiej; a głoszone przez niego nauki i praktyka chrztu w wodach Jordanu (w jego południowym odcinku) to wydarzenia, które rozgrywały się niedaleko Qumran. Przesłanie Jana Chrzciciela miało jednak nieco inny sens. Nie wyrażało ono bowiem tylko nadziei spełnienia obietnic Bożych, lecz było prawdziwym proroctwem, ogłaszającym nadejście owego spełnienia. Ponadto Jan Chrzciciel wskazywał konkretną Osobę, mającą odegrać kluczową rolę w realizacji obiecanej ludziom nowej epoki.

Na sąsiedniej stronie: Ruiny Qumran (widok w kierunku południowym) w promieniach popołudniowego słońca

Po lewej: Jedna z wielu jaskiń (oznaczona numerem 4) na zachód od Qumran, w których esseńczycy ukryli swoje cenne zwoje

Nowe początki dotyczyły również *indywidualnych* ludzkich losów i dylematów. Łukasz cytuje pytania, z jakimi zwracali się do Jana Chrzciciela m.in. celnicy i żołnierze. Jego odpowiedzi, konkretne i jednoznaczne, zawierały praktyczne pouczenia „prostowania ścieżek". Słowa te, czasem pełne napomnień i pozbawiające złudzeń, ewangelista nazywa także „dobrą nowiną" (Łk 3,18). Zawierały bowiem zachętę do skruchy i zmiany postawy oraz obiecywały „odpuszczenie grzechów" (Łk 3,3). Łukasz uwielbia temat Bożego przebaczenia, które staje się możliwe dzięki przyjściu Jezusa (zapowiedzianego przez Jana Chrzciciela). Osobliwa działalność św. Jana Chrzciciela na brzegach Jordanu oznacza, że Bóg czynnie objawia swe bezgraniczne miłosierdzie każdemu, kto powraca do Niego, wyrażając żal za swoje grzechy.

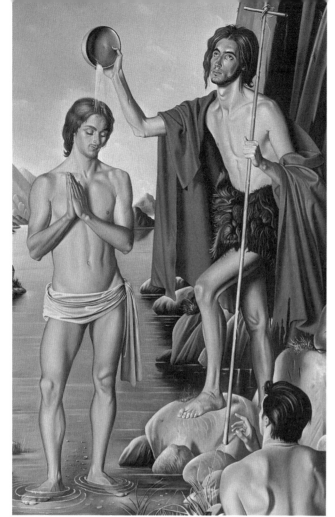

Ważne daty – rzeka Jordan

ok. 1400–1200 prz. Chr.	Wejście do Ziemi Obiecanej pod wodzą Jozuego (Joz 1–4). Psalmista porównuje później to wydarzenie z przejściem Izraelitów przez Morze Czerwone (Wj 14)
ok. 870 prz. Chr.	Eliasz odchodzi na „ognistym rydwanie", a Elizeusz zaleca Naamanowi siedmiokrotną kąpiel w Jordanie (2 Krl 2–5)
ok. 27 po Chr.	Święty Jan chrzci Jezusa w Jordanie
ok. 240	Orygenes odwiedza „Betanię nad Jordanem", poszukując śladów działalności Jezusa i jego uczniów (Orygenes, *Komentarz do Ewangelii według św. Jana* 6)
ok. 290	Euzebiusz z Cezarei podkreśla popularność rzeki Jordan jako celu pielgrzymek (*Onomastikon* 58,19)
333	Brzegi Jordanu odwiedza Pielgrzym z Bordeaux. Cesarz Konstantyn na łożu śmierci żałuje, że nie mógł tego uczynić (Euzebiusz z Cezarei, *Życie Konstantyna* 4,62)
1917	Armia brytyjska buduje Allenby Bridge w pobliżu Jerycha
1967	W warunkach izraelskiej kontroli Zachodniego Brzegu Jordan staje się granicą Królestwa Jordanii

Jordan był również znakiem nowego początku dla *samgo Jezusa*. Wszyscy ewangeliści traktują Jego poddanie się rytuałowi Janowego chrztu jako symboliczny początek Jego własnej działalności publicznej. Jezus z pokorą akceptuje wezwanie Jana Chrzciciela do ogólnonarodowego nawrócenia i duchowej odnowy, wyrażając w ten sposób nadzieje swego ludu poprzez utożsamienie się z nim w akcie zwrócenia się ku Bogu. Dlatego przyjmując w Jordanie chrzest od Jana, uwiarygodnia jego wezwania. Ewangelista pisze, że podczas tej ceremonii zstąpił na Niego Duch Święty, a z nieba odezwał się głos: „Tyś jest mój Syn umiłowany, w Tobie mam upodobanie" (Łk 3,22).

Słowa te inicjują misję Jezusa. Bóg Izraela utwierdza i wzmacnia swego ukochanego Syna, wyrażając ojcowską radość i zadowolenie. Bez wątpienia słowa te mogły być wypowiedziane wcześniej, ponieważ epizod chrztu nie zawiera niczego, co oznaczałoby, iż wyrażone w nich treści *dopiero teraz* nabierały mocy prawdziwości. Były jednak – co należy podkreślić – wyraźnym znakiem zapowiadającym coś nowego.

Miało bowiem nastąpić „przekazanie" odpowiedzialności. Jak kiedyś Mojżesz przekazał ją Jozuemu, a Eliasz Elizeuszowi, tak teraz Jezus otrzymał znak potwierdzający Jego mesjańską posługę przez Jana Chrzciciela (Jezus nawet porównuje Jana do Eliasza (zob. Łk 7,27). Także rzeka Jordan pełni podobną rolę: niegdyś była punktem wyjścia kampanii Jozuego w Ziemi Obiecanej, a teraz jest symbolem początku działań Jezusa (którego imię jest grecką wersją hebrajskiego imienia „Jozue", oznaczającego „zbawienie"). Udziałem obu były cierpienia, a ich misje nie przebiegały bez przeszkód. Tym razem jednak nie miała to być jednak kampania zbrojna, a jej celem nie było objęcie jedynie Ziemi Obiecanej przy Bożej pomocy. Bóg miał stać się „królem całej ziemi", a *wszyscy* jej mieszkańcy – zgodnie z przewidywaniem Łukasza – mieli „ujrzeć zbawienie Boże".

Rzeka Jordan dzisiaj

Jordan nie zmienił się wiele od czasów biblijnych, natomiast jego brzeg – przynajmniej w rejonie, w którym św. Jan chrzcił Jezusa – jest dziś trudniej dostępny.

Wynika to z faktu, iż na znacznej długości wzdłuż głównego nurtu rzeki biegnie granica państwowa między Izraelem i Królestwem Jordanii. Zachodni brzeg rzeki jest pilnie strzeżoną strefą przygraniczną, wzdłuż której biegnie stale patrolowany i regularnie bronowany pas pylistego gruntu; dwa razy dziennie sprawdza się, czy nie ma na nim śladów ludzkich stóp. Granicę izraelsko-jordańską można obecnie przekraczać w kilku wyznaczonych miejscach, z których najważniejszy jest **Allenby Bridge** (w pobliżu Jerycha). Jest to tymczasowy most pontonowy, wybudowany w roku 1917 przez wojska brytyjskie pod dowództwem gen. Allenby'ego.

Wszystko to oznacza, że dotarcie do hipotetycznego **miejsca chrztu Jezusa** jest dzisiaj trudne, a – szczerze mówiąc – nie ma tam niczego ciekawego do obejrzenia. Odwiedzający te strony zadowalają się zwykle zwiedzaniem greckiego klasztoru **św. Gerazyma** (srebrzysta

Chrzest w Jordanie

Z pism takich jak *Onomastikon* Euzebiusza z Cezarei wynika, że w pierwszych wiekach chrześcijaństwa wyznawcom Chrystusa odwiedzającym Ziemię Świętą często zależało na fizycznym zbliżeniu do Jordanu. Cesarz Konstantyn, który przyjął chrzest tuż przed śmiercią w roku 337, przyznał, iż było jego nadzieją odbycie tego obrządku nad Jordanem. Wielu innych miało z pewnością podobne odczucia. Mamy informacje o pielgrzymach przywożących do domu butelki z jordańską wodą, która była potem używana podczas udzielania sakramentu chrztu. Praktyka ta istnieje do dziś.

Także wiele osób ochrzczonych, przebywając w Palestynie, zanurza się w rzece, w której św. Jan Chrzciciel ochrzcił Jezusa. Łączy się to często z odnową przyjętych na chrzcie ślubowań. Dla innych kąpiel w Jordanie symbolicznie wiąże się z przygotowaniem do śmierci. Cała symbolika chrztu pozostaje w ścisłym związku z koncepcją powrotu do życia po śmierci, czyli – jak ją objaśnia Paweł Apostoł w Liście do Rzymian (Rz 6,1-4) – ideą zmartwychwstania.

Odczucia te są szczególnie silne w greckim Kościele prawosławnym. Do dziś greccy pielgrzymi kupują w Jerozolimie „całuny pogrzebowe" (w miejscu śmierci Jezusa i Jego zmartwychwstania), a następnie udają się nad brzeg Jordanu i, spowici w nie, zanurzają się w jego wodach. Jest to dla nich potężna forma liturgicznego przygotowania do prawdziwego „przejścia" przez bramę śmierci. Starożytni Grecy mieli swoje mity związane z przewoźnikiem Charonem (przeprawiającym przez rzekę Styks, dzielącą doczesne życie materialne od „podziemnego" Hadesu); ich współcześni potomkowie zastąpili Styks Jordanem, a Charona – Jezusem Chrystusem. Opisana praktyka była też bardzo popularna wśród prawosławnych Rosjan, odwiedzających Ziemię Świętą przed rewolucją październikową 1917 roku.

Wczesne ikony przedstawiają Jezusa zanurzonego po pas w nurtach rzeki oraz Jana Chrzciciela wylewającego wodę na Jego głowę. Obraz taki może być bliski historycznej rzeczywistości. Moż-

na przypuszczać, że tak właśnie św. Jan chrzcił Jezusa, i że w pierwszych wiekach chrześcijaństwa powtarzano rytuał w analogicznym kształcie, co by oznaczało, że „całkowite zanurzenie" w wodzie nie było praktykowane. W obrządku bizantyjskim osoba przyjmująca chrzest wchodziła do zbiornika z wodą, a udzielający chrztu polewał ją bądź spryskiwał w pozycji stojącej. Miejsca do tego przeznaczone umożliwiały chrzczonym osobom przechodzenie z zachodu na wschód, co symbolizowało porzucenie świata ciemności i zwrócenie się ku światłu. Następnie dawano im białe szaty, symbolizujące wybaczenie oraz zmartwychwstanie do nowego życia.

Powyżej: Współcześni prawosławni pielgrzymi greccy odnawiają swoje śluby chrztu na brzegu Jordanu (w Bet Jerah), odziani w białe całuny pogrzebowe

kopuła kościoła widoczna jest na wschód od Jerycha), jest to bowiem najbliższe miejsce, w którym można normalnie zbliżyć się do rzeki. Tylko raz w roku (w styczniu, w dniu prawosławnego święta Chrztu Jezusa) odwiedzający te strony chrześcijanie mogą zejść na brzeg Jordanu, by wspominać to wydarzenie.

Niedawno dokonano jednak fascynujących odkryć archeologicznych na wschodnim brzegu rzeki (a więc poza terytorium Izraela). Jest niemal pewne, że odkopano tam ślady miejsca, w którym chrześcijanie bizantyjscy czcili pamięć chrztu Jezusa. Ewangelia według św. Jana wyraźnie mówi, że św. Jan Chrzciciel nauczał i chrzcił (przynajmniej przez pewien czas) „w Betanii, po drugiej stronie Jordanu" (J 1,28). Owa **Betania** (której nie należy mylić z Betanią na Górze Oliwnej) była, jak się wydaje, znana w III wieku Orygenesowi i nie jest wykluczone, że reprezentują ją te właśnie bizantyjskie ruiny.

W dalszej części Ewangelii według św. Jana napotykamy informację o tym, że św. Jan Chrzciciel pełnił swoje posługi duchowe także „w Ainon, w pobliżu Salim, udzielając chrztu, ponieważ było tam wiele wody" (J 3,23). Dokładnej lokalizacji tego miejsca nie sposób ustalić, można jednak przypuszczać, że znajdowało się około 32 km na północ od Jerycha. Także i ono jest dziś niedostępne z przyczyn politycznych; współcześni odwiedzający kierują się więc do miejscowości **Bet Jerah**, położonej tuż przy połączeniu Jordanu z Jeziorem Galilejskim oraz leżącej na terytorium Izraela i łatwo dostępnej. Tradycja nie potwierdza wyraźnie, jakoby św. Jan Chrzciciel prowadził swą działalność tak daleko na północy (skupiała się ona bowiem na południowym odcinku rzeki, sąsiadującym z Pustynią Judzką), dziś jest to jednak najwygodniejsze miejsce dla każdego, kto chce zbliżyć się bez przeszkód do biblijnej rzeki.

Jordan można oczywiście oglądać także w jego górnym biegu, na północ od Jeziora Galilejskiego, w szczególności z mostu na drodze łączącej Kafarnaum z Betsaidą. W czasach Jezusa był to rejon graniczny między Galileą (terytorium Heroda Antypasa) a Gaulanitydą (terytorium jego brata Heroda Filipa II). Granica była zapewne „patrolowana" przez celników. „A przechodząc, ujrzał Lewiego, syna Alfeusza, siedzącego w komorze celnej,.." (Mk 2,14). Owa „komora celna", jeśli nie znajdowała się w Kafarnaum, musiała być usytuowana w pobliżu interesującego nas miejsca, blisko Jordanu.

Za życia Jezusa obszar położony dalej na północ zajmowało niewielkie jezioro o nazwie Semechonitis, które od tamtych czasów wyschło, a jego dno pokryło się osadami (obecnie rejon ten nosi nazwę **równiny Hule**). Jeszcze dalej na północ Jordan jest górskim potokiem, mającym swe źródła u stóp góry Hermon. Można go oglądać w takich miejscach jak **Tel Dan** i **Cezarea Filipowa**.

Na pierwszy rzut oka rzeka ta wydaje się mało znacząca, trudno jednak przecenić jej trwałe znaczenie. Wody Jordanu warunkują przetrwanie ludzi w jej dorzeczu. W różnych okresach historii był on głównym źródłem słodkich wód, spływających z ośnieżonych szczytów Hermonu ku krainom położonym na południu. Na zachód od Kafarnaum znajduje się dziś główna pompownia, pobierająca wodę z rzeki i kierująca ją rurociągami do wielu gęsto zaludnionych ośrodków miejskich. Wyjaśnia to po części przyczynę znacznego obniżania się poziomu wody w Jeziorze Galilejskim, w porównaniu z czasami biblijnymi, a nawet niezbyt odległą przeszłością w XX wieku.

Jordan ma jednak przede wszystkim ogromne znaczenie symboliczne. Uczestnicząc w biblijnym dramacie dziejowym, stał się dla wielu ludzi symbolem radykalnej zmiany sposobu życia – jako element symboliki chrztu (przejścia od stanu śmierci do życia) i jako metafora śmierci fizycznej (przejścia do życia wiecznego).

O, Jordanie, starszy niźli plemiona Izraela,
I przekroczyli twój brzeg,
aby pójść do Pana...
Wśród nas było paru mężnych wojowników,
I przekroczyli twój brzeg,
aby pójść do Pana...
O, źródła Jordanu...
oby nigdy nie wyschły,
I przekroczyli twój brzeg,
aby pójść do Pana...
On przychylnie spojrzał na moje prawa,
I przekroczyłem twój brzeg,
aby pójść do Pana...

Pieśń religijna Murzynów północnoamerykańskich

(tłum. Zbigniew Kołodziejski)

Pustynia Judzka

Pełen Ducha Świętego, powrócił Jezus znad Jordanu i przebywał w Duchu [Świętym] na pustyni czterdzieści dni, gdzie był kuszony przez diabła. Nic w owe dni nie jadł, a po ich upływie odczuł głód. Rzekł Mu wtedy diabeł: „Jeśli jesteś Synem Bożym, powiedz temu kamieniowi, żeby się stał chlebem”. Odpowiedział mu Jezus: „Napisane jest: «Nie samym chlebem żyje człowiek»”.

Wówczas wyprowadził Go w górę, pokazał Mu w jednej chwili wszystkie królestwa świata i rzekł diabeł do Niego: „Tobie dam potęgę i wspaniałość tego wszystkiego, bo mnie są poddane i mogę je odstąpić, komu chcę. Jeśli więc upadniesz i oddasz mi pokłon, wszystko będzie Twoje”. Lecz Jezus mu odrzekł: „Napisane jest: «Panu, Bogu swemu, będziesz oddawał pokłon i Jemu samemu służyć będziesz»”.

Zaprowadził Go też do Jerozolimy, postawił na narożniku świątyni i rzekł do Niego: „Jeśli jesteś Synem Bożym, rzuć się stąd w dół! Jest bowiem napisane: Aniołom swoim rozkaże o Tobie, żeby Cię strzegli, i na rękach nosić Cię będą, byś przypadkiem nie uraził swej nogi o kamień”. Lecz Jezus mu odparł: „Powiedziano: «Nie będziesz wystawiał na próbę Pana, Boga swego»”.

Gdy diabeł dokończył całego kuszenia, odstąpił od Niego aż do czasu.

Ewangelia według św. Łukasza 4,1-13

Kuszenie na pustkowiu

Pustynia Judzka jest odludna i nieprzyjazna. Dziwnym więc była miejscem, do którego Jezus udał się natychmiast po przyjęciu chrztu w Jordanie. Dlaczego tak postąpił? Miał widać swoje priorytety. Chciał być sam na sam z Ojcem i poddać się świadomie pokusom, które – jak mógł przypuszczać – będą wisiały nad Nim podczas działalności publicznej. Epizod ten może nam się wydawać niezrozumiały, lecz autorzy Ewangelii zapewniają, że w nim właśnie miała swoje źródło moc przejawiająca się w późniejszych działaniach Jezusa oraz powodzenie Jego misji.

Charakter pustyni

Starożytne ziemie Izraela były pod względem geograficznym dość wyjątkowe. W porównaniu z krajami sąsiadującymi, w przeważającej mierze pustynnymi, Palestyna była niewielkim żyznym obszarem – głównie dzięki opadom znad Morza Śródziemnego. Księgi Starego Testamentu opisują te tereny jako „ziemię opływającą w mleko i miód” (Pwt 6,3). Wkraczając do Ziemi Obiecanej Izraelici zauważyli oczywiście jej radykalną odmienność od Egiptu, w którym byli niewolnikami. Woda była tam dostępna nie tylko w rzekach (takich jak Nil lub Jordan), lecz także spadała z nieba.

Dotyczy to jednak tylko zachodniej części kraju, którą od części wschodniej oddziela łańcuch wzgórz skutecznie zatrzymujący wpływ klimatu morskiego. Tam właśnie znajduje się Pustynia Judzka, na którą Jezus udał się po przyjęciu chrztu w Jordanie.

Surowe jej piękno pogłębia panująca tam niemal absolutna cisza. Jest to miejsce, w którym człowiek dobitnie uświadamia sobie kruchość swojej fizycznej egzystencji oraz całkowitą jej zależność od wody. Mimo to w czasach biblijnych tam właśnie udawali się ludzie poszukujący samotności i otwartej przestrzeni, by móc usłyszeć głos Boga kierowany do nich ponad kakofonią innych konkurujących ze sobą głosów i pragnień. Tam rozpoczął swoją posługę duchową św. Jan Chrzciciel, którego wezwania Jezus nazywa słowami proroka Izajasza „głosem wołającego na pustyni" (Iz 40,3). Tam też w sposób naturalny skierował swe kroki sam Jezus, przygotowujący się do głoszenia słowa Bożego.

Widok Pustyni Judzkiej na zachód od Wadi al-Qelt, w kierunku przedmieść Jerozolimy

Pustynia w Starym Testamencie

Idąc na pustynię, Jezus musiał być w pełni świadomy wszystkich dotychczasowych jej znaczeń w dziejach ludu Bożego.

Izraelici stali się narodem „na pustkowiu" – w okresie czterdziestoletniej tułaczki na Pustyni Synajskiej i Negew w drodze z Egiptu do Ziemi Obiecanej. W tym czasie otrzymali oni Prawo Boże (w szczególności Dekalog). Był to dla nich czas próby, przygotowania i ufności w Bożą pomoc (w postaci „manny" spadającej z nieba i wód tryskających ze skał), a także czas „narzekania" i pretensji do Boga, który później, z perspektywy dalszych dziejów określano jako „okres nieposłuszeństwa" wobec Odkupiciela: „Obyście usłyszeli dzisiaj głos Jego. «Nie zatwardzajcie serc waszych jak w Meriba, jak na pustyni w dniu Massa, gdzie Mnie

Mówili przeciw Bogu, rzekli: „Czyż Bóg potrafi nakryć stół w pustyni?"
Ps 78,19

Budowa geologiczna Pustyni Judzkiej

Ziemia Święta jest regionem bardzo urozmaiconym, obejmującym żyzne równiny wybrzeża Morza Śródziemnego, łańcuch wzgórz o przebiegu południkowym w środkowej części kraju oraz pustynie – Negew i Synaj na południu, aż do granicy z Egiptem, i znacznie mniej rozległą Pustynię Judzką (na północ i zachód od Morza Martwego).

Pustynia Judzka leży w strefie „cienia opadowego", rzucanego ku wschodowi przez wzgórza części centralnej. Chmury opadowe napływające znad Morza Śródziemnego w rejonie wzgórz unoszą się wyżej, zmieniając swój charakter i nie dają takiej ilości opadów, jaka występuje na wybrzeżu, w związku z czym średnia roczna ilość opadów w kierunku Jordanu gwałtownie maleje. Warunki do uprawiania rolnictwa są tam znacznie trudniejsze.

W odróżnieniu od innych obszarów pustynnych, na Pustyni Judzkiej nie występują ruchome wydmy piaszczyste. Pokrywają ją liczne, po części zaokrąglone skaliste wzniesienia. Tu i ówdzie zdarzają się wąwozy o stromych krawędziach, które były kiedyś łożyskami potoków i rzek (w języku arabskim: *wadi*) i w których może pojawiać się woda dwa lub trzy razy w roku. Wody jest mało, lecz ci którzy dobrze znają teren, potrafią ją dość szybko znaleźć, są tam bowiem piękne źródełka i kilka niewielkich oaz.

W wyżej położonej zachodniej części Pustyni Syryjskiej możliwe jest – dzięki odpowiedniej ilości opadów – pasterstwo nomadyczne (uprawiane na przykład przez Beduinów). Dalej na wschód rozciąga się obszar pustyni skalistej przypominającej charakterem Saharę. Ale nawet tam późną wiosną wzgórza pokrywają się zielenią dzikich traw i kwiatów, po krótkiej wegetacji giną

one jednak z nadejściem upalnego lata. Wędrując na wschód, dochodzimy w końcu do Doliny Jordanu, będącej kontynuacją Wielkiego Rowu Wschodnioafrykańskiego. Znajduje się ona w głębokiej depresji, poniżej poziomu oceanu. Wędrując zatem z Jerycha do Jerozolimy (około 26 km), Jezus i jego uczniowie musieli przechodzić przez cztery strefy geologiczne – od riftowej Doliny Jordanu, przez skalistą pustynię typu saharyjskiego i Pustynię Syryjską, do Jerozolimy leżącej na wzgórzach, w zasięgu klimatu śródziemnomorskiego. Oznaczało to także pokonanie w górę wyniosłości ponad 914 m, Jerozolima leży bowiem na wysokości 750 m n.p.m., a Morze Martwe – w głębokiej depresji (411 m p.p.m.).

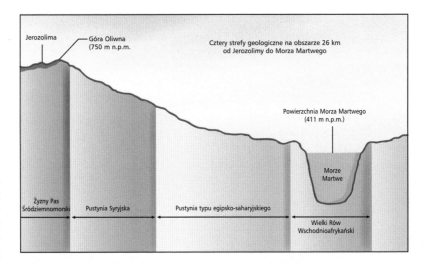

wasi przodkowie wystawiali na próbę i doświadczali Mię, choć dzieło moje widzieli (...). Są oni ludem o sercu zbłąkanym i moich dróg nie znają»" (Ps 95,7-10). Pokolenia późniejsze miały wyciągnąć wnioski z lekcji otrzymanej na pustyni – nauczyć się ufać Bogu, polegać na Nim, a nie na sobie, i słuchać Jego słów.

Pustynia pojawia się dość często także w późniejszych księgach Starego Testamentu. Czasami bywa miejscem czyjejś ucieczki – jak w przypadku młodego Dawida, uchodzącego przed królem Saulem, kiedy indziej gruntownej odnowy, jaką przeżył tam wyczerpany prorok Eliasz. Po doświadczeniach z prorokami Baala Eliasz „pełen obaw uciekał ratując

"Saharyjska" część Pustyni Judzkiej pokryta zielenią pod koniec marca

swe życie". Skierował się wtedy na południe od Beer Szeby, w kierunku pustyni Negew. Odzyskał siły, słysząc „delikatny szept" słowa Bożego – lub, jak podają starsze wersje, „cichy głos spokoju".

   Pustynia Judzka była także scenerią proroctw i oczekiwań, gdy naród trwał w niepewności, nie wiedząc, co Bóg z nim uczyni po udaniu się w niewolę. Ogłaszając swe „pocieszające" przesłanie (por. Iz 40,1-9), prorok Izajasz postrzega nowe dzieło Boże w osobliwym powiązaniu z pustynią:

„Pocieszcie, pocieszcie mój lud" – mówi wasz Bóg.
Głos się rozlega: „Drogę dla Pana przygotujcie na pustyni,
wyrównajcie na pustkowiu gościniec naszemu Bogu!
(…) równiną niechaj się staną urwiska, a strome zbocza niziną gładką.
Wtedy się chwała Pańska objawi".
„Wszelkie ciało to jakby trawa (...). Trawa usycha, więdnie kwiat (...),
lecz słowo Boga naszego trwa na wieki".
(…) zwiastunko dobrej nowiny w Jeruzalem!
Powiedz miastom judzkim: „Oto wasz Bóg!"

Podobnie jak w czasach wyjścia Izraelitów z Egiptu Bóg wykorzystywał pustynię, by ich nauczać, tak teraz, pomagając im wydobyć się z niewoli, ponownie podkreśla znaczenie pustyni. Zwiastowana jest „Dobra Nowina", Słowo Boże okazuje swą moc. A nade wszystko, pustynia staje się miejcem przygotowania na przyjście samego Boga: „Oto wasz Bóg!"

Rzeki zamienia On
w pustynię, oazy
na ziemię spragnioną,
ziemię żyzną na słony
ugór skutkiem
niegodziwości
jej mieszkańców.
Pustynię zamienił
w zbiornik wody,
a ziemię suchą w oazę.

Ps 107,33-35

Tak oto zaczynamy wyczuwać bogate biblijne rezonanse słowa Bożego, które zostało skierowane do Jana na pustyni. „Obchodził więc całą okolicę nad Jordanem i głosił chrzest nawrócenia dla odpuszczenia grzechów" (Łk 3,3). Inaczej mówiąc, zgodnie z proroctwem Izajasza, wygnanie – będące następstwem Bożego osądu grzechów – wreszcie dobiega końca. Izajasz odczytywał to w kategoriach przygotowania do przyjścia samego Pana, dlatego św. Jan Chrzciciel wyraźnie mówi: „(...) idzie mocniejszy ode mnie" (Łk 3,16).

Równie potężny rezonans wiąże się z wyjściem na pustynię samego Jezusa. Podobnie jak Dawid, jest On teraz władcą *in spe*, który będzie musiał stawić czoło wrogom. Jak Eliasz, jest prorokiem rozpoczynającym trudną działalność, wymagającą głębokiego utwierdzenia w pewności, iż rzeczywiście głosić będzie słowo Boże. Kiedyś lud Izraela spędził „czterdzieści lat" na pustyni; teraz Jezus przebywa „czterdzieści dni" na Pustyni Judzkiej – nie po to, by użalać się Bogu, lecz by zaufać Jego słowu i pomyślnie przeprowadzić to, czego Izrael nie zdołał uczynić.

A swój lud wyprowadził jak owce i powiódł w pustyni jak trzodę.
(Ps 78,52)

Ewangelista Łukasz podkreśla analogię między misją Jezusa i starożytną misją Izraela, wskazując na trzykrotne cytowanie przez Jezusa Księgi Powtórzonego Prawa (por. Łk 4,4. 8.13). Te podstawowe przesłania dane były Izraelitom w krytycznym momencie przed wejściem do Ziemi Obiecanej, by lud Izraela był wiernym „synem" w służbie Bożej. Teraz Jezus, przygotowując Ziemię Obiecaną do swojej własnej misji, rozmyśla o tym, co znaczy być wiernym Izraelitą i prawdziwym Izraelem. Jak ma zapewnić i udowodnić tę wierność, skoro oni zawiedli?

Istnieje też fascynująca możliwość, że kolejność trzech kuszeń odzwierciedla wędrówkę Izraela do Ziemi Obiecanej. Najpierw Izraelici skarżyli się na brak pożywienia na pustyni; potem Mojżesz wspiął się na górę Nebo, z której widać było Ziemię Obiecaną; i wreszcie Jerozolima i jej świątynia stały się miejscem oddawania czci Bogu. W podobny sposób Jezus jest teraz wystawiony na próbę głodu, wyprowadzony na „wysokie miejsce", z którego może oglądać „wszystkie królestwa świata", po czym zostaje przeniesiony na szczyt świątyni jero-

zolimskiej. Mamy tu wyraźne sygnały mówiące o tym, że propozycja nawrócenia ma być powtórzona i wkracza właśnie w decydującą fazę spełnienia, oraz że jej rezultaty i odpowiedzialność za nią spoczną na barkach tego, któremu na imię Jezus.

Modlitwa w samotności

Jezus oddala się więc od tłumów. W ewangelicznej relacji św. Łukasza czyni to po wielokroć, by samotnie pogrążać się w modlitwie i zachowywać nieprzerwanie duchową więź z Bogiem.

Udając się w tej właśnie chwili na pustynię, podkreśla absolutne pierwszeństwo Boga w swoim życiu i działaniu. Potwierdza boskie źródło własnej mocy i autorytetu. Łączy się i utożsamia z Bogiem, by później móc nauczać z Nim i dla Niego. Ewangelista Łukasz pisze, że Jezus „(...) powrócił w mocy Ducha do Galilei" (Łk 4,14) oraz zapewnia, że udał się na pustynię „pełen Ducha Świętego" (Łk 4,1). Oznacza to, że Jego pełna komunia z Bogiem została w samotnej, skupionej modlitwie przekształcona w moc.

Otrzymujemy tu lekcje, które od tamtej pory niezmiennie inspirują wyznawców Jezusa, a mianowicie: wartość postu w ważnych, zwrotnych momentach życia; sięganie do Pisma Świętego w chwilach próby; determinacja znajdowania adekwatnej samotności przed podejmowaniem prawdziwego wysiłku; doniosłość zachowania integralności życia wewnętrznego w celu utrzymania jego spójności z prezentowanymi publicznie postawami.

Przeciwstawienie się złu

Jezusowa samotność na pustyni jest także źródłem lekcji dotyczących realności duchowych zmagań. Choć może to dla nas brzmieć dziwnie, opowieść o kuszeniu Jezusa została przedstawiona jako bitwa z diabłem. Owej kwintesencji zła zagraża manifestacja Jedynego, jaką jest „Syn Boży". Dlatego szatan niestrudzenie rzuca kolejne wyzwania tej tożsamości („jeśli jesteś Synem Bożym (...)" itd.), chcąc zasiać zamęt w przyjmowaniu boskiej tożsamości Jezusa, sądząc, że jest to jeden z najskuteczniejszych sposobów podważenia Jego determinacji działania w imię dobra. Szatan stara się przeinaczyć znaczenie Pisma, przedstawiając jednocześnie siebie jako władcę „królestw tego świata", czyli uzurpując sobie prerogatywy samego Boga.

Odpowiedzi Jezusa są stanowcze i jednoznaczne. Nie ma żadnych negocjacji. Jezus udowadnia fałszywość argumentów przeciwnika cytatami z Pisma („jest napisane"). Nie pozwala szatanowi na zniekształcanie słowa Bożego. W obliczu fałszywych i pokrętnych interpretacji nie porzuca go i nie poddaje w wątpliwość, lecz posługuje się głębszym i bliższym prawdy jego zrozumieniem. Gdy szatan pragnie być czczony, Jezus mówi, że cześć należy się wyłącznie Jego Ojcu. W scenie tej ukryta jest głęboka ironia. Jakkolwiek bowiem ze wszystkich istot ludzkich tylko Jezus miał być w swoim czasie postrzegany jako Jedyny zasługujący na oddawanie czci, to na tym etapie (którego dotyczy kuszenie) podporządkowuje się On zdecydowanie autorytetowi Boga, nie pozwalając szatanowi wślizgnąć się przebiegle między Niego i Ojca, a tym samym nie kompromitując własnego prawa do przyjmowana czci poprzez przyznanie szatanowi fałszywego tytułu do niej.

Dotykamy tu spraw, których nie można wyrazić adekwatnie w ludzkim języku. Wspaniała prostota przekazu ewangelistów kryje w sobie całą tajemniczą głębię misji Jezusowej, którą w powierzchownej lekturze tych tekstów łatwo można przeoczyć. W tym krytycznym

Pustynia to możliwość stawienia czoła opuszczeniu i przekształcenia go w samotność.

Henri Nouwen

punkcie ewangelicznej opowieści ktoś mógłby nawet dostrzec atak na samą naturę Boga lub misję Jezusa.

Chwile te jednak minęły, a Jezusowa determinacja pozostała niewzruszona. Jego postawa była niezachwiana, co oznaczało, że nie nadużyje duchowej mocy i Boskiego autorytetu. Nie „upadnie" i nie przejdzie na „ciemną stronę". Jedyny, wysłany przez Boga i wyposażony przez Niego w moc i władzę, udowodni swoją autentyczność i nie porzuci swego powołania aż do bolesnego końca.

Zasadnicza bitwa została wygrana, i chociaż szatan pozostawił Go tylko „do czasu", rezultat późniejszych potyczek został już przesądzony. Nawet w drodze do krzyża, gdy pokusy szukania alternatywnej drogi do chwały będą przeogromne, a moce zła zamanifestują się w najdzikszej i najciemniejszej postaci, Jezus im się nie podda.

Życie w miejsce śmierci

Tak więc nawet na pustyni krzyż nigdy nie jest daleko. W tym sensie staje się ona nieoczekiwanym miejscem wielkiego zwycięstwa. Owa „pustynna kampania" okazuje się decydująca w wojnie. Pustynia staje się przez to – paradoksalnie – z miejsca nieszczęścia i śmierci miejscem życia i rozsadnikiem nadziei. Jezus zstępuje dostatecznie głęboko, by przekształcić suchą i pylistą pustynię w siedzibę najwyższego piękna.

I to jest coś, co jego wyznawcy mogą docenić w obliczu własnych, mniejszych, lecz nie mniej przerażających pustyń. Mogą bowiem, idąc za przewodnictwem Jezusa, wypełniać wizję Psalmu 84:
„Szczęśliwi, którzy mieszkają w domu Twoim, Panie (...).
    Przechodząc doliną Baka,
        przemieniają ją w źródło".
Ps 84,5.7

Niewielka pustynna oaza 'Ain Fara, mniej więcej w połowie drogi z Jerycha do Jerozolimy

ok. 1020 prz. Chr.	Dawid ucieka na pustynię przed królem Saulem (1 Sm 24), udając się do takich miejsc jak Engaddi ('En Gedi) na zachodnim brzegu Morza Martwego	330	Przybycie św. Charytona, najpierw do 'Ain Fara, potem (w roku 340) do Douki (identyfikowanej znacznie później z Górą Kuszenia), i wreszcie do Souki (Wadi Chareitun)	492	Saba odwiedza Hirkanię (znaną wówczas jako Kastellion) i zakłada monaster Scholarego
ok. 870 prz. Chr.	Opowieści o Eliaszu karmionym przez kruki przy potoku Kerit (na wschód od Jordanu) i jego ucieczce na górę Horeb (1 Krl 17–18)	405	Eutymiusz (377–473) w 'Ain Fara; założona przez niego laura w Chan al-Ahmar zostaje po jego śmierci (478–481) przekształcona w klasztor	575–618	Złoty wiek monasteru św. Jerzego Koziby (założonego ok. 480) z widokiem na Wadi al-Qelt; zgodnie z późniejszą tradycją miało to być miejsce, w którym prorok Eliasz zatrzymał się w drodze na górę Horeb (1 Krl 19)
ok. 120 prz. Chr.	Jan Hirkan buduje fortecę (Hirkania), używaną później przez Heroda Wielkiego jako więzienie i miejsce egzekucji, m.in. swego syna Antypatra	455	Gerazym (zm. 475) zakłada klasztor (coenobium) i laurę w pobliżu Jordanu (deir Hajla)	716	Święty Jan Damasceński (675–749), przebywający w Mar Saba, broni ikon w swych pismach
67 po Chr.	Według relacji Józefa Flawiusza, Szymon bar Giora wykorzystuje pieczary w 'Ain Fara podczas powstania przeciw Rzymianom (Wojna żydowska 4,9)	457	Przybycie Saby (439–532). Zakłada on później Wielką Laurę (Mar Saba) z widokiem na Dolinę Cedronu. Na pustyni na wschód od Jerozolimy powstaje do jego śmierci około 70 pustynnych monasterów	1100–1200	Jezusowa „Góra Kuszenia" utożsamiana jest z Dżabal Quruntul (z widokiem na Jerycho)
68–73	Przemarsz armii rzymskich (połączony ze zniszczeniem Qumran i oblężeniem Masady położonej dalej na południu, na zachodnim brzegu Morza Martwego)	470	Martyriusz (457–486), późniejszy patriarcha Jerozolimy, zakłada klasztor 8 km na wschód od miasta (obecnie na przedmieściu Maale Adummim)	1875–1895	Odbudowa monasteru na Górze Kuszenia w prawosławnym stylu greckim
				1930–40	Brytyjczycy budują drogę tłuczniową smołowaną z Ammanu do Jerozolimy, częściowo w miejscu starożytnej drogi rzymskiej

Pustynia Judzka dzisiaj

Dla wielu ludzi Zachodu, uwikłanych w pośpieszne i gorączkowe działania, pobyt na biblijnej pustyni może być doświadczeniem gruntownie odmieniającym życie. Oto nagle hałas ustępuje miejsca ciszy, zamęt spokojowi, a gorączkę i „nieprzekraczalne" terminy życia miejskiego zastępuje powolny i uregulowany tryb życia. Wprawdzie harmonogramy turystycznych wycieczek bywają również realizowane w stylu współczesnej cywilizacji, rozsądni przybysze starają się jednak doświadczyć pustyni na własną rękę w sposób głęboko osobisty.

Można to czynić różnymi sposobami, starając się zobaczyć pustynię z różnych punktów widzenia. Oto lista niektórych możliwości, których wykorzystanie zależy od indywidualnych preferencji i dostępnego czasu:

- Wędrówka piesza przez osobliwe, barwne kaniony **formacji skalnych** położonych na południowy zachód od Morza Martwego.
- Wędrówka wzdłuż *wadi* do miejsca, w którym znajduje się źródło czystej wody (np.: w **'En Gedi** lub **'Ain Fara**).
- Podejście do **Masady** od strony zachodniej (z wykorzystaniem drogi utwardzonej z Aradu).
- Zwiedzanie odkopanych przez archeologów ruin **Qumran** oraz wejście na sąsiadujące z nimi urwiska i badanie grot, w których znaleziono niektóre zwoje znad Morza Martwego (patrz: s. 46).

- Wyłączenie silnika samochodu lub autobusu na 45 minut i propozycja, by każdy z pasażerów poszukał sobie na pustyni własnego kamienia (pozostając w zasięgu wzroku!).
- Dojazd do monesteru na **Górze Kuszenia** i wejście (30 minut marszu) na szczyt, z którego roztacza się widok na dolinę Jordanu.
- Wędrówka piesza **starożytną rzymską drogą** z Jerozolimy do Jerycha wzdłuż pasma wzgórz, z którego widać Wadi al-Qelt (niemal cały czas idzie się w dół!).
- Zejście do **Wadi al-Qelt** i przejście dnem wąwozu do klasztoru **św. Jerzego Koziby**.
- Przejście za klasztor do miejsca, w którym *wadi* otwiera się, ukazując Jerycho, w pobliżu ruin pałacu Heroda.
- Wędrówka w poszukiwaniu ruin **laury św. Eutymiusza** (na południe od głównej drogi z Jerozolimy do Jerycha) lub **św. Martyriusza** (mniej przyjemna z powodu obecności osiedla mieszkaniowego w Maale Adummim).
- Przejazd taksówką z Betlejem przez Bait Sahur do sławnego manasteru **Mar Saba**, gdzie można spotkać mnichów prawosławnego obrządku greckiego i przejść się wzdłuż urwisk, z których widać Dolinę Cedronu (Wadi Kidron).

Żadne z tych przedsięwzięć nie jest szczególnie trudne, trzeba się jednak do nich gruntownie przygotować, zachowując środki bezpieczeństwa w rozsądnym zakresie. Konieczne jest dobre obuwie, skuteczna ochrona przed słońcem, ustalenie trybu postępowania w sytuacjach awaryjnych oraz odpowiednie zapasy wody, pożywienia i soli (ważne dla zapobieżenia odwodnieniu!). Wyprawy takie trwają dłużej niż „zwykłe" wycieczki, warto je jednak podejmować, by

Turyści podążający starą rzymską drogą z Jerozolimy do Jerycha

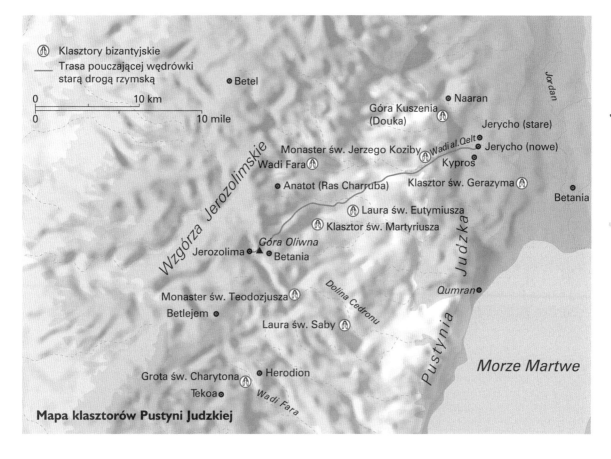

Klasztory bizantyjskie

Trasa pouczającej wędrówki starą drogą rzymską

0 — 10 km
0 — 10 mile

Betel

Naaran

Góra Kuszenia (Douka)

Jerycho (stare)

Wzgórza Jerozolimskie

Monaster św. Jerzego Koziby

Wadi al-Qelt

Jerycho (nowe)

Wadi Fara

Kypros

Anatot (Ras Charruba)

Klasztor św. Gerazyma

Betania

Laura św. Eutymiusza

Jordan

Klasztor św. Martyriusza

Góra Oliwna

Jerozolima

Betania

Pustynia Judzka

Dolina Cedronu

Monaster św. Teodozjusza

Qumran

Betlejem

Laura św. Saby

Morze Martwe

Grota św. Charytona

Herodion

Tekoa

Wadi Fara

Mapa klasztorów Pustyni Judzkiej

móc się uwolnić od presji harmonogramów i doświadczyć głębokiego spokoju. Osoby, które się na to zdecydowały, niemal zawsze wracają duchowo poruszone; zwykle też pragną powrotu na pustynię.

Pustynia przyciąga ludzi z wielu powodów. Do najbardziej oczywistych należą wyzwania fizyczne: konieczność akceptacji upału w dzień i chłodu w porze nocnej, trening samodyscypliny i lepsze uświadomienie sobie własnych sił i ograniczeń.

Innym uzasadnieniem jest zainteresowanie historią chrześcijaństwa. W okresie pierwszych pięciuset lat po Chrystusie pustynia ta stała się prawdziwą „monastyczną metropolią", w której żyły setki mnichów.

Odwiedzanie tych klasztorów oznacza powrót do przykładów zdeterminowanego naśladowania Jezusa, a przede wszystkim głębokiego pragnienia kontaktu z Bogiem. Kształt takich powołań oraz forma ich realizacji bywają teraz odmienne, natura wyzwania jest jednak wciąż ta sama.

Szczególne znaczenie może mieć wizyta w którymkolwiek z klasztorów obecnie funkcjonujących oraz spotkania z ludźmi, którzy dziś podjęli owo wyzwanie, i którzy niejednokrotnie prowadzili kiedyś zwykłe „miejskie" życie. **Mar Saba** to monaster, do którego wstęp mają wyłącznie mężczyźni (podobnie jak w monasterach greckich na górze Athos), kobiety są jednak mile widziane w klasztorze **św. Jerzego Koziby** na **Górze Kuszenia**. Wielu odwiedzających te miejsca odchodzi z licznymi pytaniami: Co skłania tych ludzi do tego, co robią? Czy ja mógłbym kiedykolwiek podjąć coś takiego, a jeśli nie, to dlaczego?

Ojcowie Pustyni

Mnisi mieszkający niegdyś na Pustyni Judzkiej nazywani byli Ojcami Pustyni. Uczestniczyli oni w ruchu monastycznym rozwijającym się na Bliskim Wschodzie przez około 300 lat. Monastycyzm tego regionu zapoczątkował w Egipcie eremita imieniem Antoni Pustelnik (ok. 250–356), który jako pierwszy zdecydował się żyć samotnie na pustyni około roku 280. W niedługim czasie ruch ten dotarł do Palestyny, której szczególną atrakcją była Pustynia Judzka – miejsce modlitw Jezusa z Nazaretu. Mnisi mieszkający w najodleglejszych nawet miejscach tego pustkowia żyli ze świadomością, że za górzystą linią zachodniego horyzontu znajdują się „miasta Wcielenia" (Jerozolima i Betlejem), które były kiedyś sceną działań tego samego Chrystusa, którego teraz byli wyznawcami. Duchowość była więc zakotwiczona w historii, a pustynia nigdy nie oddalała się zbytnio od miasta.

Istniały dwa wzorce życia zakonnego. Niektórzy mnisi mieszkali samotnie w pieczarach czyli *laurach* (od greckiego słowa *laura* oznaczającego „dróżkę"), rozmieszczonych wzdłuż ścieżki lub drogi gruntowej i co tydzień zbierali się w pobliskim budynku. Inni żyli we wspólnotach klasztorach (od łacińskiego słowa *coenobium*, oznaczającego „wspólne życie"), mających postać prostopadłościennych budowli, przypominających forty. Ten ostatni model wywodzi się od Pachomiusza (292–346). W Palestynie łączono często obydwie koncepcje. Młodzi mnisi odbywali szkolenie w klasztorach, a następnie – w starszym wieku – przenosili się do własnych pustelni. System mieszany stworzył św. Gerazym, asceta znany jako „założyciel i patron jordańskiego pustkowia". W większości przypadków wspólnotą kierował starszy mnich zwany „ojcem" („abba") mający kwalifikacje doświadczonego mistrza duchowego, służący mądrością i radą młodszym aspirantom.

Przy mnisich celach zakładano czasem niewielkie działki ziemi uprawnej. Jedynym wyposażeniem celi były: trzcinowa mata, owcza skóra oraz naczynie na wodę i pożywienie. Do codziennych zajęć mnicha należały medytacje Pisma Świętego i czytanie psalmów, a także praca fizyczna (taka jak wyplatanie koszy, które później klasztor sprzedawał). Podstawowe pożywienie składało się z wody i pieczywa zwanego *paxamatia*, zachowującego świeżość przez wiele dni. Spożywano też na codzień zupę, oliwki, daktyle i soczewicę. Figi, winogrona i wino były luksusem, na który mnisi pozwalali sobie tylko okazjonalnie.

Myśli Ojców Pustyni (zbiór przypowieści zebranych przez późniejsze społeczności zakonne i traktowanych jako narzędzia duchowego przewodnictwa) dają wyobrażenie o ich surowej, boskiej mądrości. Przebywanie w ciszy i samotności są w nich oczywiście traktowane jako cnoty naczelne, np.: „Brat, który przyszedł po radę, usłyszał: «Idź i siedź w swojej celi, a ona nauczy cię wszystkiego»".

Ruch monastyczny skończył się definitywnie w roku 614, w którym Palestynę zajęły armie perskie. W niektórych klasztorach zachowały się czaszki mnichów zamordowanych podczas tej inwazji. Najważniejsi mistrzowie, tacy jak Charyton, Eutymiusz, Saba i Teodozjusz, byli założycielami ważnych wspólnot, lecz tylko laura Mar Saba przetrwała i funkcjonuje do dnia dzisiejszego.

Łąka duchowa

Do szczególnie ciekawych i ważnych świadectw życia pustelniczo-zakonnego na Pustyni Judzkiej należy dzieło zatytułowane *Łąka duchowa* napisane około roku 615 przez Jana Moschosa. Autor, urodzony koło Damaszku, był przez ponad dziesięć lat mnichem na Pustyni Judzkiej, najpierw w dużym klasztorze św. Teodozjusza (koło Betlejem), a później w bardziej odległym od ośrodków miejskich zgromadzeniu założonym przez Charytona w Paranie. Kolejnych dziesięć lat spędził jako eremita w rejonie góry Synaj.

Wraz ze swym młodszym przyjacielem Sofroniuszem, świadomy zagrożenia ze strony Persów, opuścił Ziemię Świętą, udając się najpierw do Aleksandrii, a później do Rzymu. Po śmierci Jana Sofroniusz powrócił do Palestyny i w roku najazdu armii muzułmańskich (637) był patriarchą Jerozolimy. Jan Moschos poświęcił większą część życia poszukiwaniu najlepszych przykładów życia monastycznego, które w jego przekonaniu coraz bardziej podupadało. Jego pisma zawierają świadectwo ostatniego okresu rozkwitu ideałów zakonnych w Ziemi Świętej.

Oto jedna z opowieści o mnichu ciężko pracującym na Pustyni Judzkiej, na drodze z Jerozolimy do Jerycha – tej samej, której Jezus użył jako scenerii w przypowieści o dobrym Samarytaninie.

W zbiorowisku cel Chodziba mieszkał pewien starzec, o którym opowiadali nam mnisi tam mieszkający, co następuje: (...) wychodził na drogę, która wiodła od Świętej rzeki Jordan do miasta Świętego, i wynosił chleb oraz wodę. Skoro zaś ujrzał, że ktoś słabnie, brał jego ciężar i niósł go aż na świętą Górę Oliwną i powracał tą samą drogą.

Jeśli spotkał innych, niósł ich ciężary do Jerycha. Można więc było zobaczyć starca zlanego potem, jak dźwigał wielkie ciężary; czasami niósł dziecko, zdarzało się, że nawet dwoje.

Innym razem znów siedział naprawiając zepsute sandały, czy to mężczyzn czy kobiet: miał bowiem wszystko to, co nieodzowne. (...) Jeśli spotkał nagiego, dawał mu płaszcz, który miał na sobie.

Łąka duchowa, rozdz. 24

Po prawej: Prawosławny monaster obrządku greckiego św. Jerzego Koziby, na skromnym urwisku Wadi al-Qelt

Pytania bowiem – takie i inne – przychodzą do każdego, kto decyduje się na samotne spotkanie z pustynią. Panuje tam absolutna cisza, w której zaczynamy wyraźnie dostrzegać swój wewnętrzny mentalny zgiełk. W odosobnieniu odkrywamy też własne osamotnienie i zaczynamy rozumieć, czym jest indywidualna, niepowtarzalna, świadoma, osobowa egzystencja, czego efektem jest lepsze zrozumienie siebie i życzliwszy stosunek do bliźnich.

I na tej *właśnie* pustyni – być może z racji jej biblijnych rezonansów i historii – łatwiej rozmyślać o biblijnym Bogu, który, zgodnie z przesłaniem Biblii, powołał swój lud przez doświadczenia na pustkowiach, który wzywał na nie proroków, by mogli usłyszeć Jego słowo, i który posłał tam również Jezusa, aby uczynić możliwym Jego historyczne zwycięstwo nad siłami ciemności.

Jakkolwiek może nas to dziwić, ze wszystkich miejsc na ziemiach biblijnych, na tejże pustyni zbliżenie do Jezusa znanego z Ewangelii może być najłatwiejsze. W miastach i osiedlach – nawet na zielonych wzgórzach Galilei – Jego najgłębsze przesłanie może umknąć naszej wyobraźni. Kamienie pustyni przybliżają Go zwykłej percepcji – jako Tego, który dzielił z nami kruchość ludzkiej kondycji i który może nas wzmocnić w chwilach słabości. Na pustyni odkrywamy też, że nie jesteśmy tak bardzo samotni, jak się nam zazwyczaj wydaje.

Wioski i miasteczka Galilei

Potem powrócił Jezus w mocy Ducha do Galilei, a wieść o Nim rozeszła się po całej okolicy. On zaś nauczał w ich synagogach, wysławiany przez wszystkich.
Ewangelia według św. Łukasza, 4,14-15

Miejsca publicznego nauczania

Z pustyni Jezus „powrócił do Galilei". W owej chwili – o ile nie wcześniej – Jego działania przeniosły się z okolic Nazaretu do Kafarnaum (która to nazwa oznacza „dom Nahuma") – małego miasteczka portowego na północnym brzegu Jeziora Galilejskiego (inaczej: Genezaret). „Opuścił jednak Nazaret, przyszedł i osiadł w Kafarnaum" (Mt 4,13), które po pewnym czasie zaczęto nazywać „Jego miastem" (por. Mt 9,1). I tak rozpoczęło się Jezusowe „galilejskie nauczanie", trwające trzy lata.

Nazwa „Galilea" pochodzi prawdopodobnie od hebrajskiego słowa *galil*, oznaczającego „krąg". Geograficznie kraina ta dzieli się na dwa rejony o nieco odmiennej topografii, nazywane przez Józefa Flawiusza Galileą Górną i Galileą Dolną. Ta pierwsza obejmuje tereny górzyste na północy i zachodzie, tworzące naturalną granicę z dzisiejszym Libanem. Wyniosłości bezwzględne w Galilei Gór-

Jezioro Galilejskie w relacji Józefa Flawiusza

Galilea bywa często opisywana jako „oaza spokoju". Warto pamiętać, że przekazane przez Flawiusza opisy jeziora i niziny Genezaret pojawiają się w części jego *Wojny żydowskiej*, poświęconej bezwzględnemu tłumieniu przez Wespazjana pierwszego powstania Żydów w 67 roku. Mieszkańcy Tyberiady poddali się, natomiast pod Tarycheą (Magdala) rozegrała się zacięta bitwa. Konfrontacje zbrojne miały miejsce również na jeziorze. Według danych Flawiusza w działaniach tych (łącznie z bitwą pod Tarycheą) zginęło 6500 ludzi (zob. *Wojna żydowska* 3,10).

A zatem Jezus rozpoczął swoją publiczną działalność duszpasterską na brzegach jeziora Genezaret w Galilei, znajdującej się na krawędzi zbrojnej rewolty (która około 30 lat później rzeczywiście wybuchła). Niewiele było potrzeba, by opaczne rozumienie Jego nauk o królestwie Bożym stało się iskrą, wzniecającą społeczno-polityczny pożar w całym regionie.

Oto jak Józef Flawiusz opisuje jezioro i nizinę Genezaret:

Jezioro Gannezar wzięło swoją nazwę od przyległego pasa ziemi. Szerokość jego wynosi czterdzieści stadiów, a długość sto stadiów więcej. Mimo tej rozległości wodę ma słodką i jak najbardziej zdatną do picia. (…) jest ona tutaj bardziej przeźroczysta i czysta, ponieważ jezioro ze wszystkich stron zamyka kamienisty i piaszczysty brzeg. Jeśli jej zaczerpnąć, ma łagodną ciepłotę przyjemniejszą od wody rzecznej lub źródlanej, ale zawsze niższą, niż można by oczekiwać przy takiej powierzchni jeziora. Woda ta staje się zimna jak śnieg, jeśli się jej zaczerpnie i wystawi na powietrze, jak to zwykła czynić miejscowa ludność podczas letnich nocy. Gatunki ryb żyjących w jeziorze różnią się smakiem i wyglądem od tych, które spotyka się w innych wodach. Środkiem przecina je Jordan. (…)

Wzdłuż jeziora Gannezar rozciąga się kraina o tej samej nazwie, odznaczająca się dziwnymi właściwościami naturalnymi i pięknem. Jest tak żyzna, że nie ma rośliny, która by tu nie krzewiła się, a jej mieszkańcy uprawiają wszelkie gatunki. (...) Można by rzec, że natura przejawia jakąś szczególną ambicję, żeby na siłę ściągnąć na jedno miejsce przeciwne sobie gatunki, albo że jest to jakieś szlachetne współzawodnictwo pór roku, z których każda jakby ubiegała się o tę okolicę. Nie tylko bowiem ziemia ta zdumiewa, że rodzi tak różne owoce, ale jeszcze zapewnia je przez długi czas. Najbardziej królewskie między nimi winogrona i figi dostarcza nieprzerwanie przez dziesięć miesięcy, pozostałe owoce dojrzewają kolejno przez okrągły rok. Bo poza tym, że ma łagodny klimat, zrasza ją użyźniające źródło, które mieszkańcy zwą Kafarnaum.

Józef Flawiusz, *Wojna żydowska* 3,10.7-8

W innym miejscu autor ten charakteryzuje Galileę jako gęsto zaludniony, ale też niespokojny region:

Galilea składa się z dwóch części, tak zwanej Górnej Galilei i Dolnej. (…) Mimo że obie części mają tak ograniczone rozmiary i znajdują się pośrodku tylu obcych narodów, jednak zawsze potrafiły zwycięsko odpierać wszelkie napaści nieprzyjacielskie. Galilejczycy bowiem od dziecka zaprawiają się do wojny, zawsze było ich dużo i nigdy nie brakowało ani mężom odwagi, ani krainie mężów. (...) Miasta są tu gęsto rozsiane, liczne wsie dzięki żyzności gleby w ogóle bardzo ludne, tak że najmniejsza z nich liczy ponad piętnaście tysięcy mieszkańców.

Józef Flawiusz, *Wojna żydowska* 3,3.1- 2

nej nie przekraczają 1000 m n.p.m., a w Dolnej są niższe średnio o 180 m. W Galilei Dolnej, wokół jeziora, występują żyzne gleby, na których od starożytności uprawia się pszenicę. Publiczne nauczanie Jezusa odbywało się głównie w tym właśnie rejonie.

Piękne jezioro w Galilei

W centrum regionu galilejskiego znajduje się piękne jezioro słodkowodne zasilane przez rzekę Jordan, wypływającą ze stoków góry Hermon. Na brzegach tego uroczego śródlądowego „morza" rozmieszczone są liczne przystanie. W czasach Jezusa akwen – z lotu ptaka przypominający kształtem harfę – był terenem intensywnego rybołówstwa. Jego długość w kierunku południkowym wynosi 26 km, a szerokość z zachodu na wschód – 14,5 km. Jedna ze starożytnych nazw jeziora – Morze Kinneret – może mieć związek z hebrajskim słowem *kin nor*, oznaczającym harfę. Józef Flawiusz używał w swych pismach nazwy Gennezar. Autorzy Ewangelii mówią o jeziorze Genezaret, używają jednak też innych nazw, jak: Morze Galilejskie i Morze Tyberiadzkie (od miasta zbudowanego na południowo-zachodnim brzegu). Trzy kilometry na południe od Tyberiady wody Jeziora Galilejskiego zasilają kolejny odcinek Jordanu, wpływającego dalej na południe do intensywnie zasolonego Morza Martwego. W odróżnieniu od niego Jezioro Galilejskie tętni życiem.

W pewnej odległości od brzegów jezioro otaczają wzgórza o dość stromych stokach, było więc zawsze dobrze osłonięte od wiatrów i burz. Gdy jednak kierunek wiatru ulegał zmianie zgodny z biegiem jednej z okolicznych dolin, wody jeziora szybko ulegały wzburzeniu i stawały się niebezpieczne. Położenie lustra wody na wysokości 210 m poniżej poziomu Morza Śródziemnego powodowało w porze letniej trudne do wytrzymania upały. W innych porach roku okolice jeziora oferowały jednak przyjemne ciepło dla przebywających wysoko w górach.

Wokół Jeziora Galilejskiego występowało wiele typów krajobrazów. Na wschód ciągnie się jałowe pasmo wzgórz Gaulanitydy (Gaulanitis); na północy miejsce, w którym Jordan przepływał przez nieduże jezioro el-Hule (Semechonitis), otoczały bagna wypełniane z biegiem lat osadami nanoszonymi przez rzekę; po stronie północno-zachodniej (za Kafarnaum) znajduje się równina Genezaret oraz niewysokie wzgórza uformowane z czarnych bazaltowych skał wulkanicznych; na zachód od jeziora piętrzą się potężne urwiska przełęczy Arbel, uniemożliwiające podróżowanie drogą lądową z równiny do Tyberiady (bardziej dostępnej od południowego zachodu drogą wodną czyli łodziami).

„Galilea innowierców" – terytorium graniczne

Księgi Starego Testamentu rzadko wspominają ten obszar. Pojawia się on nagle w VIII wieku prz. Chr. w związku z proroctwami Izajasza, iż Bóg „chwałą okryje (...) krainę pogańską", której mieszkańcy ujrzą „światłość wielką" (por. Iz 8,23b; 9,1). Ewangelista Mateusz wyraźnie postrzega działalność Jezusa jako spełnienie tego proroctwa (Mt 4,13-16).

Określenie Galilei przez proroka Izajasza jako „krainy pogańskiej" jest ważnym przypomnieniem faktu, iż od czasu najazdów asyryjskich (gdy wielu Izraelitów deportowano) ludność Galilei zawsze była mieszana – składała się z Żydów oraz mieszkańców innych wyznań i pochodzenia. W przeciwieństwie do położonej na południu Samarii, wielu Żydów wracało

W przyszłości chwałą okryje drogę do morza, wiodącą przez Jordan, krainę pogańską. Naród kroczący w ciemnościach ujrzał światłość wielką; nad mieszkańcami kraju mroków światło zabłysło.

Iz 8,23b; 9,1

Miejsca związane z działalnością Jezusa w Galilei

Działalność publiczna Jezusa nie ograniczała się do okolic Kafarnaum. Ewangeliści Łukasz i Mateusz wymieniają również dwa inne miasta (Korazain i Betsaidę), wyjaśniając, że w Kafarnaum i w tych miastach „najwięcej Jego cudów się dokonało" (Mt 11,20). Kiedy więc czytamy o uzdrowieniu trędowatego, „człowieka z uschłą ręką", czy też kobiety, która „była pochylona i w żaden sposób nie mogła się wyprostować", musimy brać pod uwagę, że każdy z tych cudów mógł się wydarzyć w pobliżu jednego z owych trzech miast (Mk 1,40-45; 3,11-6; Łk 13,10-17).

Działalność Jezusa obejmowała jeszcze większy obszar, ponieważ „wędrował przez miasta i wsie", a w jednym przypadku nie miał nawet miejsca, „gdzie by głowę mógł oprzeć" (por. Łk 8,1; 9,58). Wysyłał też swoich uczniów „do każdego miasta i miejscowości, dokąd sam przyjść zamierzał" (Łk 10,1). Z Ewangelii wynika, że owo wędrowne nauczanie obejmowało znaczny obszar. Wiadomo, że odbywało się w mieście Nain (położonym na południowy zachód od jeziora Genezaret w odległości 32 km od niego) i przynajmniej raz w rejonie „Tyru i Sydonu", znanym jako Syro-Fenicja (por. Łk 7,11; Mk 7,24-30). Spotykamy też informacje o miejscach, których lokalizacja nie jest dziś pewna, takich jak Magedan i Dalmanuta (por. Mt 15,39; Mk 8,10).

W relacjach ewangelistów widzimy czasem Jezusa w miejscach nieokreślonych w sensie geograficznym. Opisywany jest często jako gość w domach, w których częstowano Go posiłkami (por. Łk 7,36-50; 14, 1-24); zdarza Mu się przechodzić przez pole obsiane zbożem i być krytykowanym za to, że pozwala swoim uczniom łuskać kłosy (Łk 6,1-5); szuka odosobnienia, udając się „na miejsce pustynne" niedaleko Kafarnaum, gdzie Szymon i inni zastali Go pogrążonego w modlitwie (por. Mk 1,35-37).

Poniżej przedstawiam użyteczne podsumowanie publicznej działalności Jezusa w okolicach Jeziora Galilejskiego.

W Kafarnaum. Jezus naucza i uzdrawia opętanego w synagodze; wiele osób zostaje uzdrowionych, w tym teściowa Szymona Piotra i paralityk, którego opuszczono przez dziurę w dachu; Jezus powołuje celnika imieniem Lewi, a później spożywa obiad w jego domu; uzdrowiony zostaje służący rzymskiego setnika (por. Mk 1,21-26. 29-34; 2,1-17; Łk 7,1-10). Prawdopodobnie również w Kafarnaum uczeni w Piśmie, którzy przybyli z Jerozolimy, zarzucili Jezusowi, że wyrzuca złe duchy mocą szatańską (por. Mk 3,22-30). I tam też Jezus uzdrowił kobietę cierpiącą na krwotok oraz córkę przełożonego synagogi imieniem Jair (por. Mk 5,21-43).

Nad jeziorem. Jezus powołuje pierwszych uczniów; poleca Szymonowi odłożyć sieci rybackie; przemawia do tłumów, stojąc na łodzi (głosząc m.in. przypowieść o siewcy); objawia się Piotrowi i innym uczniom pewnego ranka po nocnym połowie ryb (por. Mk 1,14-20; Łk 5,1-11; Mk 3,9-10; 4,1-25; J 21,7-23).

Na jeziorze. Jezus ucisza gwałtowną burzę; chodzi po wodzie; dyskutuje o „kwasie faryzeuszów" (por. Mk 4,35-41; 6,47-52; 8,14-21).

Na północno-wschodnim brzegu jeziora. Jezus karmi pięć tysięcy mężczyzn, prawdopodobnie gdzieś za Betsaidą; w Betsaidzie uzdrawia niewidomego (Mk 6,32-46; 8,22-26).

Na południowo-wschodnim brzegu jeziora i w Dekapolu. Jezus uzdrawia człowieka opętanego przez wielu demonów; uzdrawia głuchoniemego; karmi cztery tysiące osób (Mk 5,1-20; 7,31-37; 8,1-9).

W ziemi Genezaret. Liczne uzdrowienia (Mk 6,53-56).

Góry, wzgórza i „równiny"

W Ewangelii według św. Mateusza znajdujemy wzmianki o „górach" (Mt 5,1; 28,16). Mateusz nawiązuje w ten sposób do Mojżesza kojarzonego powszechnie z górą Synaj. Ewangeliści wiedzieli jednak doskonale, że w porównaniu z nią owe „góry" sąsiadujące z Jeziorem Galilejskim były niziutkie. Należałoby raczej tłumaczyć to słowo jako „wzgórza" lub „zbocza wzgórz" (greckie słowo używane przez ewangelistów może oznaczać zarówno „górę", jak i „wzgórze" lub „pagórek"). Mateusz najwyraźniej stara się wytworzyć u swych żydowskich czytelników skojarzenie Jezusa z Mojżeszem.

Jezus wykorzystywał stoki otaczające jezioro Genezaret, gdy chciał oddalić się od tłumów. Czasami wędrował w tym celu wśród niezaludnionych wyższych wzgórz po wschodniej stronie jeziora. Kiedy indziej wystarczały Mu niższe wzniesienia w okolicach Kafarnaum. Być może tam właśnie wybrał swoich dwunastu uczniów i wygłosił wiekopomne Kazanie na Górze (por. Mk 3,13; Mt 5-7). Wśród rozległych wzgórz Galilei, których podnóża leżą w galilejskiej depresji, są także płaskowyże, nie ma więc żadnej sprzeczności w słowach Łukasza o Jezusie głoszącym słynne kazanie „na równinie" (Łk 6,17). Mateusz podkreśla bardziej autorytet Jezusa, a Łukasz Jego dostępność.

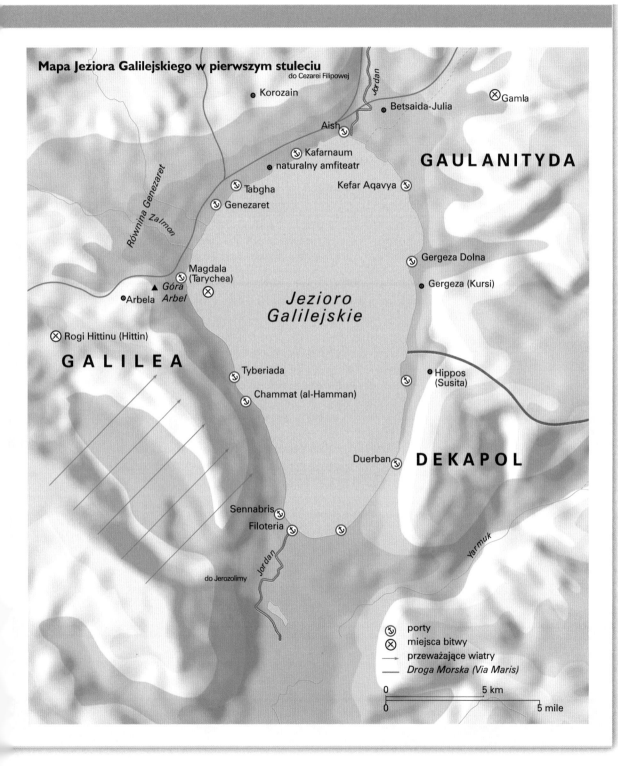

Mapa Jeziora Galilejskiego w pierwszym stuleciu

do Cezarei Filipowej

Korozain

Betsaida-Julia

Gamla

Aish

Kafarnaum

naturalny amfiteatr

GAULANITYDA

Tabgha

Kefar Aqavya

Genezaret

Równina Genezaret

Zalmon

Gergeza Dolna

Magdala
(Tarychea)

▲ *Góra
Arbel*

Gergeza (Kursi)

Arbela

*Jezioro
Galilejskie*

Rogi Hittinu (Hittin)

GALILEA

Tyberiada

Hippos
(Susita)

Chammat (al-Hamman)

Duerban

DEKAPOL

Sennabris

Filoteria

Jordan

Yarmuk

do Jerozolimy

porty

miejsca bitwy

przeważające wiatry

Droga Morska (Via Maris)

0   5 km

0   5 mile

Ruiny Kafarnaum nad Jeziorem Galilejskim widziane z lotu ptaka; białe rzeźbione bloki kamienne starożytnej synagogi kontrastują z czarnym bazaltem pobliskich domostw, zaś świątynia z czerwoną kopułą należy do greckiego Kościoła prawosławnego

do Galilei po dłuższym lub krótszym wygnaniu i za czasów Jezusa prawdopodobnie stanowili oni większość populacji. Było to nadal „terytorium graniczne". W porównaniu z mieszkańcami Jerozolimy Żydzi żyjący w Galilei mieli stale do czynienia z „poganami".

W takim środowisku Żydzi galilejscy usiłowali stale odróżniać się od swoich „pogańskich" sąsiadów. Wyróżniające ich zwyczaje – takie jak obrzezanie, przestrzeganie szabatu, reguły dotyczące jedzenia i utrzymania higieny oraz częste pielgrzymki do Jerozolimy – musiały mieć dla nich bardzo istotne znaczenie. Kwestionowanie tych różnic z jakiegokolwiek powodu mogło być postrzegane jako próba podważenia całej strategicznej koncepcji właściwego zachowywania się Żydów wśród nie-Żydów.

Trudno się zatem dziwić, że faryzeusze tworzyli w tym regionie potężne lobby, ożywione wizją pomagania „ludowi ziemi" w zachowywaniu zasad zgodnych z żydowską Torą, jak również nadzieją, że Bóg uwolni kiedyś swój lud od pogańskiej dominacji. Każdy przejaw zacierania owych różnic oraz podważania wyjątkowości praktycznych praw i reguł musiał wywoływać stanowczy opór faryzeuszy i ich negatywne reakcje.

Niektóre obszary były zdominowane przez nie-Żydów, a nawet wyłącznie przez nich zamieszkałe. Należał do nich tzw. Dekapol (gr.: *deka* – dziesięć, *polis* – miasto) położony na wschód i południe od jeziora; prawdopodobnie także Tyberiada (miasto zbudowane przez Heroda Antypasa ku czci pogańskiego cesarza Rzymu i prowokacyjnie wzniesione na miejscu starożytnego cmentarza żydowskiego). Istniały też mieszane, wielojęzyczne społeczności, w których Żydzi oraz przedstawiciele innych tradycji żyli obok siebie w niełatwej koegzystencji. Miejscowym językiem był aramejski, lecz w całej wschodniej części imperium obiegową *lingua franca* była greka – język, którym porozumiewali się przedstawiciele różnych grup etnicznych, zwłaszcza w relacjach i transakcjach handlowych. Dwaj uczniowie Jezusa (Andrzej i Filip) nosili greckie imiona, nie mające aramejskich odpowiedników. Później znaleziono dowody na to, że mówili po grecku.

Kafarnaum i handel międzynarodowy

Można powiedzieć, że w I wieku Galilea miała z lekka kosmopolityczny charakter. W przeciwieństwie do Jerozolimy, leżała przy głównym szlaku handlowym, który prorok Izajasz nazywał Drogą Morską. Owa Droga Morska (Via Maris), łącząca rynki Mezopotamii i Damaszku z Egiptem i krajami Morza Śródziemnego, przechodziła przez równinę Genezaret w rejonie północnych brzegów jeziora, a w szczególności przez Kafarnaum.

Miasto to było także ostatnim większym ośrodkiem przed nową granicą (ustanowioną po śmierci Heroda Wielkiego w 4 roku po Chr.) między Galileą „właściwą" a prowincją wschodnią, czyli Gaulanitydą. Przejście graniczne znajdowało się przy przeprawie przez Jordan, co oznaczało, że Betsaida – miejsce narodzin uczniów Jezusowych Filipa, Andrzeja i Piotra – formalnie nie leżała już w Galilei. Oznaczało to również, że Kafarnaum, jako miasto przygraniczne, mogło czerpać ze swego statusu dodatkowe zyski i być siedzibą celników. Znajdowała się tam prawdopodobnie zarówno komora celna, jak i niewielki garnizon – stąd Łukaszowa wzmianka o rzymskim „setniku", który pomagał biednym obywatelom w budowie synagogi (por. Łk 7,2-5). Jest całkiem możliwe, że wspomniani uczniowie przenieśli się do Kafarnaum w celu uniknięcia wielokrotnych opłat celnych za świeże ryby transportowane do miejsc na zachodnim brzegu jeziora (takich jak Magdala), w których mogły one być konserwowane.

W świetle tych faktów decyzję Jezusa o umieszczeniu bazy swej publicznej działalności w Kafarnaum można uznać za posunięcie strategiczne. Nazaret leżał na uboczu, Kafarnaum w samym sercu zdarzeń. Była to miejscowość nieduża i dość uboga, lecz usytuowana w szczególnym położeniu – najbardziej odpowiednim dla kogoś, kto chciał być „słyszany" przez możliwie największą liczbę ludzi. Tak więc z „Galilei wielu narodów" wyszła w odpowiednim czasie „Światłość dla świata".

A wieść o Nim rozeszła się po całej Syrii. (...) I szły za Nim liczne tłumy z Galilei i z Dekapolu, z Jerozolimy, z Judei i z Zajordania.
Mt 4,24a.25

Jezusowe przesłanie

Z relacji ewangelistów wynika, że działalność publiczną Jezusa w Galilei wyróżniały dwie cechy, które na pierwszy rzut oka mogą wydawać się sprzeczne. Z jednej strony przemawiał autorytatywnie: „(...) uczył ich bowiem jak ten, który ma władzę, a nie jak uczeni w Piśmie" (Mk 1,22). Jezus wyrażał się bezpośrednio i jasno o Bogu jak ktoś, kto dokładnie wie, o czym mówi. Autorytet Jego słów potwierdzały działania, demonstrował bowiem ogromną moc w obliczu największych wrogów znanych ludzkiemu doświadczeniu – chorób, klęsk żywiołowych, demonów, a nawet śmierci.

Z drugiej strony, ewangeliści podkreślają niezwykłą prostotę Jego nauk oraz ich dostępność dla zwykłych, prostych ludzi. Nie było w nich abstrakcji, lecz zmuszające do myślenia przykłady z codziennego życia. Bogaty materiał do nich Jezus czerpał z najbliższego otoczenia w swej rodzinnej Galilei.

Owa „przyziemność" nauczania Jezusa doprowadzała jednak niektórych ludzi do wnio-

Nauczanie Jezusa w Galilei

Oto przykładowa lista porównań i skojarzeń (występujących, w podanej kolejności, w rozdziałach 5–15 Ewangelii według św. Łukasza), osadzonych w życiu codziennym Galilei, użytych przez Jezusa w Jego naukach o królestwie Bożym. Ukazuje ona szczególny koloryt i dostępność tych nauk. Rzeczy proste i zwykłe stały się narzędziem opisu rzeczywistości duchowych.

- ubiory i zwyczaje związane z tradycjami weselnymi
- skórzane bukłaki na wino
- nowe łaty na starych ubraniach
- drzazga w oku
- drzewo i owoce
- dobra lub zła budowa
- dzieci bawiące się na rynku
- różne rodzaje gleb
- lampy domowe
- praktyki pogrzebowe
- praca w polu
- jajko czy skorpion
- rozbój z bronią w ręku
- brudne naczynia
- mięta i ruta

- nieupamiętnione groby
- pięć wróbli za dwa asy
- zbyt duże stodoły
- kruki i lilie
- dobrzy i źli gospodarze
- rodzinne dysputy
- przewidywanie pogody
- napojenie osła w szabat
- ziarnko gorczycy
- ptak i pisklęta
- pola i woły
- strategia wojskowa
- bezużyteczna sól
- zagubiona owca
- zagubiona drachma

sku, iż przesłanie Jego Ewangelii jest banalne. Nie dostrzegali więc tego co najważniejsze. Tworzyli sobie wizerunek Jezusa jako wędrownego filozofa, głoszącego w przystępnej formie niegroźne i oczywiste prawdy oraz zwracającego uwagę na Boga, stawiającego – jak im się wydawało – niewielkie wymagania.

A przecież Jezus przekazywał ludziom nowe, radykalne przesłanie, dotyczące królestwa Bożego. Inaczej mówiąc, Bóg Izraela nareszcie stawał się Królem! Wielu słuchaczy oczywiście tęskniło do czegoś takiego; byli gotowi chwycić za broń w imię królestwa Boga, byle tylko działanie takie przyniosło kres dominacji pogan. Zaledwie trzydzieści lat wcześniej Galilejczycy (pod wodzą Judy Galilejczyka) powstali przeciwko Rzymianom, ponieśli jednak druzgocącą klęskę. Trzydzieści lat po Jezusie zrobili to ponownie, ale i tym razem – jak pisze wyraźnie Józef Flawiusz – ich zryw zakończył się potworną rzezią.

W tak trudnym czasie, w warunkach ogromnych społecznych napięć, pojawił się Jezus ze swoim słusznym i mądrym przesłaniem – o królestwie Bożym. Nic dziwnego, że od razu ruszyły za Nim tłumy, a wielu chciało obwołać Go królem. Wszystko to było jednak tragicznym nieporozumieniem.

Po pierwsze, Jezus dawał do zrozumienia, że nie ma sensu walczyć z Rzymianami, gdyż Bóg błogosławi tych, którzy „czynią pokój". Co więcej, w Jego „królestwie" było również miejsce dla ludzi innych niż Żydzi i wyznawcy judaizmu – a więc dla pogan. Oznaczało to, że dotychczasowe rozumienie tożsamości Izraela – oparte na izolowaniu się od innych (np. poprzez przestrzeganie szabatu i tradycyjnych zasad żywienia) – stają się nieaktualne, przestarzałe.

Po drugie, Jezus twierdził, że prawdziwy władca królestwa jest „wśród nich" i że to On naucza ich stale „na ulicach" miast (por. Łk 13,26). Jezus był Królem, od dawna oczekiwanym Mesjaszem. Jest jednak prawie pewne, że gdy mówił o tym otwarcie, tłumy Go nie pojmowały. Używał więc przypowieści, wskazując wyraźnie na prawdę i pozwalając ludziom stopniowo dochodzić do zrozumienia tajemnicy. Nie było jednak wątpliwości co do Jego intencji. Jezus wzywał swych słuchaczy do radykalnego posłuszeństwa – wobec Niego! Chciał, by Mu zaufano. Zachęcał do rozpoczęcia podróży, sam będąc Tym, za którym mieli podążać: „Pójdźcie za Mną!".

Nadciągająca burza

Ewangelista Łukasz relacjonuje wielką popularność Jezusa w początkowym okresie Jego publicznej działalności – ludzie garnęli się do Niego ze wszystkich wiosek i miast Galilei, „(...) z całej Judei i Jerozolimy oraz z wybrzeża Tyru i Sydonu" (Łk 6,17). Jego nauczanie nie było jednak zawsze tak pomyślne i radosne. Wielu ludzi zniechęcało się i traciło zainteresowanie. Kiedy duchowe wyzwanie zawarte w Jego przesłaniu zaczynano lepiej rozumieć, odstraszało ono tak szybko, jak przedtem przyciągało. Jezus spotykał się stale z opozycją i polemiką, także ze strony przywódców religijnych, w pełni świadomych radykalnego kierunku jego nauczania.

Tak więc już w Galilei można zauważyć ciemne chmury zwiastujące to, co się później wydarzyło w Jerozolimie. „Przyjdzie czas – mówił Jezus już w początkach swojej działalności – kiedy zabiorą im pana młodego" (Łk 5,35). Kontynuując tę weselną paralelę, można jednak powiedzieć, że głoszone w Galilei przez Jezusa przesłanie o królestwie Bożym było radykalne od samego początku. I chociaż w tej przygranicznej prowincji polemizowano z innymi punktami Jezusowej Ewangelii niż później w mieście stołecznym, to na głębszym poziomie widoczna jest wyraźnie ciągłość przekazu. Jezus ogłaszał początek nowej epoki, której sam był centralną postacią. Galilea nie była miejscem błogiego spokoju, gdyż właśnie tam zbierało się na burzę.

Ważne daty – Wioski i miasteczka Galilei

1350—1150 prz. Chr.	Wzmianki o „Morzu Kinneret" w czasach podbojów Izraela (Joz 12,3; 13,27)	ok. 27–30	Publiczna działalność Jezusa wokół Jeziora Galilejskiego (Mt 4,18; Mk 1,16; 7,31), zwanego również Jeziorem lub Morzem Tyberiadzkim (J 6,1; 21,1)	ok. 629	Prawdopodobne zniszczenie żydowskiej synagogi w Kafarnaum przez społeczność chrześcijańską podczas przywracania bizantyjskiej władzy Herakliusza
ok. 730 prz. Chr.	Prorok Izajasz przepowiada, że Bóg „zaszczyci Galileę pogan"	67	Wojska Wespazjana oblegają Gamlę (Józef Flawiusz, Wojna żydowska 4,1.1-83) i niszczą miasto Betsaida Julia	700–900	Zakończenie „porządkowania" hebrajskiego tekstu Starego Testamentu w Szkole Tyberiadzkiej
64 prz. Chr.	Susita (Hippos, miasto na wschodnim brzegu Jeziora Galilejskiego) zostaje odebrane Żydom przez Pompejusza i włączone do Dekapolu	ok. 330	Józef z Tyberiady otrzymuje zgodę cesarza Konstantyna na budowę kościołów w Galilei; jednym z nich był prawdopodobnie kościół zbudowany na miejscu domu Piotra w Kafarnaum (Epifaniusz, Panarion 30,11)	ok. 1033	Zniszczenie Tyberiady podczas trzęsienia ziemi
ok. 38 prz. Chr.	Herod Wielki „wykurza" zwolenników swego rywala Antygona, ukrywających się w jaskiniach góry Arbel (Józef Flawiusz, Dawne dzieje Izraela 14,4. 23-26)			1099	Odbudowa Tyberiady przez krzyżowców pod przywództwem Tankreda
4 prz. Chr.	Susita (Hippos) staje się ponownie częścią prowincji syryjskiej	ok. 383	Egeria opisuje kościół zbudowany w Kafarnaum oraz identyfikuje miejsce nakarmienia 5000 osób w Tabgha (Piotr Diakon, De locis santi, 5,2-4)	1187	Saladyn zwycięża krzyżowców pod Hittin (Rogami Hittinu)
ok. 20 po Chr.	Herod Antypas zakłada miasto Tyberiadę ku czci cezara Tyberiusza i ustanawia ją nową stolicą Galilei (zamiast Seforis)			ok. 1894	Franciszkanie obejmują w posiadanie Kafarnaum (Tel Hum)
		ok. 400	Ukończenie żydowskiej Gemary w Tyberiadzie	ok. 1933	Odbudowa w Tabgha (Heptapegon) kościoła Prymatu
ok. 20 po Chr.	Herod Filip odnawia miasto Betsaida Julia (Józef Flawiusz, Dawne dzieje Izraela 18,28), prawdopodobnie na cześć żony Augusta. Stamtąd pochodziło trzech uczniów Jezusa – Piotr, Andrzej i Filip (por. J 1,44)	ok. 450	Budowa nowego ośmiobocznego kościoła w miejscu domu Piotra w Kafarnaum	1938	Budowa kościoła Kazania na Górze na Górze Błogosławieństw
		ok. 480	Budowa nowej bazyliki w Tabgha dla upamiętnienia cudownego nakarmienia 5000 osób	1982	Budowa kościoła Rozmnożenia Chleba i Ryb w Tabgha (Heptapegon), upamiętniającego cudowne rozmnożenie chleba i ryb
		614	Prawdopodobne zniszczenie bazyliki w Kafarnaum przez społeczność żydowską podczas inwazji perskiej	1992	Franciszkanie wznoszą współczesny ośmioboczny kościół w miejscu domu Piotra w Kafarnaum

Galilea dzisiaj

Osoby, które nie odwiedzały nigdy Ziemi Świętej, często wyobrażają sobie, że pobyt w Galilei powinien być najciekawszym elementem ich wizyty. I nie mijają się z prawdą. Nie tylko z powodu naturalnego piękna jeziora i jego okolic, lecz przede wszystkim ze względu na łatwość wyobrażenia sobie scen znanych z Ewangelii z pełną świadomością, iż Jezus oglądał te same krajobrazy, które od Jego czasów nie uległy większym zmianom. W przeciwieństwie do Betlejem i Jerozolimy, brak miejskiej zabudowy i hałasu nad Jeziorem Galilejskim pozwala zebrać myśli i uruchomić wyobraźnię.

Jezioro nie jest zbyt duże i mimo wielu miejsc wartych obejrzenia można zwiedzić jego okolice w stosunkowo krótkim czasie. Przyjrzymy się im w porządku okrężnym, zgodnym z ruchem wskazówek zegara, podążając śladem wyimaginowanej grupy zwiedzających, która

Zwiedzanie Galilei

Turyści dysponują zwykle tylko jednym dniem przeznaczonym na oglądanie Jeziora Galilejskiego i jego okolic. Planując zwiedzanie, warto rozważyć wcześniej następujące szczegóły.

Noclegi

Niektórzy wolą – zwłaszcza w miesiącach letnich, gdy tuż przy jeziorze jest bardzo parno – spędzać noce na wzgórzach, w pewnej odległości od niego (na przykład w Safed lub nawet w Nazarecie). Osoby pragnące być bliżej jeziora, mogą rozważyć opcje mniej „formalne" (takie jak kemping lub kibuc), chrześcijańskie schroniska w Tyberiadzie bądź zwykłe hotele.

Pory roku

Osoby zwiedzające rejon w zimie, gdy dni są krótkie, będą musiały z czegoś zrezygnować. Bez wątpienia kwiecień i maj są bardzo atrakcyjne ze względów klimatycznych (w miesiącach późniejszych jezioro mogą pokrywać gorące opary). Pragnących kąpieli ostrzegamy, iż woda w jeziorze może być lodowato zimna nawet w lecie – pochodzi przecież ze śniegów topniejących na górze Hermon!

Wycieczka łodzią

Może to być silne przeżycie. Większe grupy obsługiwane są przez firmy z Tyberiady, oferujące rejsy na trasie „trójkątnej" – Tyberiada – Kafarnaum – 'En Gew. Polecamy rejsy z Tyberiady do Kafarnaum wczesnym rankiem i powrót z 'En Gew późnym popołudniem. Warto rozważyć oferty z posiłkiem na pokładzie.

Celebrowanie Eucharystii

Chrześcijanie mogą mieć życzenie wspólnego „łamania się chlebem" w jakimś momencie wizyty. Może to być dla nich potężne doświadczenie, o ile będą mieli sposobność podsumowania w sposób bardziej refleksyjny duchowych przeżyć, których doświadczyli. Małe grupy mogą znaleźć odpowiednie do tego miejsca „poza wydeptanymi ścieżkami" lub w miejscach, w których przewidziane są wspólne noclegi. Najlepiej jednak uzyskać wcześniej zgodę na spełnienie obrządku w miejscach do tego przeznaczonych, np. na Górze Błogosławieństw, w Tabgha lub w kaplicy YWCA (na północ od Tyberiady). Pierwsze dwa z tych miejsc mają wybitne walory widokowe, są jednak administrowane przez społeczności katolickie, co znaczy, że grupy niekatolickie będą musiały zwrócić szczególną uwagę na obowiązujące w tych obiektach zasady zachowania.

Zwiedzanie Góry Błogosławieństw

Obiekt zamyka się dla zwiedzających na kilka godzin w samo południe. Mogą w nim pozostać tylko osoby pragnące przyjąć tam Komunię i zjeść posiłek w schronisku. Jest to doskonałe miejsce do spokojnych refleksji w środku dnia. Po posiłku można zwykle przejść się nad jezioro. Zajmuje to około 20 minut i daje zwiedzającym możliwość spokojnego spaceru wśród wzgórz Galilei, „poza wydeptanymi szlakami".

---

przybyła przed zachodem słońca w rejon południowego krańca jeziora, spędziła noc gdzieś w okolicach Tyberiady i pragnie poświęcić cały następny dzień zwiedzaniu okolic.

Pięknymi widokami całego jeziora można cieszyć oko w różnych miejscach, m.in. ze wzgórz górujących nad Tyberiadą lub Kafarnaum. Dobrymi punktami wyjścia są: **południowy kraniec jeziora**, a konkretnie punkt na brzegu przy wypływie Jordanu (w pobliżu zakrętu drogi do Bet Jerah) oraz punkty widokowe położone nieco dalej na północny wschód. Przy dobrej pogodzie może być stamtąd widoczny pokryty śniegami szczyt Hermonu (znajdujący się w odległości około 100 km na północ).

Współczesna Tyberiada leży w odległości 8 km od zachodniej linii brzegowej. Jest to główne miasto w rejonie jeziora, oferujące zwiedzającym wiele cennych udogodnień, takich jak multimedialne prezentacje z zakresu geografii i historii regionu, a nawet gorące kąpiele. Osoby dysponujące większą ilością czasu mogą odwiedzić rozproszone stanowiska archeologiczne, na których odsłonięto szczątki **starożytnej Tyberiady** (na wzgórzach, na południe od miasta współczesnego). Są tam do obejrzenia ruiny bazyliki, łaźni, amfiteatru i dzielnicy handlowej. Dalej, na górze Bereniki, zachowały się pozostałości kościoła bizantyjskiego, zniszczonego przez krzyżowców. Począwszy od II wieku Tyberiada była kwitnącym ośrodkiem rabinicznego judaizmu. Tam właśnie powstała *Gemara* (część palestyńskiego *Talmudu*), a za miastem znajdują się groby wielkich mędrców żydowskich, takich jak: rabbi Johanan ben Zakkaja (ok. 90 po Chr.), Akiba (rabin, który ogłosił Bar Kochbę jako mesjasza w roku 130) oraz wielki Majmonides (ok. 1200).

Kafarnaum, Betsaida i Korazain, jak też i inne miasteczka oraz wioski wymienione w Ewangeliach, są nawet teraz pokazywane wokół Jeziora Tyberiadzkiego. To jest Galilea, w której Chrystus Pan spędził większą część swego życia.

Euzebiusz z Cezarei, Komentarz do Księgi Izajasza, 9,1

Po prawej:
Fragment tzw.
„łodzi Jezusa",
wydobyty
z dna Jeziora
Galilejskiego
w 1986 roku

Współczesna droga prowadząca z Tyberiady w kierunku północnym została przebita przez niemożliwe kiedyś do przejścia skały **góry Arbel**. Po prawej stronie widać z niej ogrodzone ruiny związane prawdopodobnie ze starożytnym miastem **Magdala** (znanym też jako Tarychea), które – jak się przypuszcza – było miejscem pochodzenia znanej z Ewangelii Marii Magdaleny. Trochę dalej na północ, nad brzegiem jeziora, znajduje się kibuc o nazwie **Nof Ginnosar** (gdzie przechowywana jest słynna „łódź Jezusa").

Po stronie lewej rozciąga się żyzna **równina Genezaret**, z zachwytem opisywana przez Józefa Flawiusza (patrz: s. 66). Za współczesną stacją pomp otwierają się widoki na teren, w którym Jezus rozpoczynał swoją publiczną działalność wokół **Kafarnaum**. Większa część starożytnego miasteczka należy obecnie do franciszkanów, a ogrodzony kościół z czerwoną kopułą – do greckiego Kościoła prawosławnego.

Miejsce to daje wyobrażenie o miasteczku, które Jezus wybrał jako bazę swojej publicznej działalności. Na szczególną uwagę zasługują niewielkie wymiary większości domów. Niemal wszystkie były zbudowane z czarnego bazaltu. Być może w jednym z nich podczas Jezusowego nauczania przyjaciele opuścili przez dach leżącego na macie paralityka (por. Łk 5,17-26). Ściany tych biednych domów często nie miały okien i nie byłyby w stanie udźwignąć ciężkich dachów, które zastępowały plecione gałęzie uszczelnione mułem i słomą. Na ich kamiennych podłogach łatwo mogły też ginąć z oczu upuszczone drobne przedmioty – takie jak cenna moneta zgubiona przez kobietę w jednym z ewangelicznych epizodów (zob. Łk 15,8-10).

Wydaje się, że od połowy I wieku po Chr. jedno z tych pomieszczeń mogło służyć raczej celom publicznym, a nie prywatnym (na co wskazuje charakter znalezionych w nim przedmiotów). Jego ściany były wówczas otynkowane, a na niektórych znajdowały się malowidła przedstawiające Jezusa jako Boga i Mesjasza. Jest niemal pewne, że pokój ten służył nabożeństwon chrześcijańskim oraz że uważano go za miejsce używane przez Jezusa, być może w domu Szymona Piotra (por. Łk 4,38). W IV wieku chrześcijanie zbudowali w tym miejscu kościół-dom, a w V wieku powstał tam większy, ośmioboczny kościół z wyszukanymi mozaikami (zniszczony w VII stuleciu). Mimo że w miejscu tym wzniesiono niedawno nową świątynię ośmioboczną (przeważnie zamkniętą z wyjątkiem nabożeństw dla grup katolickich), pierwotne pomieszczenie jest wciąż widoczne – podobnie jak fragmenty ścian kościołów późniejszych. Biorąc pod uwagę związaną z tym miejscem wczesną tradycję, sięgającą I wieku po Chr., można z dużą pewnością przyjąć, że przebywał tam Jezus; być może był to dom Piotra Apostoła.

W odległości 35 m na północ znajdują się ciekawe ruiny synagogi. Wiemy, że Jezus nauczał w synagodze w Kafarnaum, mógł to więc czynić w tym właśnie miejscu. Jednakże istniejąca w I wieku synagoga, ufundowana przez rzymskiego setnika (zob. Łk 7,2-5), musiała być raczej budynkiem skrom-

Klucz

Dom mieszkalny z I w.

Kościół-dom z IV w.

Ośmioboczny kościół z V w.

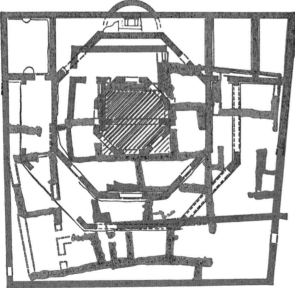

Plan kolejnych kościołów budowanych w miejscu domu Piotra

0   10 metrów

0   10 jardów

nym. Widoczna dziś okazała budowla z importowanego białego marmuru pochodzi z III lub IV wieku po Chr. Jej bliskość z kościołem zbudowanym w miejscu domu Piotra może sugerować niełatwą w owym czasie koegzystencję i rywalizację między społecznościami żydowską i chrześcijańską (Galilea była obszarem w przeważającej mierze żydowskim, lecz bizantyjskie władze składały się z chrześcijan). Istnieje jeszcze inna intrygująca możliwość: czyżby owa okazała „synagoga" została zbudowana przez Żydów, a raczej przez chrześcijan – by ułatwić pielgrzymom wizualizację synagogi, o której piszą ewangeliści?

Cofając się nieco z Kafarnaum – i mając teraz jezioro po lewej stronie – docieramy do niewielkiej zatoczki, która, jak pokazały badania, funkcjonowała kiedyś w roli naturalnego amfiteatru. Ewangelista Marek opisuje co najmniej jeden przypadek, w którym Jezus nauczał nad jeziorem: „(...) bardzo wielki tłum ludzi zebrał się przy nim. Dlatego wszedł do łodzi i usiadł w niej [pozostając] na jeziorze, a cały lud stał na brzegu jeziora"(Mk 4,1). Owa niewielka zatoczka, której „akustyczny środek" znajduje się w odległości niecałych dziewięciu metrów od brzegu, mogła być idealnym miejscem dla publicznych przemówień. Nietrudno

Dom Piotra w Kafarnaum; koncentryczne ośmioboczne mury (z V wieku po Chr.) pokazują, w jaki sposób przekształcono dom mieszkalny w świątynię; środkowe pomieszczenie domu znajduje się w cieniu i jest najlepiej widoczne przez szklaną podłogę zbudowanego niedawno w tym miejscu kościoła katolickiego

Współczesna statua
Jezusa z Szymonem
Piotrem w Tabgha

*Przełam się ze mną
chlebem życia, Panie
umiłowany, jak
czyniłeś to w Galilei.*

**Mary Lathbury, Break thou
the bread of life**

wyobrazić sobie ludzi łowiących z uwagą każde słowo Jezusa i delikatny plusk spokojnych wód jeziora o burty łodzi. A On im mówił: „Kto ma uszy do słuchania, niechaj słucha!" (Mk 4,9).

Około półtora kilometra na zachód od Kafarnaum są dwa ciekawe miejsca w **Tabgha** (która to nazwa jest arabskim zniekształceniem greckiej nazwy słowa Heptapegon, oznaczającej „siedem źródeł", które faktycznie istnieją na tym terenie). W przeszłości był to obszar trafnie wybrany przez chrześcijan bizantyjskich dla upamiętnienia serii ewangelicznych epizodów.

W pierwszym z tych miejsc znajduje się obecnie **kościół Prymatu,** upamiętniający zdarzenie, o którym pisze tylko ewangelista Jan (por. J 21). Po zmartwychwstaniu Jezus stoi na brzegu jeziora i przygotowuje śniadanie dla swych uczniów utrudzonych połowem ryb. Później zwraca się do Piotra (który niedawno trzykrotnie się Go zaparł) i zadaje mu pytanie: „Czy mnie miłujesz?" Współczesna statua została prawdopodobnie pomyślana jako ilustracja tego właśnie ewangelicznego epizodu, może jednak przypominać również inne wydarzenie z początków działalności Jezusa, kiedy to po nadzwyczajnie obfitym połowie ryb Piotr rzekł do Jezusa: „Odejdź ode mnie, Panie, bo jestem człowiek grzeszny" (Łk 5,8). Świadomość ważnych wydarzeń, w powiązaniu z urodą miejsc, zmusza zwykle wielu zwiedzających do dłuższego zatrzymania w tych miejscach. Jeśli wtedy Jezus nakarmił w cudowny sposób swoich wyznawców, może mógłby uczynić to także dziś? Nic więc dziwnego, że ludzie wspólnie przyjmują w tych miejscach Komunię, a pod koniec dnia wracają tam, by oddać się refleksjom.

Nie jest wykluczone, że wiele fizycznych elementów tych miejsc pamięta pierwsze wieki *po* czasach Jezusowych. Sześć kamieni w kształcie serc osadzonych w piasku, kojarzonych później z „dwunastoma tronami", które Jezus obiecał swym dwunastu uczniom (por. Łk 22,30) i w których każda połówka reprezentuje jednego z nich, czy też wycięte w skale stopnie pod kościołem, po których – zdaniem Egerii – musiał stąpać Jezus. Surowy blok skały wapiennej na wschód od obecnej niedużej kapliczki może być tym, na którym według jej słów „Jezus kładł chleb". Z jej diariusza wynika, że kamień ten, „przekształcony w ołtarz", włączono do niewielkiego kościółka (zbudowanego jeszcze przed jej wizytą w latach osiemdziesiątych IV wieku). Może to oznaczać, że miejsce, o którym mowa, kojarzono również z cudownym nakarmieniem pięciu tysięcy mężczyzn.

W niedługim czasie powstał jednak inny, większy kościół, zbudowany dla upamiętnienia tego ostatniego cudu. I to właśnie jest drugie ważne miejsce w Tabgha (znane jako **kościół Rozmnożenia Chleba i Ryb**). Kościół ten znajduje się około 180 metrów na zachód od pierwszego. Współczesną świątynię benedyktynów, ukończoną w roku 1982, zaprojektowano tak, by możliwie wiernie odtworzyć atrium i kościół bizantyjski wzniesiony dokładnie w tym samym miejscu w roku 480 po Chr. Wnętrze doskonale nawiązuje do „otwartego" stylu kościołów bizantyjskich z okresu od IV do VII wieku. Nawa główna i dwie boczne łączy zaokrąglona apsyda dla duchowieństwa po stronie wschodniej; ołtarz widoczny jest dla wszystkich i oddzielony jedynie niską balustradą (lub w ogóle nie oddzielony), ograniczającą prezbiterium. Widoczne są niektóre mozaiki podłogowe, w tym słynna mozaika z bochenkami chleba i rybami oraz inne z pięknymi wizerunkami ptaków i roślin z okolic jeziora Genezaret, jak również znad Nilu. Można również zauważyć ślady mniejszego kościoła, zbudowanego w tym miejscu w IV wieku.

W tym cudownym, rozmodlonym miejscu wszelkie pytania o historyczną autentyczność byłyby przejawem grubiaństwa. Ewangeliści piszą jednak wyraźnie, że cud rozmnożenia chleba i ryb, po którym nakarmionych zostało pięć tysięcy mężczyzn, dokonał się po drugiej stronie jeziora, w miejscu opisywanym jako „pustynne" i odległe od wiosek, co by sugerowało, że najbliższą miejscowością była zapewne Betsaida. Chcąc ustalić miejsce kolejnego cudownego nakarmienia czterech tysięcy osób, należałoby skierować się na południowy wschód od jeziora (w stronę Dekapolu). Ewangeliści sugerują bowiem, że działo się to „wśród pogan" (zob. Mk 7,31; 8,10; Łk 15,29-39).

Jeśli tak, to znaczy, że Bizantyjczycy zidentyfikowali to miejsce nieprawidłowo, co jednak nie powinno szczególnie nas dziwić ani bulwersować. Z natury rzeczy dokładna lokalizacja takich zdarzeń może być bardzo trudna lub niemożliwa, a biorąc pod uwagę trudności podróży w pierwszych wiekach po Chrystusie, wybór wygodnego miejsca *na drodze* do Kafarnaum, pasującego dobrze do innych znanych relacji o cudownym nakarmieniu (zob. J 21) był niemal nieunikniony.

Kościół Rozmnożenia Chleba i Ryb odtwarza historyczny bizantyjski model architektoniczny, trójapsydalnej świątyni z dachem w formie krzyża i atrium po stronie zachodniej

Kościół Kazania na Górze Błogosławieństw; jego ośmioboczna forma symbolizuje osiem Jezusowych błogosławieństw

Bizantyjczycy przejawiali skłonność do upamiętniania wielu ewangelicznych wydarzeń w tych samych miejscach, czego kolejnym przykładem jest skojarzenie ze słynnym Kazaniem na Górze. Efektem tego są dziś pozostałości niedużego kościółka z IV wieku oraz klasztoru w większej odległości od drogi (w głębi lądu). W roku 1938, jeszcze wyżej na zboczu, zbudowano nowy kościół dla upamiętnienia Jezusowego Kazania na Górze. Aby tam dojechać, trzeba wykonać spory objazd, jest to jednak warte wysiłku, ponieważ z **Góry Błogosławieństw** roztacza się wspaniały widok na całe jezioro i wiele miejsc związanych z publiczną działalnością Jezusa. Tym, którzy lubią chodzić, może spodobać się stosunkowo łatwe zejście do jeziora między galilejskimi polami.

Odwiedzający Górę Błogosławieństw nie powinni szukać ścisłej autentyczności. Jezus przemawiał do ludzi w wielu miejscach tego regionu, a relacja ewangelisty Mateusza to skrócony wybór i podsumowanie treści Jego nauk, które z pewnością powtarzał wielokrotnie w różnych miejscach i przy różnych okazjach. Przebywanie w tym miejscu pomaga sobie to wyobrazić w stosownym kontekście geograficznym.

Czystość i spokój miejsca mogą jednak trochę utrudniać to zadanie, bo sugerują, że słowa Jezusa były zawsze spokojne i kojące. W rzeczywistości, Jego wypowiedzi były radykalne, wymagające, autorytatywne, rewolucyjne i sprzeczne z tłem kulturowym. Jezus wzywał Izrael do nowego sposobu życia; jego królestwo było dla większości Żydów zaskoczeniem. „Mało było takich", którzy znajdowali ową „drogę prowadzącą do życia", a domy tych, którzy nie słuchali i „budowali na piasku", musiały runąć, „a upadek ich był wielki" (por. Mt 7,14. 26-27). Kazanie na Górze jest najpotężniejszym z tych pouczeń. I do dziś wielu przyjeżdża tam po to, by przeczytać je głośno raz jeszcze od pierwszego do ostatniego słowa. Mają bowiem nadzieję, że robią to blisko miejsca, w którym zostało wygłoszone, oraz że usłyszą głos Mistrza i będą mogli przyjąć od nowa Jego duchowe przesłanie.

Przekraczając **rzekę Jordan**, turyści docierają do **Betsaidy**. W miejscu tym dopiero niedawno podjęto prace wykopaliskowe i stosunkowo niewiele można tam obejrzeć. Niektórzy nawet wątpią, czy jest to prawdziwa Betsaida. Stanowisko odległe o półtora kilometra od obecnego brzegu jeziora znajduje się na takiej wysokości, do której nigdy nie dochodziła woda – nawet jeśli w starożytności jej poziom w jeziorze był nieco wyższy niż dziś.

Mimo to w jednym z odkopanych pomieszczeń znaleziono sprzęt rybacki, co by oznaczało, że rybacy tam mieszkali, choć nie mieli bezpośredniego dostępu do wody. Dla chrześcijan miejsce to jest ważne jako rodzinna miejscowość Piotra, Andrzeja i Filipa, z której przenieśli się oni potem do Kafarnaum. Odległość miasteczka od jeziora mogła być jednym z czynników wpływających na ich decyzję – w Kafarnaum mogli mieszkać znacznie bliżej wody.

Kilka kilometrów dalej wzdłuż wschodniego brzegu jeziora znajdują się ruiny bizantyjskiego kościoła i klasztoru w **Kursi**. Nazwa ta może być zniekształceniem nazwy Gergeza, będącej odzwierciedleniem pewnego zamieszania w manuskryptach biblijnych, dotyczącego miejsca jednego z najbardziej niezwykłych cudów Jezusa – uzdrowienia opętanego i przeniesienia dręczących go demonów w świnie, które pobiegły do jeziora i potopiły się w nim. W manuskryptach występują różne wersje – Gadara, Geraza i Gergeza (Mt 8,28; Mk 5,1; Łk 8,26). Wysuwano na ten temat różne hipotezy, którymi nie musimy się w tym miejscu zajmować. Pewne jest to, że w pobliżu miejsca zdarzenia musiało istnieć strome urwisko niezbyt odległe od jeziora, jak również to, że mieszkańcy nie byli Żydami, ci bowiem nie hodowali świń!

Lokalizacja w Kursi nie jest całkiem niemożliwa, zważywszy że miejscowość ta leży niedaleko od pogańskiego miasta Susita (Hippos). Wydaje się, że Bizantyjczycy usytuowali to miejsce nieco dalej na południe od klasztoru (znajduje się tam obecnie wielki głaz). Także w tym przypadku ruiny dają dobre pojęcie o architekturze kościołów bizantyjskich oraz o miejscach używanych w starożytności do modlitw.

Pięć kilometrów dalej na południe, na wyróżniającym się wzgórzu leży starożytna **Susita** (miasto znane też jako **Hippos**, co być może wynika z czyjegoś skojarzenia z koniem). Osoby mające nieco więcej czasu zechcą zapewne obejrzeć tam rzymskie i bizantyjskie ruiny (m.in. interesującego kościoła z V wieku). Miasto to należało kiedyś do Dekapolu, lecz w czasach Jezusa włączone zostało do prowincji syryjskiej, co przypomina nam, jak blisko Palestyny znajdowała się wówczas Syria. Intrygujące mogą być w tym kontekście pierwsze słowa ewangelisty Mateusza, komentującego popularność Jezusa: „A wieść o Nim rozeszła się po całej Syrii" (Mt 4,24); dopiero w następnym wersecie czytamy o licznych tłumach „z Galilei i z Dekapolu, z Jerozolimy, z Judei i z Zajordania". Jest to kolejne świadectwo międzynarodowego charakteru Galilei – krainy przygranicznej położonej na skrzyżowaniu ważnych szlaków handlowych, będącej *sui generis* „wysuniętą placówką" judaizmu na obszarze wpływów innych narodów.

Bliżej jeziora (na wysokości Hippos) znajduje się **kibuc 'En Gew**. Turyści mogą w tym miejscu skorzystać w drodze powrotnej z **przeprawy statkiem** w kierunku Tyberiady. Zwykle kapitanowie wyłączają maszyny na środku akwenu, umożliwiając pasażerom dłuższą kontemplację spokoju. W takiej chwili potężnym przeżyciem może być przywołanie w wyobraźni relacji o Jezusie stąpającym po wodzie bądź odczytanie stosownych fragmentów Ewangelii. „Lecz On wstał, rozkazał wichrowi i wzburzonej fali: uspokoiły się i nastała cisza" (Łk 8,24). Osoby uczestniczące w przeprawie mają możliwość odczucia grozy i niesamowitości tamtych wydarzeń, które były udziałem uczniów Jezusa, a także postawić sobie wraz z nimi odwieczne pytanie: „Kim właściwie On jest, że nawet wicher i jezioro są Mu posłuszne?" (Mk 4,41). Pytanie to wciąż jest powtarzane.

Vicisti, o Galilaee (Zwyciężyłeś, Galilejczyku).

Słowa wypowiedziane przed śmiercią przez cesarza Juliana Apostatę (332–363)

Samaria

Trzeba Mu było przejść przez Samarię. Przybył więc do miasteczka samarytań-skiego, zwanego Sychar, w pobliżu pola, które [niegdyś] dał Jakub synowi swe-mu, Józefowi. Było tam źródło Jakuba. Jezus zmęczony drogą siedział sobie przy studni. Było to około szóstej godziny. Nedeszła [tam] kobieta z Samarii, aby za-czerpnąć wody. Jezus rzekł do niej: „Daj Mi pić!"(...) Na to rzekła do Niego Sa-marytanka: „Jakżeż Ty będąc Żydem, prosisz mnie, Samarytankę, bym Ci dała się napić?" Żydzi bowiem z Samarytanami unikają się nawzajem. Jezus odpo-wiedział jej na to: „O, gdybyś znała dar Boży i [wiedziała], kim jest Ten, kto ci mówi: «Daj Mi się napić» – prosiłabyś Go wówczas, a dałby ci wody żywej"(...). Rzekła do Niego kobieta: „Panie, widzę, że jesteś prorokiem. Ojcowie nasi od-dawali cześć Bogu na tej górze, a wy mówicie, że w Jerozolimie jest miejsce, gdzie należy czcić Boga". Odpowiedział jej Jezus: „Wierz Mi, kobieto, że nad-chodzi godzina, kiedy ani na tej górze, ani w Jerozolimie nie będziecie czcili Ojca. Wy czcicie to, czego nie znacie, my czcimy to, co znamy, ponieważ zba-wienie bierze początek od Żydów. Nadchodzi jednak godzina, owszem już jest, kiedy to prawdziwi czciciele będą oddawać cześć Ojcu w Duchu i prawdzie, a takich to czcicieli chce mieć Ojciec. Bóg jest duchem, potrzeba więc, by czci-ciele Jego oddawali Mu cześć w Duchu i prawdzie".

Ewangelia według św. Jana 4,4-7, 9-10. 19-24

Samaria w IV stuleciu

Oto góra Garizim. Tutaj, jak twierdzą Samarytanie, Abraham złożył ofiarę (na górze Moria), a na szczyt góry wchodzi się po stopniach, których jest trzysta. Ponadto, u stóp góry jest miej-sce zwane Sychem. Jest tam grobowiec Józefa na „działce zie-mi" (villa), którą dał jemu ojciec jego Jakub (Joz 24,32). Stam-tąd Dina, córka Jakuba, została porwana przez potomka Cha-mora (Rdz 34,2). O milę dalej jest miejsce nazywane Sychar, z którego kobieta samarytańska przyszła do miejsca, gdzie Ja-kub wykopał studnię, by czerpać z niej wodę, a nasz Pan Je-zus Chrystus rozmawiał z nią (J 4,5-30); są tu platany posa-dzone przez Jakuba oraz kąpielisko (balneus), do którego wo-da napływa ze źródła.

Pielgrzym z Bordeaux, 587-588 (odwiedzający Ziemię Świętą w roku 333)

Wróg wewnętrzny

Choć trudno nam dziś w to uwierzyć, w czasach Jezusa ist-niał w Palestynie obszar „zakazany" – ziemia zamieszkała przez Samarytan. Galilejczycy wędrujący na południe do Je-rozolimy starali się omijać ten teren, podróżując wzdłuż Doliny Jordanu i wspinając się do Świętego Miasta od stro-ny Jerycha. Wydłużało to podróż o 40 kilometrów, pozwala-ło jednak uniknąć ryzyka przechodzenia przez Samarię.

Po co najmniej czterystu latach wrogości doszło do sytu-acji, którą jednoznacznie opisuje ewangelista Jan: „Żydzi bowiem z Samarytanami unikają się nawzajem" (J 4,9). Czy zatem, mimo wielowiekowych animozji, Jezus odwie-dzał Samarię? I do jakich postaw zachęcał swoich wyznaw-ców?

Dowód jest jednoznaczny i świadczy o tym, że Mistrz z Nazaretu przynajmniej raz zdecydował się podróżować przez centrum owej „wrogiej" krainy. Potwierdza to scena rozmowy z Samarytanką opisana przez św. Jana. Przy innej okazji uczniowie Jakub i Jan pytają Jezusa, czy chce, „żeby ogień spadł z nieba" i zniszczył nieprzyjaznych mieszkańców samarytańskiego miasteczka (Łk 9,54). Jezus zabrania im. Nie byłoby to zgodne z Jego nauką.

Zadbał natomiast o to, by wśród cudownie uzdrowionych nie zabrakło Samarytan. W jednym przypadku – zrelacjonowanym tylko przez Łukasza – Jezus uzdrowił dziesięciu trędowatych, a jedynym, który wrócił, by Mu podziękować, był Samarytanin (por. Łk 17,16). „Czy nie dziesięciu zostało oczyszczonych? Gdzie jest dziewięciu? – pytał Jezus ze szczyptą sarkazmu. – Żaden się nie znalazł, który by wrócił i oddał chwałę Bogu, tylko ten cudzoziemiec". Słynną zachętą do przemyślenia takich pojęć jak „cudzoziemiec" czy „innowierca" była też przypowieść o dobrym Samarytaninie (zob. Łk 10,25-37). Czyniąc jej bohaterem członka znienawidzonej przez Żydów społeczności, Jezus stara się rozszerzyć postulowane uczucia sympatii i życzliwości poza sferę, w której Żydzi czuli się komfortowo. „Dobrosąsiedzkie" postawy wobec innych Żydów łatwo im było zaakceptować, ale okazywanie ich politycznym „sąsiadom" było już zbyt dużym wymaganiem.

Geografia i historia

W czasach Jezusa Samarytanie zamieszkiwali dość duży obszar o całkowitej powierzchni

(...) i wysłał przed sobą posłańców. Ci wybrali się w drogę i przyszli do miasteczka samarytańskiego, by Mu przygotować pobyt. Nie przyjęto Go jednak, ponieważ zmierzał do Jerozolimy. Widząc to, uczniowie Jakub i Jan rzekli: „Panie, czy chcesz, a powiemy, żeby ogień spadł z nieba i zniszczył ich?" Lecz On odwróciwszy się zabronił im.
Łk 9,52-55

83

Sebaste widziane z lotu ptaka, ze starożytną wieżą Izraelitów w pobliżu znacznie późniejszej chrześcijańskiej bazyliki św. Jana Chrzciciela

porównywalnej z Galileą, położony w centralnej, górzystej części Palestyny, pokryty charakterystycznymi tarasami uprawowymi i skupiony wokół kilku miejsc o szczególnym znaczeniu biblijnym.

Sychem było starożytnym miastem odwiedzanym przez Abrahama i mającym związek z jego wnukiem Jakubem, który zakupił w nim studnię. Tam też Jozue pouczał dawnych Izraelitów: „(...) rozstrzygnijcie dziś, komu służyć chcecie" (Joz 24,15). Było to naturalne miejsce do budowy miasta – otoczone źródłami, położone w centrum starożytnego systemu dróg, w pobliżu jedynej wygodnej przełęczy na szlaku z zachodu na wschód i w górzystym terenie, oddzielającej dwa ważne wzniesienia – Ebal i Garizim.

Innym wyróżniającym się miastem była Samaria (przemianowana przez Heroda Wielkiego na Sebaste), starożytna stolica północnego Królestwa Izraelskiego w okresie ponad 200 lat, za panowania władców takich jak Omri, Achab i Jeroboam II.

Wzajemna niechęć Żydów i Samarytan ma długą historię. Możliwość rozłamu między północą i południem istniała od X wieku prz. Chr., kiedy dziesięć plemion „Izraela" oddzieliło się od dwóch plemion „Judy" po okresie jedności w czasach Dawida i Salomona. Nie powinien zatem dziwić fakt, iż prorocy z południa, tacy jak Amos, mieli wtedy wiele do powiedzenia na temat upadku władców królestwa północnego.

To właśnie północne Królestwo Izraelskie cierpiało później niewolę asyryjską. W roku 722 prz. Chr. wielu Żydów deportowano, a w Samarii zaczęli osiedlać się cudzoziemcy. Sto pięćdziesiąt lat później Judeę spotkał ten sam los pod rządami babilońskimi; gdy jednak żydowscy uchodźcy wrócili, by odbudować Jerozolimę, spotkali się z silnym oporem Samarytan. Żydzi potraktowali to jak zdradę bliskich pobratymców i od tamtej pory postrzegali społeczność Samarii jako złożoną głównie z obcokrajowców, których religię uważali za nieczystą i zdegenerowaną. Równocześnie Samarytanie twierdzili, że to ich forma juda-

Józef Flawiusz o Samarytanach

Józef Flawiusz w wielu miejscach wspomina o Samarii i jej mieszkańcach. W jednej z takich wypowiedzi podsumowuje przyczyny (zarówno historyczne, jak i jemu współczesne), dla których naród żydowski postrzegał ich jako wrogów:

Kiedy Salmanasses (Salmanassar) wysiedlił Izraelitów, sprowadził na ich miejsce plemię Chutejczyków (Kutejczyków), którzy dawniej żyli w głębi Persji i Medii, a potem zwali się Samarytanami, wziąwszy miano od krainy, gdzie zamieszkali. (...) [Dwieście lat później Samarytanie] (...) podmówili plemiona mieszkające w Syrii, by zażądały od satrapów (...) powstrzymania prac przy świątyni; niech wszelkimi sposobami starają się przeszkadzać Judejczykom, którzy krzątają się przy tej budowie.
Józef Flawiusz, *Dawne dzieje Izraela* 10,9.7; 11,4.4

W czasie, gdy Judeą zarządzał Koponiusz (...), zdarzył się następujący wypadek [ok 10 po Chr.]. W święto przaśników, które nazywamy Paschą, kapłani mieli zwyczaj otwierać bramy świątyni zaraz po północy. Otóż, gdy je otworzono, pewni Samarytanie wszedłszy potajemnie do Jerozolimy porozrzucali po krużgankach i całej świątyni kości ludzkie. Z tej przyczyny zakazano im wstępu do świątyni – rzecz, która nie zdarzyła się przedtem w czasie takiego święta (...).
Józef Flawiusz, *Dawne dzieje Izraela* 18,2.2

W roku 36 po Chr. (zaledwie kilka lat po pobycie Jezusa w okolicach góry Garizim) Samarytanie powstali przeciwko Rzymianom. Poncjusz Piłat, po niezwykle brutalnym stłumieniu tej rewolty, został odwołany przez cezara Rzymu. Oto, co pisał na ten temat Józef Flawiusz:

Zaburzenia nie ominęły również i Samarytan. Podżegał ich pewien mąż, który był oszustem pozbawionym jakichkolwiek skrupułów i wszelkimi sposobami starał się pozyskać sobie przychylność ludu. Nakłonił on ludzi, aby poszli za nim na górę Garizim, uważaną za najświętszą, i zapewniał, że gdy tam przyjdą, pokaże im święte naczynia, które miał w tym miejscu złożyć Mojżesz. Samarytanie uwierzyli jego słowom i wziąwszy broń zebrali się we wsi (...), aby w możliwie największej liczbie wstąpić na górę. Lecz Piłat uprzedził ich i wysłał jeźdźców i wojsko piesze, aby obsadzili drogę, którą mieli postępować. (...) w stoczonej bitwie jednych zabito, drugich zmuszono do ucieczki, wielu zaś wzięto do niewoli. Najznamienitszych z nich i najbardziej wpływowych (...) Piłat kazał stracić.
Józef Flawiusz, *Dawne dzieje Izraela* 18,4.1

izmu jest czystsza, koncentrowali się bowiem na pierwszych pięciu księgach Mojżeszowych (od Księgi Rodzaju do Księgi Powtórzonego Prawa). W tej sytuacji Nehemiasz, odrzucając ich ofertę pomocy, nakłonił władze perskie do wyzwolenia Jerozolimy spod samarytańskiej kontroli. W odpowiedzi Samarytanie zbudowali własną świątynię na górze Garizim. Kulminacją konfliktu było użycie siły zbrojnej przez Jana Hirkana – jednego z hasmonejskich władców Jerozolimy – w celu zniszczenia świątyni samarytańskiej. Gdy wreszcie pięćdziesiąt lat później rzymski wódz Pompejusz wyzwolił Samarytan spod panowania Jerozolimy, Samarytanie odmówili jakichkolwiek dalszych stosunków z Żydami. Oznaczało to ostateczny rozpad starożytnego judaizmu na dwa wrogie odłamy.

Jezus i Samarytanka

Jezus zastał więc w swej ojczyźnie stan głębokiego skłócenia. Wielu Jego rodaków pragnęło uwolnienia spod jarzma rzymskiego, lecz dla Samarytan władza Rzymian miała swoją dobrą stronę – gwarantowała wolność od dominacji żydowskiej. Narody te miały więc rozbieżne interesy polityczne i sprzeczne poglądy religijne. Dlatego pytania Samarytanki naładowane były silnymi emocjami, a przy tym dalekie od niewinnych i mglistych intuicji duchowych. Były owocem wielowiekowych dysput, wzajemnych pretensji i okrucieństw. „Ojcowie nasi oddawali cześć Bogu na tej górze [tj. na górze Garizim], a wy mówicie, że w Jerozolimie jest miejsce, gdzie należy czcić Boga" (J 4,20). Wiedząc o tym wszystkim, cóż miał jej Jezus odpowiedzieć?

Jezus przecina „gordyjski węzeł" odpowiedzią zdumiewająco autorytatywną. Rozpoznany przez kobietę jako „prorok", przenikający sekrety jej życia małżeńskiego, przewiduje w swej odpowiedzi czas, w którym jej pytanie okaże się całkiem pozbawione sensu. Zamysłem Bożym jest bowiem wydźwignięcie człowieka wysoko ponad takie „dylematy". Pośrednio przewiduje też upadek ukochanej przez Żydów świątyni jerozolimskiej, która zostanie zburzona podobnie jak świątynia Samarytan, którą zniszczyły kiedyś wojska Jana Hirkana.

(...) nadchodzi godzina, kiedy ani na tej górze, ani w Jerozolimie nie będziecie czcili Ojca.
J 4,21

Jednocześnie Jezus nie podważa żydowskich wierzeń i praktyk, lecz – wręcz przeciwnie – podkreśla, że religia Samarytan opiera się na niewiedzy, a nie na objawieniu, oraz że prawdziwym narzędziem zamysłu Bożego dla świata jest judaizm w wersji jerozolimskiej (J 4,22). Celem przerażającego proroctwa, pozornie skierowanego przeciw Jerozolimie, jest uświadomienie nowego działania Bożego. Oto rozpoczyna się nowa epoka, w której mieszkańcy całego świata uzyskają bezpośredni dostęp do Boga – nie poprzez fizyczne sanktuaria takie jak Jerozolima lub Garizim, lecz przez osobistą duchową łączność z Duchem Bożym. „Bóg jest duchem: potrzeba więc, by czciciele Jego oddawali Mu cześć w Duchu i prawdzie" (J 4,24). Skąd czerpie On pewność w kwestii nowych wymagań Bożych i możliwości oddawania Mu czci? I jak zostaną one ludziom przybliżone? Ich rozmowa zmierza do kulminacji i zakończenia. Kobieta podnosi kwestię „Mesjasza" – nadzwyczajnego proroka, którego Samarytanie też oczekują. „Jestem nim Ja, który z tobą mówię" (J 4,26) – odpowiada Jezus.

Dla ewangelisty Jana epizod z Samarytanką ma głębokie znaczenie, ukazuje bowiem zaangażowanie Jezusa w awans duchowy wszystkich ludzi, zarówno religijnego Żyda Nikodema (J 3,1-21), jak i indyferentnej religijnie samarytańskiej kobiety. Przywołuje on na myśl wydarzenia starotestamentowe, takie jak rozmowa Izaaka z Rebeką przy studni (por. Rdz 24,10-27). Ukazuje intencję Jezusa przełamywania różnych zakazów, by zbliżyć się do duszy ludzkiej w potrzebie. Pokazuje również Jego mistrzowski sposób prowadzenia rozmowy, otwierającej przed ludźmi ścieżki wiodące do odkrywania nieznanych dotąd aspektów ich życia.

Dla Jana rozmowa Jezusa z Samarytanką była jednak przede wszystkim objawieniem nowej rzeczywistości, która stała się dostępna poprzez przyjście Jezusa – rzeczywistości Ducha Bożego, którą określa on symbolicznie jako „żywą wodę", wzbierającą w istocie ludzkiej jak w źródle (J 4,10,14). Tak więc owa starożytna studnia, służąca ludziom od czasów Jakuba, nabiera całkiem nowego znaczenia – staje się przedsmakiem wody Ducha Bożego, oferowanej całemu światu. Woda ta mogłaby też uleczyć głębokie rany, jakie Samarytanie i Żydzi zadawali sobie nawzajem od wieków, niejako przyczynić się do „zasypania" nowym życiem i nadzieją „przepaści" między narodami.

Uzdrowienie świata

Ewangelista Łukasz w swoich relacjach o Samarii mówi prawie to samo, chociaż patrzy z nieco innej perspektywy. W jego Ewangelii Jezus neutralizuje odwieczną wrogość, dzielącą sąsiednie narody (zob. s. 82). Następnie w Dziejach Apostolskich Łukasz opisuje, jak wieść o Jezusie, poprzedzona Jego Duchem, wędrowała poprzez „Judeę i Samarię", a potem dalej, „aż po krańce ziemi" (Dz 1,8). Wieść o Jezusie, którego nie przyjęto w samarytańskim miasteczku, ponieważ „zmierzał do Jerozolimy" (Łk 9,53), wykracza teraz daleko poza Jerozolimę za sprawą Jego uczniów – w tym przypadku Filipa (por. Dz 8,5-25). Znając tak dobrze odwieczne napięcia między Żydami i Samarytanami, przebywający w Jerozolimie apostołowie byli prawdopodobnie zdziwieni, a przy tym uradowani słysząc, że „Samaria przyjęła słowo Boże" (Dz 8,14). Wysłali więc delegację złożoną z najbardziej kompetentnych swych przedstawicieli (Piotra i Jana), by potwierdzili fakt pełnego włączenia Samarytan do Jezusowego królestwa i udzielili im daru Ducha Świętego.

Tak więc raz jeszcze – jak w czwartym rozdziale Ewangelii według św. Jana – pojawia się związek Samarii z Duchem Bożym: Duch jest znakiem nowej, Bożej epoki dla całego świata i likwidacji barier między narodami.

Warto wreszcie wspomnieć o intrygującej roli ucznia Jezusowego – Jana. To on przecież, wraz ze swym bratem Jakubem, chciał spuścić ogień na samarytańską wioskę. Teraz widzimy go udającego się tam nie z ogniem, lecz z nowym przesłaniem o Jezusie i z ogniem duchowym. Piotr i Jan głosili „dobrą nowinę w wielu wioskach i miasteczkach Samarii". Cóż za kontrast w porównaniu z tym, co mieli chęć zrobić jeszcze przed rokiem lub dwoma! Postawa Jana wobec Samarii uległa przeobrażeniu pod wpływem Jezusowego przesłania.

Ale gdy Duch Święty zstąpi na was, otrzymacie Jego moc i będziecie moimi świadkami w Jerozolimie i w całej Judei, i w Samarii, i aż po krańce ziemi.

Dz 1,8

Samaria dzisiaj

Z powodu bieżących kłopotów politycznych ta część Ziemi Świętej jest dzisiaj rzadko odwiedzana. Trudno się dziwić, skoro współczesne miasto **Nablus** (Sychem), leżące dokładnie między górami Garizim i Ebal, jest od wielu lat widownią poważnych niepokojów. Odważni turyści nie mają jednak trudności ze znalezieniem lokum w interesujących ich miejscach, i to można uznać za pozytywny aspekt obecnej sytuacji.

Mimo trudności zwiedzanie starożytnej Samarii jest warte wysiłku, choćby dlatego że ta część Zachodniego Brzegu Jordanu (nie pokryta współczesnymi osiedlami) daje być

Ważne daty – Samaria

Na obszarze starożytnej Samarii znajduje się wiele historycznych miejsc: antyczne Sychem, sąsiadujące ze sobą wzgórza Garizim i Ebal, miasteczko Sychar oraz – parę kilometrów na zachód – miasto Samaria (założone przez Omriego około roku 880 prz. Chr.). Oto daty związane z tymi obiektami.

ok. 1850 prz. Chr.	Sychem odwiedza Abraham, a później Jakub (por. Rdz 12,1-7; 33,18-20); miejsce pochówku Józefa (por. Joz 24,32)
1700–1300 prz. Chr.	„Złoty wiek" Sychem (miasta rywlizującego z Megiddo)
1400–1200 prz. Chr.	Konsolidacja plemion Izraelitów pod wodzą Jozuego (por. Joz 24)
1300–1100 prz. Chr.	Nieudane próby zdobycia władzy przez Abimeleka (por. Sdz 9)
930 prz. Chr.	Północne Królestwo Izraelskie oddziela się od południowego Królestwa Judzkiego po śmierci Salomona (por. 1 Krl 12-13); Sychem staje się jego pierwszą stolicą
ok. 880 prz. Chr.	Założenie miasta Samarii przez Omriego
ok. 870 prz. Chr.	Rządy króla Achaba (którego żoną była Izebel); działalność proroków Eliasza i Elizeusza (por. 1 Krl 16; 2 Krl 10)
780–730 prz. Chr.	Rządy króla Jeroboama II; działalność proroków Amosa i Ozeasza
722 prz. Chr.	Podbój Samarii i północnego Królestwa Izraelskiego przez Asyryjczyków; deportacja trzydziestu tysięcy obywateli i zasiedlenie regionu przez nie-Izraelitów (por. 2 Krl 17,24)
500 prz. Chr.	Miasto Samaria jako stolica prowincji w Imperium Perskim
ok. 450 prz. Chr.	Samarytańska opozycja przeciw odbudowie świątyni jerozolimskiej (por. Ne 4); koniec samarytańskich rządów w Judei
333 prz. Chr.	Aleksander Wielki osiedla w Samarii macedońskich weteranów; dotychczasowi mieszkańcy przenoszą się do nowego miasta na górze Garizim; częściowa odbudowa miasta Sychem
ok. 190 prz. Chr.	Budowa alternatywnej świątyni na górze Garizim (por. 2 Mch 6,2; Józef Flawiusz, *Dawne dzieje Izraela* 11,8)
108 prz. Chr.	Miasto Samaria zostaje zniszczone przez Jana Hirkana, a cały region podporządkowany władzy Jerozolimy
107 prz. Chr.	Jan Hirkan burzy świątynię samarytańską i miasto Sychem (Józef Flawiusz, *Wojna żydowska* 1,2)
64 prz. Chr.	Terytorium Samarii zostaje włączone do Imperium Romanum przez Pompejusza
57 prz. Chr.	Rzymski dowódca Gabiniusz odbudowuje miasto Samarię
30 prz. Chr.	Cesarz Oktawian przekazuje miasto Samarię Herodowi Wielkiemu, który odbudowuje większą jego część (pod nową nazwą Sebaste – gr. wersja słowa „augusta", czyli wzniosła)
36 po Chr.	Poncjusz Piłat zostaje pozbawiony urzędu po masakrze tłumów Samarytan w pobliżu góry Garizim
72	Tytus zakłada miasto Flavia Neapolis (na zachód od Sychem)
ok. 100	W Neapolis przychodzi na świat męczennik Justyn
ok. 200	Septymiusz Sewer przekształca miasto Samarię w rzymską kolonię
300–400	„Złoty wiek" Samarytan pod rządami Baba Rabby
ok. 380	Budowa kościoła na planie krzyża przy studni Jakuba
484	W Neapolis wybucha powstanie Samarytan przeciwko chrześcijanom bizantyjskim; cesarz Zenon buduje kościół Theotokos na górze Garizim
529	Kolejne powstanie Samarytan połączone z atakowaniem kościołów i klasztorów w całym regionie; brutalna reakcja cesarza Justyniana prowadzi do całkowitej niemal zagłady Samarytan
700–800	Muzułmanie niszczą bizantyjski kościół na górze Garizim
1800–1900	Udostępnienie Samarytanom góry Garizim na coroczne sześciotygodniowe uroczystości paschalne
1893	Przy studni Jakuba powstaje krypta greckiego kościoła prawosławnego
1927	Potężne trzęsienie ziemi w Nablusie

może najlepsze wyobrażenie o wyglądzie **górzystych terenów** Ziemi Świętej w starożytności. Można przypuszczać, że zaokrąglone wzgórza, pokryte istniejącymi od tysięcy lat tarasami uprawowymi, nie zmieniły się od epoki patriarchów, którzy wędrowali po ich zboczach 3000 lat temu.

Duże wrażenie robi **studnia Jakuba,** będąca jednym z najautentyczniejszych miejsc biblijnych w całym kraju. Źródła i studnie nie zmieniają swych położeń, możemy więc być pewni, że w tym właśnie miejscu Jezus rozmawiał z Samarytanką. „Studnia jest głęboka" – powiedziała wtedy do Niego (J 4,11) – i rzeczywiście, lustro wody znajduje się na głębokości ponad 20 metrów! Można z niej nadal czerpać zimną i czystą wodę, nadającą się do picia. Studnię otacza obecnie niedokończona krypta greckiego kościoła prawosławnego (której budowę przerwała pierwsza wojna światowa).

Ogólne usytuowanie studni pozwala wyobrazić sobie Jezusa, odpoczywającego przy niej po trudach podróży oraz mieszkańców Samarii, przychodzących po wodę z miasteczka Sychar, odległego o dziesięć minut marszu w kierunku północno-zachodnim.

Kierując się ku starożytnemu Sychem (Tel al-Balata) wciąż znajdujemy starożytne skorupy, co pozwala odczuć, z jak odległą historią mamy tutaj do czynienia. Złoty wiek tego miasta to początki drugiego tysiąclecia prz. Chr. Zachowały się ruiny kilku starożytnych świątyń, najsilniejsze wrażenie wywiera jednak brama miejska, dająca pojęcie o jej społecznym znaczeniu w czasach biblijnych.

W Starym Testamencie znajdujemy bowiem wiele informacji o funkcjach **bram miejskich**, których otoczenie było miejscem zebrań miejscowych przywódców i miejskiej starszyzny w wielu ważnych celach, także handlowych. Na przykład „przy miejskiej bramie" Abraham zakupił teren przeznaczony na grób jego żony (por. Rdz 23,8-10); Booz zgodził się wystąpić wobec Rut w roli krewnego, wykupującego pole w trakcie posiedzenia w miejskiej bramie (Rt 4,1); a mężczyźni, którzy mieli dobre żony lub wielu synów, cieszyli się pozytywną reputacją i nie musieli się wstydzić, „rozprawiając z nieprzyjaciółmi w bramie" (Ps 127,5; Prz 31,23). Tego rodzaju sceny z zamierzchłej starożytności inspirują w tych miejscach naszą wyobraźnię, podobnie jak epizody z życia Abrahama.

Stanowisko archeologiczne na górze Garizim, widziane z lotu ptaka od strony północno--wschodniej

Ze **szczytu góry Garizim** – na który najłatwiej dziś dotrzeć nie od strony Nablusu, lecz od południa – roztaczają się zapierające dech widoki środkowej Samarii. Stojąc tam można łatwo zrozumieć, dlaczego Samarytanie uważali nieco wyższą górę Ebal (położoną na północ od Garizim) za przeklętą – bowiem na jej nagich szarych skałach nic nie rośnie – oraz dlaczego przełęcz między tymi wzniesieniami była tak ważnym elementem szlaku handlowego, łączącego środkową górzystą część kraju z śródziemnomorskim wybrzeżem. Ze szczytu widać też wyraźnie płaskowyż, na którym niewielka, istniejąca dziś społeczność samarytańska celebruje swoje sześciotygodniowe obrzędy paschalne. Na samym wierzchołku znajdują się pozostałości **ośmiobocznego kościoła** zbudowanego pod koniec V wieku i zniszczonego w VIII wieku przez muzułmanów, jak również ruiny **starożytnej świątyni samarytańskiej** (nieopodal w kierunku wschodnim), zburzonej pod koniec II stulecia po Chr.

Z pięknych widoków słyną także ruiny **starożytnego miasta Samarii**. W pogodny dzień z jej akropolu widać wybrzeże morskie, co miało kiedyś szczególne znaczenie – nowa stolica północnego Królestwa Izraelskiego swym położeniem sygnalizowała intencję utrzymywania kontaktów z całym regionem śródziemnomorskim.

Ruiny są dość rozległe; obejmują bramy miejskie, prostą ulicę z kolumnadą, rynek oraz rzymski amfiteatr. Na każdym kroku widać ślady dokonanej przez Heroda odbudowy pod nową nazwą **Sebaste**; dotyczy to zwłaszcza świątyni, zadedykowanej Augustowi („czcigodny" lub „godny szacunku"), usytuowanej na szczycie akropolu.

W czasach bizantyjskich i epoce wojen krzyżowych chrześcijanie kojarzyli Samarię z **miejscem pochówku św. Jana Chrzciciela**. Zgodnie z relacjami ewangelistów (zob. Mk 6,17-29; Mt 14,3-12) św. Jan został ścięty na rozkaz Heroda Antypasa podczas uroczystości z okazji jego urodzin (zob. s. 13). Nie wiemy, gdzie dokonano egzekucji, jest jednak najbardziej prawdopodobne, że Herod przebywał wówczas w swojej nowej stolicy Seforis (zob. s. 33). Mimo tych wątpliwości, w Samarii można zwiedzać **nieduży kościółek z VI wieku,** zbudowany w miejscu, w którym zgodnie z tradycją miała być znaleziona głowa św. Jana Chrzciciela; można też obejrzeć ruiny wielkiej **katedry krzyżowców**, w której – jak się przypuszcza – mógł się znajdować jego symboliczny grobowiec.

Odwiedzając dziś **Samarię** trudno oprzeć się refleksjom na temat religijnych i politycznych napięć, prześladujących tę krainę od zamierzchłej przeszłości do dnia dzisiejszego. Jest jakaś głęboka ironia w historycznym fakcie, iż ów górzysty kraj, którego starożytni Izraelici bronili przed przybywającymi z zachodu Filistynami, jest dzisiaj ojczyzną Palestyńczyków, przeciwstawiających się naporowi osadnictwa izraelskiego (także z zachodu!). Zmieniły się polityczne układy; nie zmieniły się walki i ludzkie cierpienia.

Być może słowa Jezusa wypowiedziane w Samarii, w warunkach ostrych, krytycznych wręcz napięć religijnych tamtej doby, mogłyby nas także i dziś czegoś nauczyć. Przewidział On przecież, że kiedyś konflikt żydowsko-samarytański utraci wszelkie znaczenie w związku z nową epoką, którą On sam przyniósł światu. Mówił o nastaniu dni, w których wzajemne wyrywanie sobie „cennych" miejsc na ziemi nie będzie już miało sensu, bowiem kontakt z Bogiem stanie się dostępny dla wszystkich ludzi, we wszystkich jej zakątkach, niezależnie od warunków geograficznych i kultury. Roztaczał wizję, do której wciąż warto się odwoływać w poszukiwaniu porozumienia w imię pokoju i pojednania.

Nadchodzi jednak godzina, owszem już jest, kiedy to prawdziwi czciciele będą oddawać cześć Ojcu w Duchu i prawdzie.

J 4,23

Wojny krzyżowe

Wielka dwunastowieczna katedra we współczesnej Samarii jest potężnym świadkiem ważnego okresu w dziejach Ziemi Świętej – epoki wypraw krzyżowych.

Krzyżowcy rezydowali na tej ziemi od roku 1099 (w którym 15 lipca zajęli Jerozolimę) do roku 1291, kiedy położona na wybrzeżu Akka poddała się Mamelukom. Łacińskie Królestwo Jerozolimskie osiągnęło szczyt swojej potęgi w połowie XII wieku. W okresie tym powstały dwa potężne zakony rycerskie – Rycerzy Maltańskich i Templariuszy. Nazwa tego ostatniego pochodzi od jerozolimskiego Wzgórza Świątynnego, na którym miał on swoją główną siedzibę, usytuowaną w meczecie al-Aqsa, który krzyżowcy wzięli za „świątynię Salomona".

Siły Królestwa Jerozolimskiego poniosły druzgocącą i nieodwracalną klęskę pod Rogami Hittinu 4 lipca 1187 roku, gdzie Saladyn wciągnął krzyżowców w zbrojną konfrontację w pełnym słońcu w miejscu odciętym od dostaw wody. Niektóre rejony Galilei zostały przez nich odzyskane po trzeciej krucjacie (1189–1192), później jednak krzyżowcy byli stopniowo wypierani w kierunku morza.

Krzyżowcy pozostawili po sobie wiele budowli, które wytrzymały próbę czasu. Są to potężne zamki, takie jak Belvoir (z widokiem na dolinę Jordanu), oraz okazałe kościoły, np. w Latrun, Abu Gosz al-Qubeibeh (zob. s. 205). W Jerozolimie przejawem ich obecności były rozbudowy bazyliki Grobu Pańskiego (zob. s. 190) oraz kościoła św. Anny przy sadzawce Betesda (zob. s. 170).

Widok z lotu ptaka na ruiny zamku Belvoir na jednym ze wzgórz łańcucha Gilboa; na dalszym planie dolina Jordanu

Ten ostatni nie ulegał żadnym zmianom od XII wieku, jest więc dobrym przykładem prostoty i siły architektury krzyżowców. Po latach użytkowania niezgodnego z przeznaczeniem Turcy otomańscy przekazali go w 1856 r. Francji jako dowód wdzięczności za pomoc w wojnie krymskiej

Refleksje o wojnach krzyżowych

Epoka wypraw krzyżowych pozostawiła w Ziemi Świętej inne jeszcze ślady. Powiedzmy wprost – ślady bolesne. Dlatego zainteresowanie Zachodu tą częścią świata jest często interpretowane jako przejaw „instynktu krucjat" – chęci sprawowania kontroli. Rzeź, której dokonano podczas zajmowania Jerozolimy w roku 1099, położyła kres istniejącemu wcześniej *modus vivendi* między chrześcijanami wschodnimi i muzułmanami (których pokojowe współistnienie trwało ponad 500 lat). Z pewnością okrucieństw i zdziczeń dopuszczały się obie strony, jednak masakra dokonana wówczas przez Europejczyków pamiętana jest do dziś i pozostaje pożywką dla nowych nieszczęść.

Obrazy krzyżowców wkraczających do ziemi Grobu Pańskiego z okrwawionymi mieczami i *Te Deum* na ustach wciąż drążą ludzkie umysły, a znak krzyża wywołuje zupełnie inne skojarzenia od tych, które powstawały, gdy był on dla chrześcijan symbolem Chrystusa ukrzyżowanego. Gesty skruchy, wychodzące od chrześcijan współczesnych, są cenne, pokazują jednak, że historyczne rany wciąż się nie zabliźniły.

Z wojen krzyżowych płynie kilka lekcji. Jedna z najważniejszych dotyczy tego, jak chrześcijanie powinni podchodzić do Ziemi Świętej. Czy w ogóle jest to „ziemia święta"? Niektórzy wolą ją nazywać „ziemią Świętego" – co ma oznaczać, że nie chodzi o nią samą, lecz o Boga, który się na niej objawił. Z pewnością wiara w to, że ziemia, jako taka, jest w jakimś sensie „święta", doprowadziła do działań urągających wszelkiej świętości. To samo dzieje się dziś, ponieważ wciąż istnieją ludzie przekonani o tym, że w imię ich Boga ziemia ta musi należeć do nich.

Historia krzyżowców jest ostrzeżeniem przed niebezpieczeństwami lekceważenia nauk jasno wyrażonych w Nowym Testamencie. Wiara w to, że Jezus jest Bogiem wcielonym – a ziemia, po której stąpał, została przez Niego nawiedzona – to zupełnie co innego niż wiara, że Jerozolima jest „świę-

tym miastem", że otaczająca to miasto ziemia ma w sobie coś wyjątkowego lub szczególnego, lub że Biblia daje jednej społeczności prawo do jej wyłącznego posiadania. W Nowym Testamencie tkwi bowiem silne przesłanie sugerujące, że z nadejściem Jezusa zarówno Jerozolima, jak i jej geograficzne otoczenie utraciły swoje wcześniejsze znaczenie. Być może z odejściem Jezusa także „odeszła chwała", co by oznaczało, że ani miasto, ani ziemia nie są warte, by o nie walczyć.

W tym świetle słowa Jezusa wypowiedziane do Samarytanki nabierają całkiem nowego znaczenia. Jezus ostrzega i wskazuje, iż dotychczasową identyfikację z fizycznymi miejscami powinno zastąpić skupienie na uniwersalnej obecności Boga jako immanentnego Ducha: „(...) nadchodzi godzina, kiedy ani na tej górze, ani w Jerozolimie nie będziecie czcili Ojca (...), prawdziwi czciciele będą oddawać cześć Ojcu w Duchu i prawdzie, a takich to czcicieli chce mieć Ojciec" (J 4,21.23).

Kościół św. Anny w Jerozolimie, w północno-wschodniej części Starego Miasta

Cezarea Filipowa

Gdy raz modlił się na osobności, a byli z Nim uczniowie, zwrócił się do nich z zapytaniem: „Za kogo uważają Mnie tłumy?" Oni odpowiedzieli: „Za Jana Chrzciciela; inni za Eliasza; jeszcze inni mówią, że któryś z dawnych proroków zmartwychwstał". Zapytał Ich: „A wy za kogo Mnie uważacie?" Piotr odpowiedział: „Za Mesjasza Bożego". Wtedy surowo im przykazał i napomniał ich, by nikomu o tym nie mówili. I dodał: „Syn Człowieczy musi wiele wycierpieć: będzie odrzucony (...), będzie zabity, a trzeciego dnia zmartwychwstanie".

[Jezus] wziął z sobą Piotra, Jana i Jakuba i wyszedł na górę, aby się modlić. Gdy się modlił, wygląd Jego twarzy się odmienił, a Jego odzienie stało się lśniąco białe. A oto dwóch mężów rozmawiało z Nim. Byli to Mojżesz i Eliasz. Ukazali się oni w chwale i mówili o Jego odejściu, którego miał dokonać w Jerozolimie. Tymczasem Piotr i towarzysze snem byli zmorzeni. Gdy się ocknęli, ujrzeli Jego chwałę i obydwóch mężów, stojących przy Nim. (...) zjawił się obłok i osłonił ich (...). A z obłoku odezwał się głos: „To jest Syn mój, Wybrany, Jego słuchajcie!" W chwili, gdy odezwał się ten głos, Jezus znalazł się sam. A oni zachowali milczenie i w owym czasie nikomu nic nie oznajmili o tym, co widzieli.

Następnego dnia, gdy zeszli z góry, wielki tłum wyszedł naprzeciw Niego. Naraz ktoś z tłumu zawołał: „Nauczycielu, spojrzyj, proszę Cię, na mego syna (...). A oto duch chwyta go, tak że nagle krzyczy; targa go tak, że się pieni (...). Prosiłem Twoich uczniów, żeby go wyrzucili, ale nie mogli". Na to Jezus rzekł: „O plemię niewierne i przewrotne! Jak długo jeszcze będę u was i będę was znosił? Przyprowadź tu swego syna!" Gdy on jeszcze się zbliżał, zły duch porwał go i zaczął targać. Jezus rozkazał surowo duchowi nieczystemu, uzdrowił chłopca i oddał go jego ojcu. A wszyscy osłupieli ze zdumienia nad wielkością Boga.

Ewangelia według św. Łukasza 9,18-22a. 22c. 28-32. 34a. 35-38a. 40-43

Czas na decyzję

W pogodne dni wiosenne ośnieżony szczyt Hermonu widać z odległości około 110 kilometrów. Góra ta, wznosząca się na wysokość 2750 m n.p.m. tworzyła od starożytności naturalną granicę ziemi Izraela, rozciągającej się – według ksiąg Starego Testamentu – od Dan do Beer-Szeby. Dan było jednym z miast położonych u stóp Hermonu, który był miejscem kultu Baala. Z czasem miejsce to stało się miejscem kultu bożka Pana. W jego pobliżu, na wysokości 350 m n.p.m, leżało miasto Panea, słynące z naturalnego źródła, umiejscowionego w dużej pieczarze (jednego ze źródeł Jordanu). W czasach Jezusowych zostało przemianowane przez syna Heroda Wielkiego, Filipa. Nadając mu nazwę Cezarea Filipowa, władca zamierzał równocześnie uwiecznić siebie i cezara. W te właśnie „okolice Cezarei Filipo-

wej" (Mt 16,13) udał się Jezus ze swoimi uczniami w decydującym okresie swej publicznej
działalności.

Z dala od Żydów

Nie był to jedyny przypadek, gdy Jezus, opuszczając brzegi Jeziora Galilejskiego, wędrował na północ. Wcześniej docierał nawet do Tyru i Sydonu (czyli do Syro-Fenicji). Cezarea Filipowa znajdowała się jeszcze dalej – w obszarze granicznym biblijnego Izraela.
W tym odosobnionym i rzadko zaludnionym rejonie kraju Jezus mógł spokojnie przemy-
śleć dramatyczne wydarzenia, mające się spełnić po Jego powrocie na południe. Nie było
więc przypadkiem to, że właśnie tam ogłosił swój zamiar udania się do Jerozolimy. Tam
również apostołowie określili, kim dla nich jest Chrystus.

Nie wiemy, czy Jezus odwiedził Cezareę Filipową. Nie można wykluczyć, że wraz
z uczniami przebywał w pobliżu miasta, ale w miejscu bardziej odosobnionym. Ewangelista Marek pisze, że „udał się ze swoimi uczniami do wiosek pod Cezareą Filipową" (Mk
8,27). Mogło to mieć jakiś związek z przeszłością tego miasta. Jakkolwiek rejon ten mieścił
się pojęciowo w starożytnych granicach Izraela, to jednak za czasów Jezusa zamieszkiwali
go niemal bez wyjątku poganie. Obszar sąsiadujący z Syrią, która była rzymską prowincją,
znany był jako Gaulanitis (Gaulanityda; dzisiejsze Wzgórza Golan). Jego rozproszoną ludność niewiele łączyło z Jerozolimą, a różne nazwy nowej stolicy sugerują długotrwałe
związki z pogaństwem. Jedną z nich była Panea – od imienia bożka Pana. Jest oczywiste,

Nawet pod koniec
lata nad wioskami
północnego Izraela
górują śniegi
Hermonu

że w dniach Jezusowych odwiedzin był to rejon wybitnie nie-żydowski i że praktykowano tam kulty pogańskie oraz uznawano władzę Rzymu.

Trudno się dziwić, że Jezus tam właśnie się udał; było to bowiem miejsce jak najbardziej odpowiednie do objawienia uczniom całej prawdy o własnej tożsamości. August Cezar mógł się uważać za władcę świata. Być może niektórzy uznawali go nawet za boga. A jeśli teraz właśnie pojawił się długo oczekiwany przez Żydów król (Mesjasz-pomazaniec)? Czy to nie On miał być prawdziwym władcą świata? I czy nie Jemu należała się boska cześć?

W tym punkcie relacji z Jezusowej działalności ewangeliści łączą trzy epizody: Piotrowe uznanie Jezusa za Mesjasza, przeobrażenie zwane przemienieniem Pańskim oraz uzdrowienie chłopca opętanego przez demona.

Wyznanie Piotra

Pierwszy z tych epizodów wyznacza klarowną cezurę w całej historii Jezusa. Tłumy widziały Jego nadzwyczajne dokonania i słuchały autorytatywnych nauk, ale miały trudność ze stwierdzeniem, kim On naprawdę jest. Zazwyczaj ludzie uważali, że Jezus jest prorokiem. Zważywszy, że – jak sądziła większość Żydów – prawdziwego proroka nie było od czasów Malachiasza, czyli od czterystu lat, taka identyfikacja miała swoją wymowę. W słowach i naukach Jezusa ludzie słyszeli autorytatywny głos Boga Izraela. To samo mówili o Janie Chrzcicielu i Jezus zgadzał się z nimi – do pewnego stopnia. Tak, św. Jan był prorokiem, a nawet – według słów Jezusa – „więcej niż prorokiem" (Łk 7,26).

Kim wobec tego był Jezus? Mówił o sobie, że jest Synem Człowieczym, lecz co to znaczyło? Wszystko to wydawało się ludziom nadzwyczaj zagadkowe. Co więcej, końcowe wersety proroctwa Malachiasza zawierały boską obietnicę: „Oto Ja poślę wam proroka Eliasza przed nadejściem dnia Pańskiego, dnia wielkiego i strasznego" (Ml 3,23). Czy św. Jana lub Jezusa należało uznać za drugiego proroka Eliasza?

Tak więc, z dala od tłumów i domów w Galilei, w atmosferze głębokiego spokoju Jezus zadaje uczniom wiekopomne pytanie: „A wy za kogo Mnie uważacie?" Czas ukrywania się za opiniami innych, czas niewyraźnych, mglistych dywagacji definitywnie się skończył. Zapadło kłopotliwe milczenie. Wreszcie Piotr decyduje się odpowiedzieć: „Za Mesjasza Bożego" (Łk 9,20).

Jezus nie zaprzecza. Prawda zostaje ujawniona.

Zwróćmy jednak uwagę, że na tym etapie Piotr, nazywając Jezusa „Mesjaszem", nie myśli o Nim w jakichkolwiek kategoriach „boskości". Słowo „Mesjasz" oznaczało istotę ludzką, mającą rządzić ludem Bożym, reprezentującą go przed Bogiem i prowadzącą do zwycięstwa nad poganami. Nie można wykluczyć, że w umyśle Piotra miało ono niektóre z owych „politycznych" konotacji. Skoro ich Mistrz był prawdziwym Mesjaszem-Królem, to należało udać się z Nim do Jerozolimy i rozpocząć tam zbrojną rewolucję przeciw wrogom Boga Izraela. Tak oto rozpoczęła się „polityczna kariera" Jezusa z Nazaretu, a Piotr miał być Jego hetmanem koronnym!

Dlatego następne słowa Jezusa (o konieczności Jego cierpienia w Jerozolimie) tak bardzo Piotra dotknęły. Mistrz nie pozostawia cienia wątpliwości, że jeśli naprawdę jest Mesjaszem, to Jego misja nie ma nic wspólnego z bieżącymi oczekiwaniami narodu żydowskiego. Miał On władać ludem Bożym i uwalniać ludzi od ich wrogów, ale w zupełnie innym znaczeniu i w całkowicie inny sposób. Nie będzie podburzał ludzi przeciwko Rzymianom i wzywał do zbrojnego oporu. Zamiast tego Jego ramiona zostaną pewnego dnia rozpostarte na krzyżu – rzymskiej szubienicy. A ci, którzy chcieliby iść w Jego ślady, muszą być gotowi do „dźwigania swoich osobistych krzyży dzień po dniu".

Tymi słowami Jezus gwałtownie ostudził źle skierowany mesjanistyczny entuzjazm swoich uczniów. Reakcja Piotra pokazuje, dlaczego Mistrz bywał zawsze tak ostrożny podczas publicznych wystąpień, gdy chodziło o charakter Jego misji – o Jego „mesjańską tajemnicę". Było bowiem prawie niemożliwością uniknięcie nieporozumień narosłych wokół tego pojęcia. Jezus dokonywał czegoś niesłychanego – łączył w całość dwa starotestamentowe wątki, których nigdy dotąd nie łączono: ideę królewskiego, władającego Mesjasza z wykreowaną przez proroka Izajasza wizją cierpiącego „Sługi Pańskiego" (por. Iz 52–53). Koncepcje te wydawały się sprzeczne. Lecz taką właśnie wizję Mesjasza przedstawił Jezus. Takie miało być Jego przeznaczenie. Różniło się ono głęboko od wszystkiego, czego oczekiwano w judaizmie, a tym bardziej stało w sprzeczności z wierzeniami pogańskimi. Nie była to propozycja sprawowania władzy w stylu cezara czy nawet takiego drugorzędnego władcy jak Filip.

Chwała na górze

„Po sześciu dniach" Piotr przeżył kolejny szok – objawienie prawdziwej tożsamości Jezusa, przekraczającej wszelkie jego wyobrażenia o „Mesjaszu". W wydarzeniu tym uczestniczyli tylko trzej uczniowie – Piotr oraz bracia Jakub i Jan, z którymi Jezus „wychodzi na górę" (niemal napewno były to stoki Hermonu).

„Góry" w kontekście biblijnym to wyniosłości terenu, które należałoby raczej nazywać „wzgórzami". Moglibyśmy więc wyobrazić sobie także i ten epizod na stoku jakiegoś wzgórza (tym bardziej, że nie ma żadnego powodu, by umiejscawiać go na szczycie wzniesienia). Jednak w regionie Gaulanitydy, w większości pokrytym płaskimi skałami wulkanicznymi, był to z całą pewnością jakiś stok w niższych partiach masywu Hermonu. Jezus prowadzi uczniów do miejsca oddalonego od innych ludzi i niewidocznego dla nich, w którym ma się dokonać Jego przemienienie. Miejsce to mogło zostać wybrane celowo, by wzbudzić skojarzenia z inną górą, na której Bóg ukazał się Mojżeszowi, a później Eliaszowi, mianowicie z górą Synaj.

I oglądaliśmy Jego chwałę, chwałę, jaką Jednorodzony otrzymuje od Ojca, pełen łaski i prawdy.
J 1,14

Nagle, gdy Jezus się modlił, „wygląd Jego twarzy się odmienił, a Jego odzienie stało się lśniąco białe" (Łk 9,29). Jest to tak zwane przemienienie Jezusa – wyjątkowa chwila, w której odsłonięte zostało coś z Jego tożsamości.

Dla samego Jezusa to szczególne wydarzenie było źródłem zachęty do rozpoczęcia samotnej wędrówki zmierzającej ku jerozolimskiemu „odejściu" (dosłownie: *exodus*). Podobnie jak podczas chrztu w Jordanie, Jezus otrzymuje potwierdzenie od Boga Ojca: „To jest Syn mój, Wybrany" (Łk 9,35).

Dla uczniów było to potężne wyzwanie. Ich rozumienie tożsamości Jezusa znowu musiało się zmienić, przekraczając granice najśmielszych wyobrażeń. Ujrzeli swego Mistrza w towarzystwie Mojżesza i Eliasza, dwóch największych postaci Starego Testamentu (reprezentujących Prawo i Proroków), przy czym Jezus nie był najwyraźniej na równym z nimi poziomie. Był kimś ważniejszym – dawcą prawa i prorokiem też, ale poza tym kimś znacznie większym. Podobnie jak Mojżesz, miał się zaangażować w kolejny *exodus*, który jednak – w odróżnieniu od Mojżeszowego – miał służyć wszystkim ludziom, a nie tylko Izraelowi. Uczniowie naprawdę zobaczyli Jego chwałę, które to słowo w myśli biblijnej kojarzone było ściśle z *samym Bogiem*. Ponadto, ogarnęła ich chmura (także chmury łączone są w Biblii z Bogiem jako znak Jego realnej obecności). Mamy tu więc komplet alu-

Scena przemienienia – Tabor czy Hermon?

Dokładna lokalizacja tego ważnego wydarzenia musi pozostać zagadką. Jednakże od połowy IV wieku chrześcijanie tradycyjnie identyfikowali je z górą Tabor – niewielkim, odosobnionym wzgórzem na równinie Ezdrelon (Jeezrel, Jizreel), na południowy zachód od Jeziora Galilejskiego.

Takie umiejscowienie Przemienienia Pańskiego miało przyczyny estetyczne. Kopulasta, zaokrąglona forma tego wzniesienia nadaje mu naturalną aurę dostojeństwa, może więc być bez trudu uznane za „świętą górę". W odróżnieniu od wielu innych, ma także łatwo dostępny wierzchołek, na którym można sobie wyobrażać tego rodzaju zdarzenie.

Były też i względy praktyczne. W IV wieku coraz liczniej odwiedzający Ziemię Świętą chrześcijanie

domagali się dokładnego umiejscowienia zdarzenia, o którym mowa. Ponieważ odwiedzali oni głównie Nazaret i okolice Jeziora Galilejskiego, miało więc sens wskazanie góry niezbyt odległej od tych miejsc. Mało kto zdecydowałby się na wyprawę do podnóży dalekiego Hermonu. Większość odwiedzających nigdy by tam nie dotarła. Tak więc w roku 348 po Chr. biskup Jerozolimy, Cyryl, autorytatywnie orzekł, że przemienienie nastąpiło „na górze Tabor" (*Katechezy*, 12,16).

W rzeczywistości dokonało się zapewne na stokach Hermonu, w dolnych partiach tego masywu, 80 kilometrów na północ od Jeziora Galilejskiego, ewentualnie na którymś z pobliskich wzgórz Gaulanitydy. W Piśmie Świętym nie znajdujemy niczego,

Obydwaj byli przy przemienieniu Jezusa na Górze Tabor.

Święty Cyryl Jerozolimski, *Katechezy,* **12,16**

co by sugerowało pobyt Jezusa na szczycie jakiejkolwiek góry. Ewangeliści piszą tylko, że udał się „na górę wysoką" (Mk 9,2). Słowo „góra" jest w naszych tłumaczeniach cokolwiek mylące, ponieważ ten sam wyraz grecki oznacza także „wzgórze". Biblijny tekst przekazuje więc tylko tyle, że chodziło o odległe zbocze jakiegoś wzniesienia. Na stokach Hermonu jest oczywiście wiele takich miejsc. Czytając Ewangelie, w sposób naturalny kierujemy ku nim myśli, wiedząc że owo ważne zdarzenie nastąpiło kilka dni po wyznaniu Piotra „pod Cezareą Filipową" (Mk 8,27). Jest raczej niemożliwe, by Jezus przeszedł w tak krótkim czasie na przeciwną, południową stronę jeziora.

Przed biskupem Cyrylem chrześcijanie kojarzyli przemienienie Pańskie z Hermonem. Wydaje się, że Euzebiusz z Cezarei, piszący jedno pokolenie przed Cyrylem, był już świadomy rozwijającej się tradycji związanej z górą Tabor, wciąż jednak artykułował swoje przypuszczenia na temat Hermonu. W *Komentarzu do Psalmów* sugeruje, że Psalm 89,12, w którym wspomina się o obu górach, może zawierać proroczą przepowiednię „cudownego przemienienia" w obydwu miejscach. Jako historyk, znający przypuszczalnie pisma Józefa Flawiusza, musiał wiedzieć, że w I wieku na szczycie góry Tabor znajdowała się wieś, a sam Flawiusz otoczył ją murem obronnym podczas żydowskiego powstania w roku 67 po Chr. (Józef Flawiusz, *Wojna żydowska* 2,20; 4,1). Z historycznego punktu widzenia nie było to raczej miejsce sprzyjające mistycznym przeobrażeniom.

Kwestia ta jest dobrym przykładem napięć mogących czasem powstawać między badaniami historycznymi i duchowymi potrzebami odwiedzających, którzy pragną dotrzeć do miejsc związanych z wydarzeniami biblijnymi, a które choć są tylko prawdopodobne, są zarazem łatwo dostępne. Dzieje się to również w innych rejonach Ziemi Świętej, gdzie obiekty historycznie mniej uzasadnione okazują się bardziej sprzyjać modlitwom i refleksji. Zbliża nas to do zrozumienia, że w ostatecznym rozrachunku samo zdarzenie bywa ważniejsze niż jego dokładna lokalizacja, a prawda teologiczna bardziej istotna od geograficznej precyzji.

Ze wszystkich wydarzeń opisanych w Ewangeliach scena przemienienia wydaje się najlepiej uzasadniać takie podejście. Sprzeciwia się ona instynktowi Piotra, próbującego przenieść jej istotę na poziom materialny (poprzez budowę trzech namiotów – dla Jezusa, Eliasza i Mojżesza). Zmusza też uczniów do zwrócenia większej uwagi na polecenie Boga: „Jego słuchajcie!" i odwrócenia jej od miejsc fizycznych.

Owo uwznioślenie świadomości nie może jednak nigdy być zupełne, nie możemy bowiem zapomnieć, że to i inne wydarzenia dokonały się w historycznie konkretnym miejscu i czasie. W tym sensie wiara chrześcijańska nie jest ani *czystą historią*, ani *czystą duchowością*, lecz subtelnym połączeniem obu tych sfer. Przemienienie jest zdarzeniem osadzonym w określonym czasie, aczkolwiek odsłania ponadczasowe poziomy boskiej egzystencji Jezusa.

Scena przemienienia rozpalała wyobraźnię ludzi wielu pokoleń, czego dowody znajdujemy w literaturze i sztuce. Stała się tematem wiodącym w teologii Kościoła prawosławnego, gdzie postrzegana jest jako objawienie Bożego planu, zgodnie z którym wszyscy wierni powinni w coraz większym stopniu świadomie uczestniczyć w „boskiej naturze" (*theiosis*). Język „uczestniczenia w boskiej naturze" wywodzi się z 2 Listu św. Piotra. W tym krótkim tekście Piotr powraca do aktu przemienienia, który najwyraźniej głęboko zmienił całe jego życie:

(...) [nauczaliśmy] jako naoczni świadkowie Jego wielkości. Otrzymał bowiem od Boga Ojca cześć i chwałę, gdy taki oto głos Go doszedł od wspaniałego Majestatu: „To jest mój Syn umiłowany, w którym mam upodobanie". I słyszeliśmy, jak ten głos doszedł z nieba, kiedy z Nim razem byliśmy na górze świętej.

2 P 1,16-18

Zaokrąglona góra Tabor na równinie Ezdrelon; nazwa wioski Dabburija u jej podnóża pochodzi od Debory, starotestamentowej prorokini i uczestniczki bitew z Siserą w dolinie Ezdrelon (Sdz 4–5)

zji do boskiej tożsamości Jezusa. Następnie potwierdza to jednoznacznie głos wypowiadający uroczyste polecenie: „Jego słuchajcie!" Jeśli Jezus był Tym, kim się w owej chwili objawił, to znaczyło, że Jego słowa należało traktować jak słowa Boga, a Jego wskazówki jak przykazania Boże.

Nagle, w równie tajemniczy sposób, wszystko wróciło do normy i „Jezus znalazł się sam" (Łk 9,36). Nic dziwnego, że Piotr, Jakub i Jan nikomu „w owym czasie" nie opowiadali o tym wydarzeniu. Wywarło ono jednak na nich głębokie i trwałe wrażenie.

Kilka tygodni później, w Jerozolimie, Jezus wziął tych samych trzech uczniów na stok innej góry – Góry Oliwnej – do Ogrójca, gdzie zobaczyli go jako Człowieka pogrążonego w głębokim smutku i łzach. Do końca życia starali się pogodzić te dwa obrazy – cierpienia w Ogrójcu i chwały przemienienia.

Przemieniony Jezus w towarzystwie Mojżesza i Eliasza (reprezentujących Prawo i Proroków)

Tabor otacza aura świętej góry.

J. Murphy O'Connor

Zejście ze szczytu

Piotr stanął w obliczu wielkiego wyzwania i w krótkim czasie musiał zrozumieć bardzo dużo. Podczas przemienienia wyartykułował pierwszą myśl, jaka pojawiła się w jego świadomości: „Postawimy trzy namioty (...)" (Łk 9,33). Boski głos uprzejmie przerwał jego wypowiedź, zmuszając do milczenia i słuchania. Piotr chciał owo cenne doświadczenie zatrzymać, a może nawet zawłaszczyć lub poddać osobistej kontroli, utracił je jednak równie szybko i nieoczekiwanie, jak został nim obdarzony. A później, gdy schodzili z góry, on i dwaj inni uczniowie zostali twardo „sprowadzeni na ziemię".

Podczas owej „wycieczki na górę" pozostali uczniowie próbowali uzdrowić opętanego chłopca, jak się okazało bezskutecznie, którego przyprowadził do nich zdesperowany ojciec. Podobnie jak Mojżeszowi zstępującemu z Synaju epizod ze złotym cielcem uprzytomnił ogrom niewiary i materializm ludu Izraela (Wj 32), tak teraz Jezus staje w obliczu braku uduchowienia swoich uczniów: „O plemię niewierne i przewrotne! Jak długo jeszcze będę u was i będę was znosił?" (Łk 9,41). Uzdrawia następnie chłopca. W rezultacie wszyscy – nie tylko ci, którzy byli z nim na stoku góry – „osłupieli ze zdumienia nad wielkością Boga".

Opisane wydarzenia w rejonie Cezarei Filipowej mają zasadnicze znaczenie dla zrozumienia całej działalności Jezusa. Rzeczy dokonujące się z dala od Galilei i Jerozolimy uwydatniają głębsze znaczenie tego wszystkiego, co działo się wcześniej i później w tych miejscach. Przed apostołami (a także czytelnikami Ewangelii) otwiera się całkiem nowa możliwość zrozumienia, kim jest Jezus. Stawiane przez Niego prowokujące pytania są trudnym sprawdzianem ich i naszej wiary. Tym, którzy mają „uszy do słuchania" oferowana jest nowa wizja rzeczywistości.

Równocześnie, dla Jezusa nadszedł ostatni etap Jego publicznej działalności. Schodząc z góry, „postanowił udać się do Jerozolimy" (Łk 9,51), mówi więc jasno swoim uczniom, co czeka Go w mieście stołecznym: „Syn Człowieczy musi wiele wycierpieć: będzie odrzucony (...) będzie zabity" (Łk 9,22). W tym miejscu ewangelista Łukasz rozpoczyna długą serię dziesięciu rozdziałów, nazywaną czasem „relacją z podróży", w której widzimy Jezusa konsekwentnie zmierzającego do stolicy. Na pewnym etapie tej drogi podsumowuje swoją podróż i przeznaczenie. „Jednak dziś, jutro i pojutrze muszę być w drodze, bo rzecz niemożliwa, żeby prorok zginął poza Jerozolimą" (Łk 13,33). Jezus wie, jak i gdzie skoń-

Ważne daty – Cezarea Filipowa

ok. 198 prz. Chr.	Seleucydzi syryjscy zwyciężają egipskich Ptolomeuszy pod Paneą, podporządkowując cały region Syrii	2 prz. Chr.	Syn Heroda, Filip, nadaje miastu nazwę Cezarea Filipowa na cześć cezara i własnej osoby, oraz umieszcza w nim stolicę „tetrarchii"	300	Dobrze ustabilizowana obecność Kościoła chrześcijańskiego współistnieje z ciągłą obecnością niewielkiej grupy Żydów. Euzebiusz wspomina o pomniku kobiety, którą Jezus uleczył z krwotoku (*Historia kościelna* 7,18)
20 prz. Chr.	Oktawian August przekazuje region Herodowi Wielkiemu, który wznosi świątynię z białego marmuru w pobliżu źródła bożka Pana	55 po Chr.	Herod Agryppa usiłuje nadać miastu nazwę Neronia na cześć cezara Nerona	1100–1300	Podboje krzyżowców, a później Mameluków
		70	Tytus przebywa przez pewien czas w okolicach miasta po zajęciu Jerozolimy. W mieście umiera wielu z jego żydowskich jeńców	1967	Mała syryjska wioska Banias znajdująca się w miejscu starożytnego miasta zostaje włączona do Izraela

czy się jego ziemska misja. Począwszy od przemienienia na górze w pewnym sensie kontynuuje się stałe „schodzenie w dół".

Cezarea Filipowa dzisiaj

Lokalizacja starożytnej Cezarei Filipowej nie budzi wątpliwości ze względu na bliskość **wielkiej jaskini** u podnóża Hermonu, w której znajduje się główne źródło rzeki Jordan. Kiedyś woda wypływała bezpośrednio z niej, obecnie jednak – na skutek trzęsienia ziemi – wydostaje się przez szczelinę poniżej jaskini. Pod wieloma względami ów naturalny obiekt jest najbardziej znaczącym i wartym obejrzenia miejscem w całej okolicy. W pobliżu (nieco wyżej po prawej stronie) znajdują się ruiny niewielkiego sanktuarium i świątyni z II i III wieku. Po stronie lewej widać naturalny taras, na którym mógł stać kiedyś pałac Filipa.

Po drugiej stronie drogi widoczne są ruiny **średniowiecznego zamku** z wyraźnie rozpoznawalnymi murami i wieżami z epoki krucjat. Z I wieku zachowały się ruiny **dwunastu równoległych krypt**, które uważa się za byłe magazyny, sąsiadujące kiedyś z centralnym miejskim placem lub rynkiem.

Miejsce to przypomina nam o tym, że w czasach Jezusa był to region wybitnie nie-żydowski. Ewangeliści nie sugerują, że Jezus przebywał w samym mieście. Turyści wolą więc

Kananejskie
i izraelskie ruiny
starożytnego Chasaru
z widokiem na
równinę Hule

zwiedzać jego okolice. Czuje się tam bliskość masywu Hermonu oraz żywotne znaczenie świeżej wody dla terenów położonych dalej na południe – wody pochodzącej z topniejących śniegów tej potężnej góry.

Niektórzy mogą zechcieć odwiedzić pobliski **Dan** – inny obszar źródliskowy, którego źródła zasilają rzekę Jordan, ewentualnie wspiąć się krętą drogą do **zamku Nimrod** – fortecy krzyżowców, z której ruin roztacza się piękny widok na równinę Hulę zdominowaną dziś przez dobrze zorganizowane rolnictwo. Do XIX wieku obszar ten pokrywały jednak malaryczne bagna (do ich osuszania wykorzystano importowane drzewa eukaliptusowe). Wydaje się możliwe, że w czasach Jezusa okolice górnego Jordanu były podmokłe i nieprzyjazne. Okoliczność ta dodatkowo przemawia za tym, że Jezus świadomie udał się w te strony z uczniami, by oddalić się od strefy cywilizacyjnego komfortu. Stanowisko archeologiczne Cezarei Filipowej znajduje się w odległości ponad 48 kilometrów na północ od Jeziora Galilejskiego.

Jerycho

Kiedy zbliżał się do Jerycha, jakiś niewidomy siedział przy drodze i żebrał. Gdy usłaszał, że tłum przeciąga, dowiadywał się, co się dzieje. Powiedzieli mu, że Jezus z Nazaretu przechodzi. Wtedy zaczął wołać: „Jezusie, synu Dawida, ulituj się nade mną!" (...) Jezus przystanął i kazał przyprowadzić go do siebie. (...) zapytał go: „Co chcesz, abym ci uczynił?" Odpowiedział: „Panie, żebym przejrzał". Jezus mu odrzekł: „Przejrzyj, twoja wiara cię uzdrowiła". Natychmiast przejrzał i szedł za Nim, wielbiąc Boga. Także cały lud, który to widział, oddał chwałę Bogu.

Potem wszedł do Jerycha i przechodził przez miasto. A [był tam] pewien człowiek, imieniem Zacheusz, zwierzchnik celników i bardzo bogaty. Chciał on koniecznie zobaczyć Jezusa, kto to jest, ale nie mógł z powodu tłumu, gdyż był niskiego wzrostu. Pobiegł więc naprzód i wspiął się na sykomorę, aby móc Go ujrzeć, tamtędy bowiem miał przechodzić.

Gdy Jezus przyszedł na to miejsce, spojrzał w górę i rzekł do niego: „Zacheuszu, zejdź prędko, albowiem dzisiaj muszę się zatrzymać w twoim domu". Zeszedł więc z pośpiechem i przyjął Go rozradowany. A wszyscy, widząc to, szemrali: „Do grzesznika poszedł w gościnę". Lecz Zacheusz stanął i rzekł do Pana: „Panie, oto połowę mego majątku daję ubogim, a jeśli kogo w czym skrzywdziłem, zwracam poczwórnie". Na to Jezus rzekł do niego: „Dziś zbawienie stało się udziałem tego domu, gdyż i on jest synem Abrahama. Albowiem Syn Człowieczy przyszedł szukać i zbawić to, co zginęło".

Ewangelia według św. Łukasza, 18,35-38,40a,41–19,10

Najniżej położone miasto świata

Galilejczycy pielgrzymujący do Jerozolimy, pragnąc uniknąć podróżowania przez Samarię, szli zwykle w dół rzeki Doliną Jordanu, po czym zbliżali się do stolicy od wschodu. Kiedy więc Jezus wyruszył w swą ostatnią podróż, możemy Go sobie wyobrazić wędrującego wraz z uczniami wzdłuż doliny. Wzgórza Samarii i Gilboa mieli wówczas po swej prawej stronie (czyli po stronie zachodniej), a góry Gileadu po lewej.

Dolina Jordanu leży poniżej poziomu morza, więc nawet w marcu jest w niej duszno i gorąco. Wczesną wiosną wzgórza pokrywała zapewne delikatna zieleń; nieliczne rośliny mogły też rosnąć tuż przy rzece, główną jednak oazą w tym pustynnym i jałowym terenie było Jerycho położone około 90 kilometrów na południe od Jeziora Galilejskiego i około 11 kilometrów na północ od Morza Martwego. Niemal wszyscy podróżujący z Galilei do Jerozolimy tą trasą musieli przechodzić przez to miasto, w którym mogli się odświeżyć i pokrzepić przed wspinaczką w kierunku stolicy.

Była to naprawdę piękna oaza w środku pustyni, pełna palm daktylowych, bugenwilli i drzew owocowych. W lecie było tam bardzo gorąco i parno, w zimie natomiast – stosun-

Starotestamentowe Jerycho (Tel as--Sultan) z wielkimi wykopami archeologicznymi oraz zielenią oazy w tle

kowo ciepło w porównaniu z Jerozolimą wystawioną na zimne wiatry wiejące od morza. Nic dziwnego, że niektórzy zamożni mieszkańcy stolicy mieli tam swoje „drugie domy". W Jerychu znajdował się też zimowy pałac króla Heroda.

W czasach Jezusa oaza ta miała już za sobą prawie 8000 lat osadnictwa, Jerycho jest więc najstarszym na świecie zamieszkałym miastem o nieprzerwanej ciągłości istnienia. W ostatnim stuleciu powstało „nowe" Jerycho, odległe od starego miasta o ponad pół kilometra w kierunku południowym. Zasypane częściowo ruiny dają świadectwo bogatej przeszłości.

Jerycho wczoraj i dziś

Idąc ulicami starożytnego Jerycha i zbliżając się do jego nowszych dzielnic, Jezus musiał sobie uświadamiać ogromne znaczenie tego miasta w przeszłości. Było to miejsce, przez które Izraelici wkraczali niegdyś do Ziemi Obiecanej. Po przekroczeniu Jordanu od wschodu pod przywództwem Jozuego ich pierwszym zadaniem było zajęcie tego strategicznego miasta. Zwycięstwo w tym miejscu było dla nich znakiem, że Bóg im sprzyja i pierwszym krokiem ku temu, czego osiągnięcie miało im zająć wiele lat: zajęcia całego Kanaanu.

Ów ważny historyczny epizod musiał być w czasach Jezusa bardzo dobrze znany z kilku powodów.

Morze Martwe

Odwiedzając Jerycho nie sposób pominąć Morza Martwego odległego o 11 kilometrów od miasta w kierunku południowym. Pielgrzym z Bordeaux, odwiedzający te strony w IV wieku, zadawszy sobie ten trud pisał: „Woda jego jest okropnie gorzka, nie ma w nim ryb i nie pływają po nim żadne statki. Każdego, kto próbuje w nim pływać, woda odwraca do góry nogami". (*Pielgrzym z Bordeaux*, 597). W roku 68 rzymski wódz Wespazjan, nie mogąc powstrzymać ciekawości, zmusił kilku ludzi nie umiejących pływać do zanurzenia w Morzu Martwym. Woda unosiła ich na powierzchni, nawet gdy mieli przy sobie broń (Józef Flawiusz, *Wojna żydowska* 4,9). Pewien bizantyjski artysta, projektant słynnej mozaiki Madaba w formie mapy (patrz: s. 199), zdobył się na więcej poczucia humoru, wprowadzając do niej wizerunek ryby, która u ujścia Jordanu usiłuje zawrócić i wpłynąć z powrotem do rzeki. Owo południowe „morze śmierci" kontrastuje drastycznie z tętniącym życiem Jeziorem Galilejskim.

Niespotykane właściwości Morza Martwego przez wieki inspirowały do komentarzy. Kojarzono je z biblijnymi opowieściami o Sodomie i Gomorze, które leżały niegdyś nad Morzem Martwym. Wspominali o nim Arystoteles i Strabon, nazywając je „jeziorem asfaltowym". Szczególny charakter tego akwenu wynika z faktu, iż jest on bezodpływowy, co z kolei spowodowane jest położeniem w najniższym punkcie najgłębszej lądowej depresji na ziemi. (Morze Martwe zasilają wody Jordanu oraz mniejszych potoków [*wadi*] spływających z okolicznych wzgórzy). Powierzchnia jego wód znajduje się na poziomie 411 metrów poniżej poziomu morza.

Efektem poboru znacznych ilości wody do celów gospodarczych z Jeziora Galilejskiego jest stałe obniżanie się poziomu Morza Martwego. Wynika to z lokalnych warunków klimatycznych i intensywnego parowania. W rezultacie dokonuje się stały wzrost stężenia składników mineralnych, takich jak magenz, wapń i potas. Od starożytności do dnia dzisiejszego minerały te wykorzystuje się do celów przemysłowych. Niedawno wody Morza Martwego stały się atrakcją turystyczno--zdrowotną, w związku z czym powstało wokół niego wiele obiektów typu sanatoryjnego.

Na brzegach Morza Martwego i na okolicznych wzgórzach nie brakuje ważnych miejsc historycznych. Wśród wzgórz po stronie wschodniej, należących obecnie do Królestwa Jordanii, widoczna jest góra Nebo, z której – zgodnie z tradycją – Mojżesz oglądał przed śmiercią Ziemię Obiecaną (por. Pwt 34,1), jak również warownia Macheront, w której, według Józefa Flawiusza (*Dawne dzieje Izraela*, 18,5) dokonano, na rozkaz Heroda Antypasa, egzekucji Jana Chrzciciela. Na brzegu zachodnim znajduje się pustynia Engaddi (En Gedi), gdzie według 1 Księgi Samuela (Sm 24,1), Dawid ukrywał się przed Saulem, Qumran (patrz: s. 46) oraz ruiny Masady (patrz: s. 105).

- Znaczenie ludu Izraela „namaszczonego przez Boga", przestrzegającego Jego przykazań i nie odstępującego od nich „ani w prawo, ani w lewo" (Joz 1,7).
- Tajemnicze pojawienie się „wodza zastępów Pańskich" (Joz 5,13-15). Czy był to Pan we własnej osobie?
- Osądzenie Achaba i wybawienie nierządnicy Rachab, jako przykład, że Bóg ratuje ludzi silnej wiary (nawet gdy nie należą do ludu Izraela).
- Zesłanie Izraelowi przez Boga następcy Mojżesza – Jozuego, którego imię oznaczało: Bóg jest pomocą.

Teraz zbliżał się do Jerycha Jezus z Nazaretu. Szło za Nim dwunastu apostołów, symbolicznie reprezentujących dwanaście pokoleń Izraela – nowy lud Jezusowy. Przewidując, że celem wędrówki Jezusa będzie ustanowienie królestwa Bożego, spierali się o pierwsze miejsce przy tronie króla.

Sądzili, że historia poniekąd się powtarza albo że otwiera się jej nowy rozdział. Podobnie jak Jozue wprowadził Żydów do Ziemi Obiecanej, tak teraz Jezus miał powołać długo oczekiwane królestwo izraelskie, pokonując nieprzyjaciół Boga. On sam przeczuwał w tym czasie zbliżającą się chwilę sądu. Przypowieść o surowym władcy, powracającym z długiej podróży z określonymi oczekiwaniami wobec poddanych, kończy się egzekucją wrogów: „Tych zaś przeciwników moich, którzy nie chcieli, żebym panował nad nimi, przyprowadźcie tu i pościnajcie w moich oczach" (Łk 19,27).

Cóż więc czyni Jezus, zbliżając się do Jerycha? Nie gromi nieprzyjaciół Boga, zachowując to do czasu, gdy będzie w Jerozolimie. Zamiast tego podkreśla Bożą wolę zbawienia tych, którzy wzywają Jego pomocy. Uzdrawia ociemniałego, którego ewangelista Marek nazywa Bartymeuszem. Człowiek ów wzywa Jezusa, nazywając Go „synem Dawida" (a więc tego, który według oczekiwań wielu miał być następnym władcą Izraela). Jego wiara w moc Jezusa przynosi mu uzdrowienie.

Z wejściem do Jerycha wiąże się też znana historia Zacheusza, który wspiął się na drzewo, by widzieć Jezusa choćby przez chwilę. I właśnie u tego bogatego żydowskiego zwierzchnika celników, znienawidzonego przez rodaków za wysługiwanie się Rzymianom, Jezus postanawia się zatrzymać.

Dla ewangelisty Łukasza epizod ten charakteryzuje wiele istotnych cech Jezusa – Jego dystans wobec obiegowych opinii, troskę o dobro duchowe konkretnych, pojedynczych osób oraz życzliwość dla „outsiderów" (w tym także bogaczy i osób kolaborujących z Rzymianami). Jezus był tym, który przyszedł by „szukać i zbawić to, co zginęło" (Łk 19,10).

Kilka rozdziałów wcześniej ten sam ewangelista przytacza głoszone przez Jezusa przypowieści, w których wyjaśnia On sens swoich działań, ze szczególnym podkreśleniem troski Boga o wszystkich, którzy pobłądzili. Nawiązują do tego przypowieści o pasterzu i owcach, o kobiecie, która zgubiła monetę, a także o ojcu witającym syna marnotrawnego (Łk 15). Wspólnym tematem jest poszukiwanie czegoś lub kogoś zagubionego i radość ze znalezienia. Teraz, w Jerychu, Jezus manifestuje dokładnie tę samą postawę wobec Zacheusza – człowieka, który pobłądził – spełniając wbec niego Bożą posługę.

Jest coś szczególnego w owym zwróceniu się ku Zacheuszowi; coś, co dziwnie przypomina biblijny epizod sprzed wieków z cudzoziemską prostytutką imieniem Rachab. Jozue uratował właśnie ją – tragicznie osamotnioną wśród mieszkańców Jerycha. Podobnie jak kiedyś wkraczający do Jerycha Jozue, którego imię znaczyło: Bóg jest pomocą, tak teraz Jezus wskazuje na swoją rolę Zbawcy, przychodzącego z misją do tego miasta i do całego świata. „Dziś *zbawienie* stało się udziałem tego domu" – te Jego słowa mają naprawdę wieloraki sens (Łk 19,9).

Siódmego dnia wstali rano wraz z zorzą poranną i okrążyli miasto siedmiokrotnie (...). Gdy kapłani za siódmym razem zagrali na trąbach, Jozue zawołał do ludu: „Wznieście okrzyk wojenny, albowiem Pan daje miasto w moc waszą!"

Joz 6,15a.16

Obężenie Masady

Masada przeżywała swoje lata świetności po zburzeniu Jerozolimy, kiedy to stała się ostatnim bastionem zelotów (73-74 po Chr.). Józef Flawiusz opisuje rzymskie oblężenie tej twierdzy z najdrobniejszymi szczegółami, nie wyłączając mowy przywódcy zelotów Eleazara (patrz: fragmenty poniżej), w której wzywa on swoich podkomendnych do zbiorowego samobójstwa. Według relacji Flawiusza, wkraczających do Masady Rzymian powitała grobowa cisza. Znaleźli przy życiu tylko siedem osób (dwie kobiety i pięcioro dzieci).

Wydaje się jednak, że Flawiusz dał się ponieść pisarskiej fantazji; można na przykład zauważyć pewną analogię do opisu jego osobistego doświadczenia, w którym udało mu się przeżyć podobne zbiorowe samobójstwo podczas bitwy o miasto Jotapata. Długość mowy Eleazara w jego relacji przypomina inne podobnie dramatyczne przemówienia w pismach starożytnych autorów; nosi ona przy tym wszystkie znamiona własnego stylu autora, co nie zmienia faktu, iż jest to pasjonująca lektura.

Masada reprezentuje tragiczny finał nacjonalistycznego fanatyzmu gwałtownie narastającego za życia kilku poprzednich pokoleń i stanowiącego społeczno-historyczne tło działalności Jezusa. Ostateczny upadek tej ideologii oznaczał koniec świata I wieku, który był Jezusowi aż nadto dobrze znany. Ostrzegał też przed tym, do czego może ona doprowadzić: „(...) wszyscy, którzy za miecz chwytają, od miecza giną" (Mt 26,52).

Dawno temu, waleczni mężowie, powzięliśmy postanowienie, że nie będziemy służyć ani Rzymianom, ani nikomu innemu prócz samego Boga, bo On jeden jest prawdziwym i sprawiedliwym Panem ludzi. A oto teraz nadszedł czas, który żąda potwierdzenia tego przekonania czynem (...). Wszak byliśmy pierwszymi, którzy stanęli do boju z nimi, i jesteśmy ostatnimi, którzy bój ten toczą (...). Wierzę też, że Bóg dał nam tę łaskę, żebyśmy mogli umrzeć piękną śmiercią i jako ludzie wolni, co nie było dane innym (...).

Wiemy z całą pewnością, że twierdza padnie, skoro dzień zaświta, ale możemy swobodnie wybrać szlachetną śmierć dla siebie i naszych najbliższych (...). Może bowiem już na samym początku, kiedy postanowiliśmy upomnieć się o wolność (...) powinniśmy byli odgadnąć zamysł Boga i zrozumieć, że naród żydowski niegdyś przez Niego umiłowany, skazany został na zagładę. Gdyby bowiem Bóg nadal był dla nas łaskawy (...), nie mógłby dopuścić do zguby tak wielu ludzi ani nie wydałby swojego najświętszego miasta na pastwę ognia i na zatratę nieprzyjaciołom. (...) Patrzcie więc, jak Bóg ukazuje nam płonność naszych oczekiwań, stawiając nas w sytuacji bez wyjścia (...).

Kary za to niechaj nam nie wymierzają nasi zaciekli wrogowie, Rzymianie, lecz sam Bóg i to naszymi rękami. Będzie ona łatwiejsza do zniesienia od tego, co by nas od nich czekało. Niechaj giną żony nasze nie pohańbione, a dzieci nie zakosztowawszy goryczy niewoli. Po nich wyświadczymy sami sobie tę szlachetną przysługę, zachowując wolność jako piękny całun. Ale przedtem

jeszcze zniszczymy ogniem cały nasz dobytek i samą twierdzę (...). Zostawimy samą tylko żywność, aby po naszej śmierci świadczyła, że nie pokonano nas głodem, lecz, jak na początku postanowiliśmy, wybraliśmy śmierć zamiast niewoli.

Józef Flawiusz, *Wojna żydowska* 7,8,6

Pałac Heroda na najwyższym cyplu Masady, z magazynami i łaźnią (powyżej i w kierunku południowym)

Ważne daty – Jerycho

7800 prz. Chr.	Osada megalityczna
6850 prz. Chr.	Mury (grubości 2 metrów); osada licząca 200 mieszkańców (o powierzchni ponad 3 hektarów)
1400–1200 prz. Chr.	Era Jozuego i podbojów Izraelitów
ok. 870 prz. Chr.	Powtórne zasiedlenie Jerycha w czasach króla Achaba; miasto odwiedzają prorocy Eliasz i Elizeusz (2 Krl 2)
37 prz. Chr.	Marek Antoniusz ofiarowuje Kleopatrze sady daktylowe i plantacje roślin balsamicznych koło Jerycha
36 prz. Chr.	Podczas przyjęcia w ogrodach pałacu Heroda zostaje utopiony siedemnastoletni arcykapłan Arystobul (ostatni z dynastii hasmonejskiej) (Józef Flawiusz, *Wojna żydowska* 1,2)
30 prz. Chr.	Cesarz Oktawian August zwraca królowi Herodowi ogrody; rozbudowa Kypros (twierdzy w zachodniej części miasta) i rzymskiej drogi do Jerozolimy
4 prz. Chr.	Herod Wielki umiera w swoim pałacu w Jerychu
69 po Chr.	Tytus wysiedla mieszkańców Jerycha (Józef Flawiusz, *Wojna żydowska* 4,8)
200	W pobliżu miasta znaleziono zwoje z tekstami biblijnymi (zgodnie z relacją Orygenesa)
ok. 333	Pielgrzym z Bordeaux odwiedza Jerycho i opisuje jego okolice (patrz: s. 107)
400–500	W odległości około 1,5 km na wschód od rzymskiego Jerycha powstaje nowe miasto bizantyjskie (Ericha)
ok. 1850	Na zboczu Góry Kuszenia (Dźabal Quruntul) powstaje grecki monaster obrządku prawosławnego
1930–1940	James Garstang prowadzi prace wykopaliskowe w Tel as-Sultan
1950–1960	Prace archeologiczne kontynuuje Kathleen Kenyon
1967	Jerycho przechodzi pod administrację Izraela
1994	Jerycho, jako jeden z pierwszych obszarów, przechodzi pod kontrolę Autonomii Palestyńskiej (na mocy porozumienia z Oslo)

Jerycho dzisiaj

W ostatnich latach Jerycho współczesne znacznie się rozrosło. Był to jeden z pierwszych obszarów, które wróciły pod kontrolę palestyńską w początkach lat dziewięćdziesiątych. Z dużej odległości miasto sprawia wrażenie mirażu majaczącego na linii horyzontu. Kiedy się do niego zbliżamy, naszym oczom ukazuje się pustynna oaza ogromnych rozmiarów. W jej centrum wciąż bije starożytne źródło, którego wydajność szacuje się na 3800 litrów na minutę. Do dziś jest to też miejsce spotkań mieszkańców przychodzących po wodę.

Zbliżając się do Jerycha od północy, widzimy po prawej stronie pozostałości złożonych z lepianek obozów dla uchodźców palestyńskich, w których żyli oni kilkadziesiąt lat po roku 1948. Dalej wyłania się kopiec o powierzchni około 3 hektarów kryjący ruiny **miasta starożytnego** (znany jako Tel as-Sultan), odcinający się wyraźnie na tle równninego terenu. Przed wejściem Izraelitów do Ziemi Obiecanej (którego datę, będącą w środowisku historyków kwestią sporną, określa się na wiek XII lub XIV prz. Chr.) na owym wzgórku istniało *dwadzieścia* różnych osad. Dokonywane obecnie archeologiczne przekroje pozwoliły zidentyfikować niektóre starożytne mury oraz wielką cylindryczną wieżę (wysokości 9 metrów) z 22 wewnętrznymi stopniami, datowaną metodą izotopową na 6850 prz. Chr. (z dokładnością do 210 lat).

Stojąc na szczycie tej wyniosłości i spogądając w górę oraz w dół doliny będącej częścią Wielkiego Rowu Wschodnioafrykańskiego, uświadamiamy sobie, jak bardzo starożytne jest to miejsce. Mamy dowody, że nasi poprzednicy prawie dziesięć tysięcy lat temu nie tylko potrafili przetrwać w tym surowym i nieprzyjaznym środowisku, lecz także otaczali się

Wizyta Pielgrzyma z Bordeaux w Jerychu i Jerozolimie

Zstępując z góry widzimy po prawej stronie, za grobowcem, drzewo sykomory, na które wspiął się Zacheusz (...). Półtorej mili od miasta znajdziemy fontannę Elizeusza (...). Powyżej owej fontanny jest dom nierządnicy Rachab (...). Tutaj stało miasto Jerycho, a wókół jego murów synowie Izraela obnosili Arkę Przymierza (...). Nic już z niego nie zostało, z wyjątkiem miejsca, w którym stała Arka, i dwunastu kamieni przyniesionych z Jordanu przez synów Izraela.

Takie zapiski pozostawił pielgrzym galijski (przybyły z miasta należącego dziś do Francji), który odwiedził Ziemię Świętą i okolice Jerycha w roku 333 po Chr., znany jako Pielgrzym z Bordeaux. Pisał on stylem bardzo zwięzłym, nie mniej jednak dziennik jego podróży daje wyobrażenie o czasach najwcześniejszych „pielgrzymek" do Palestyny. Zaledwie dziewięć lat wcześniej, po bitwie pod Adrianopolem, Konstantyn przejął władzę nad wschodnią częścią Imperium Romanum. Sam fakt odbycia takiej wyprawy przez autora dzienników świadczy o nowych możliwościach podróżowania zaistniałych pod rządami Konstantyna. Jego notatki dostarczają nam również fascynujących danych o tym, jak miejscowi przewodnicy traktowali wówczas odwiedzających i co im pokazywali!

Pielgrzym z Bordeaux sprawia wrażenie człowieka nieco naiwnego. Popełnia też szereg oczywistych błędów (na przykład uznając Górę Oliwną za miejsce przemienienia Jezusa, a nie miejsce Jego wniebowstąpienia). Wiele rzeczy, które mu wskazywano, trudno uznać za autentyczne. Czyżby dom Rachab przetrwał 1500 lat, a drzewo, na które wspiął się Zacheusz rosło nadal po trzystu latach i było jednoznacznie identyfikowane? Wydaje się, że miejscowi informatorzy, nie pozbawieni twórczej wyobraźni, starali się zaspokajać potrzeby pielgrzymów, pragnących fizycznego zakotwiczenia różnych biblijnych opowieści. Trudno się zatem dziwić, że uczeni traktują owe „tradycje", pojawiające się dopiero w IV stuleciu, z dużą dozą sceptycyzmu.

Pielgrzym z Boreaux odwiedził także Betlejem i starożytną Samarię (patrz: s. 82), najobszerniejsze jego relacje dotyczą jednak Jerozolimy i Góry Oliwnej. Oto kilka dalszych fragmentów z tej części dziennika:

Przy świątyni jerozolimskiej są dwa zbiorniki wodne (...) uczynione przez Salomona; nieco dalej, w mieście są podwójne zbiorniki z pięcioma portykami, które nazywają Betsaida (...)

Jest tam także narożnik wysokiej wieży, na której szczycie nasz Pan przebywał podczas kuszenia (...). Mówią, że na tej samej budowli, gdzie stała świętynia wzniesiona przez Salomona, krew Zachariasza (...) pozostaje do dzisiaj (...). Są tam dwa pomniki Hadriana, a nieopodal nich podziurawiony kamień, który Żydzi co roku namaszczają, lamentując, jęcząc i rozdzierając szaty, a potem odchodzą.

Przy drodze z Jerozolimy w kierunku góry Syjon, po lewej stronie, w dolinie obok muru jest sadzawka Siloe z czterema portykami; a także inny duży zbiornik wody na zewnątrz.

(...) Po tej stronie, przy wejściu na Syjon widoczne jest miejsce, w którym stał dom kapłana Kajfasza; stoi tam wciąż kolumna, przy której Chrystusa chłostano rózgami (...).

Stamtąd, idąc na zewnątrz muru Syjonu w kierunku bramy Neapolis, po prawej stronie w dolinie zauważyć można mury dawnego domu lub praetorium Poncjusza Piłata. Tam nasz Pan był sądzony przed męką. Po stronie lewej jest niewielkie wzgórze – Golgota, na którym Pan został ukrzyżowany. Stamtąd na rzut kamieniem znajduje się krypta, w której złożono Jego ciało i w której trzeciego dnia zmartwychwstał. Obecnie w miejscu tym, na rozkaz cesarza Konstantyna, zbudowano bazylikę, czyli kościół cudownej piękności, ze zbiornikami wody po bokach oraz miejscem, w którym obmywa się niemowlęta.

Przy drodze z Jerozolimy w kierunku bramy wschodniej, skąd można wejść na Górę Oliwną, znajduje się Dolina Jozafata. Po lewej stronie, po której są winnice, leży kamień w miejscu, w którym Judasz zdradził Jezusa; po prawej stronie jest palma, której gałęzie dzieci rozrzucały na drodze Chrystusa (...).

Stamtąd wchodzi się na Górę Oliwną, gdzie przed męką Pan udzielał nauk uczniom swoim. Na polecenie Konstantyna wzniesiono tam piękną bazylikę. Nieopodal znajduje się niewielkie wzgórze, na którym Pan modlił się z Piotrem i Janem. Tam też ukazali im się Mojżesz i Eliasz.

obronnymi murami. Nie ma wątpliwości, że było to miejsce o wielkim znaczeniu, gdyż właśnie tutaj Dolinę Jordanu przecinały równoleżnikowe szlaki, łączące górzyste tereny położone na wschód i zachód od rzeki. Pobliski most Allenby Bridge jest obecnie częścią głównej drogi do odległego o 40 km Ammanu, którego światła widać wieczorem ze wzgórz Transjordanii.

Oprócz prawosławnej świątyni pod wezwaniem św. Zacheusza oraz różnych drzew wskazywanych jako „wzmiankowane w Ewangelii", wartym obejrzenia obiektem jest **pałac Heroda**. Jego ruiny znajdują się 2,5 km na południe od najstarszej części miasta i sąsiadują z obszarem, na którym w czasach Jezusa budowano nowe Jerycho. Pozostałości pałacu z dwoma basenami kąpielowymi dają wyobrażenie o skali luksusu, w jakim żyło otoczenie tego władcy. Z rejonu pałacu widać fortecę (jej nazwa Kypros pochodziła od imienia matki Heroda); najwyraźniej Herod nie zapominał o osobistym bezpieczeństwie nawet w chwilach relaksu. W pobliżu ruin przechodzi stara droga prowadząca do Wadi al-Quelt i dalej w kierunku Jerozolimy. Jerycho było zawsze, i jest do dziś, punktem przecięcia dróg wiodących z południa na północ i z zachodu na wschód.

Wschód słońca nad wzgórzami Transjordanii widziany z zachodniego brzegu Morza Martwego

Betania

A gdy Jezus był w Betanii, w domu Szymona Trędowatego, i siedział za stołem, przyszła kobieta z alabastrowym flakonikiem prawdziwego olejku nardowego, bardzo drogiego. Rozbiła flakonik i wylała Mu olejek na głowę. A niektórzy oburzyli się, mówiąc między sobą: „Po co to marnowanie olejku? Wszak można było olejek ten sprzedać drożej niż za trzysta denarów i rozdać ubogim". (...) Lecz Jezus rzekł: „Zostawcie ją; czemu sprawiacie jej przykrość? Dobry uczynek spełniła względem Mnie. Bo ubogich zawsze macie u siebie i kiedy zechcecie, możecie im dobrze czynić; lecz Mnie nie zawsze macie. Ona uczyniła, co mogła: już naprzód namaściła moje ciało na pogrzeb. Zaprawdę, powiadam wam: Gdziekolwiek po całym świecie głosić będą tę Ewangelię, będą również opowiadać na jej pamiątkę to, co uczyniła".

Ewangelia według św. Marka, 14,3-4.6-9

Spokojna przystań

Betania była maleńką wioską złożoną prawdopodobnie z około dwudziestu domostw, przycupniętą na południowo-wschodnich stokach Góry Oliwnej. W I wieku, ktokolwiek pragnął ciszy i spokoju, mógł to tam uczynić. W kierunku wschodnim i południowym widać było stamtąd suche przestrzenie Pustyni Judzkiej. Prócz kilku namiotów nomadów w polu widzenia nie było żadnych ludzkich siedzib, była bowiem Betania ostatnim przystankiem przed pustynią.

Budząc się w tej wiosce i obserwując wschód słońca nad wzgórzami Transjordanii, widziało się najpierw zachodnie wybrzeża Morza Martwego, później, stopniowo, kolejne partie Doliny Jordanu, rzeki płynącej około 900 metrów niżej, i wreszcie połyskującą powierzchnię morza odległego o 20 kilometrów na wschód. Zwracając się ku południowi, można było dostrzec charakterystyczny stożkowy kształt twierdzy Heroda na wzgórzu nieopodal Betlejem, w której król przebywał ponad trzydzieści lat przed pobytem Jezusa w Betanii.

Wiatry ze wschodu przynosiły męczące, suche, pustynne powietrze, częściej jednak wiały z kierunku przeciwnego, niosąc świeże podmuchy śródziemnomorskie. Można było wówczas obserwować pustynię, nie podlegając wpływom jej upalnego klimatu. Betania pozwalała się również ukryć przed zgiełkiem i zamętem Jerozolimy, odległej zaledwie o trzy kilometry, lecz znajdującej się po drugiej stronie Góry Oliwnej. Była idealnym miejscem dla każdego, kto chciał szybko oddalić się od stolicy – po 45 minutach marszu można się było znaleźć w zupełnie innym świecie i oddychać innym powietrzem.

Grecki kościół prawosławny (u góry) i kościół Ojców Franciszkanów (u dołu) w Betanii; między nimi (przy meczecie z minaretem) znajduje się, umiejscowiony zgodnie z tradycją, grób Łazarza; w czasach Jezusa znalazłby się on na pewno poza wsią, właściwe jego miejsce leży więc gdzieś na zboczu wzgórza w kierunku zachodnim

Jezusowy „dom z wyboru"

Wszyscy ewangeliści potwierdzają, że Jezus bardzo lubił przebywać w Betanii w ostatnich dniach przed śmiercią. Bywał tam już wcześniej i przyjaźnił się z co najmniej jedną rodziną – Łazarzem oraz jego dwiema siostrami, Marią i Martą. Jakkolwiek ewangelista Łukasz pisze o „pewnej wiosce", to jednak sceną słynnej opowieści o narzekaniach Marty zajętej obowiązkami domowymi niemal na pewno była Betania. (Jeśli tak, to mielibyśmy dowód, że Jezus bywał już wcześniej w Jerozolimie, a jego wizyta tamże opisana w trzech ewangeliach synoptycznych nie była jedyną). Można wyczuć, że dom Marii i Marty był miejscem, w którym Jezus czuł się mile widziany, zadowolony i odprężony – Jego drugim „domem z wyboru". Dla kogoś, kto stale wędrował, a czasem – jak pisze ewangelista Łukasz – „nie miał miejsca, gdzie by głowę mógł oprzeć" (Łk 9,58), domy takie musiały być szczególnie cenne.

Podchodząc więc z Jerycha rzymską drogą i pragnąc poczynić konkretne przygotowania przed wejściem do Jerozolimy, Mistrz wysłał swoich uczniów w kierunku sąsiadujących ze stolicą wiosek – Betfage i Betanii. Być może, zgodnie z jakimiś wcześniejszymi ustaleniami, znaleźli oni tam przygotowanego dlań osła (Łk 19,28-32). Ponieważ Jezus miał w Betanii przyjaciół, jego uczniowie mogli liczyć na pomoc i wyrozumiałość.

Betania –
„dom Jezusa".

Orygenes, Komentarz do
Ewangelii według
św. Mateusza 26,26

W okresie, gdy nad publiczną działalnością Jezusa zbierały się ciemne chmury, Betania stała się dla Niego bezpieczną przystanią. Zgodnie z relacją św. Łukasza, w dniach poprzedzających Paschę opuszczał On Jerozolimę każdego dnia wieczorem, udając się „na Górę Oliwną". Możemy być niemal pewni, że chodziło tu o Betanię (zob. Mt 21,17). Dom Łazarza był miejscem odpoczynku i wytchnienia, z którego Jezus wychodził odnowiony, mogąc stawić czoło gorączce Jerozolimy, jej przywódcom i tłumom.

Ów kontrast między wielkim stołecznym Jeruzalem i maleńką Betanią ma głęboki sens symboliczny. Pierwsze z tych miejsc reprezentuje spory i ostateczne odrzucenie, a drugie – spokój, bezpieczeństwo i przyjazną akceptację. Nieprzypadkowo więc miejsce ostatniego pożegnania uczniów (przed wniebowstąpieniem) znajdowało się także w pobliżu Betanii. Tam bowiem, a nie w Jerozolimie, był Jego „dom z wyboru".

Miejsce ucieczki

Według wszelkiego prawdopodobieństwa dom Łazarza w Betanii był miejscem, do którego uciekła większość uczniów Jezusa w dniu Jego aresztowania. Ewangelista pisze wprost, że „wtedy opuścili Go wszyscy i uciekli" (Mk 14,50). Dokąd jednak mieliby uciekać? Jezusa prowadzono *na zachód,* z powrotem do Jerozolimy, z Ogrójca położonego u podnóża Góry Oliwnej. Logiczna droga ucieczki prowadziła więc *na wschód,* poza namioty pielgrzymów paschalnych, spędzających noc na zboczu, i dalej na drugą stronę wzgórza – do Betanii, gdzie można się było bezpiecznie zebrać.

Jeżeli rzeczywiście tak było, to można przypuszczać, że uczniowie pozostawali poza Jerozolimą przez cały feralny weekend, co by oznaczało, że nie byli obecni przy egzekucji. Maryja mogła pójść do miasta w piątek, jest jednak całkiem możliwe, że ukrywający się w Betanii uczniowie dowiedzieli się o śmierci Jezusa dopiero w sobotę wieczorem, po szabacie. Betania była miejscem bezpiecznym, lecz zbyt odległym, by przebywając w niej, można było śledzić na bieżąco, co działo się w Jerozolimie. Prawdopodobnie apostołowie czekali tam z wielkim niepokojem na rozwój wydarzeń. Być może uczniowie bali się wracać do miasta aż do niedzieli.

Jeśli słusznie się tych okoliczności domyślamy, to byłyby one jeszcze jedną przesłanką ku temu, by ostateczne odejście Jezusa dokonało się w pobliżu Betanii. Ta mała miejscowość była bowiem „domem z wyboru" – nie tylko dla Niego, lecz także dla Jego najbliższych przyjaciół. Jerozolima była terenem potencjalnie niebezpiecznym; Betania, choć położona tak blisko stolicy – przeciwnie – bezpiecznym portem, z którego Jezus mógł wyprowadzić swą nawę nowego duchowego ładu na szerokie wody świata. W miejscu tym oczekiwanie pełne niepokoju stawało się oczekiwaniem pełnym ufności. Jezus miał bowiem powrócić.

W pozostałych ewangeliach Betania wyróżnia się w związku z dwoma ważnymi wydarzeniami – ponurym i bolesnym, jakim była śmierć Jezusa, oraz radosnym – Jego potężnym zwycięstwem i życiem pośmiertnym.

Intuicyjne namaszczenie

Ewangelista Marek z jakiegoś powodu nie podaje imienia kobiety, która namaściła Jezusa w domu Szymona Trędowatego. Święty Jan pisze jednak wyraźnie, że była to Maria (zob. J 12,3). Kobieta, która wcześniej siedziała u stóp Jezusa wsłuchana w Jego słowa, teraz podeszła z alabastrowym flakonikiem najkosztowniejszych perfum i zaczęła wylewać zawartość na Jego stopy, wprawiając wszystkich w zakłopotanie.

Obecne przy tym osoby, w tym Judasz Iskariota, odniosły się krytycznie do jej zachowania, traktując je jak ekstrawagancję – perfumy można było przecież sprzedać „za trzysta denarów" (J 12,5). Jezus odczytał to jednak jako akt o symbolicznej wymowie. Maria wyczuwała coś, czego inni nie przewidywali – że Jezus wkrótce umrze. Chciała więc zawczasu namaścić Jego ciało, pokazując, że wie i mocno to przeżywa. Pragnęła uczynić na swój sposób to, czego mogła nie móc zrobić później – dała coś, co miała najcenniejszego, Temu, którego kochała. I Jezus przyjął tę ofiarę.

Z perspektywy dalszych zdarzeń widoczna jest też gorzka wymowa faktu, iż dla Jezusa (którego uczniowie mieli wkrótce ogłosić prawdziwym władcą świata i boskim „oblubieńcem") owo namaszczenie w Betanii było w Jego życiu fizycznym najlepszym i jedynym przybliżeniem koronacji czy też „wesela". Jednocześnie było ono proroczym symbolem śmierci i pogrzebu. Jezus powiedział wtedy, że o tym osobliwym akcie, spełnionym w milczeniu podczas posiłku w cichej Betanii, będą opowiadać „po całym świecie (...) na jej pamiątkę" (Mk 14,9). I tak też się stało.

Moc i emocje przy grobie – wskrzeszenie Łazarza

Szczególne znaczenie Betanii w tradycji ewangelicznej wiąże się z faktem, iż tam właśnie Jezus dokonał najpotężniejszego cudu – wskrzeszenia Łazarza. „Życie", a nie „śmierć", było więc Jego ostatnim słowem w tej oazie spokoju.

Był pewien chory, Łazarz z Betanii, z miejscowości Marii i jej siostry Marty (...). Siostry zatem posłały do Niego wiadomość: „Panie, oto choruje ten, którego Ty kochasz". (...) Kiedy Jezus tam przybył, zastał Łazarza już od czterech dni spoczywającego w grobie. (...) Jezus zaś nie przybył jeszcze do wsi, lecz był wciąż w tym miejscu, gdzie Marta wyszła Mu na spotkanie. Żydzi, którzy byli z nią w domu i pocieszali ją, widząc, że Maria szybko wstała i wyszła, udali się za nią, przekonani, że idzie do grobu, aby tam płakać. A gdy Maria przyszła do miejsca, gdzie był Jezus, ujrzawszy Go upadła Mu do nóg i rzekła do Niego: „Panie, gdybyś tu był, mój brat by nie umarł". Gdy więc Jezus ujrzał jak płakała ona i Żydzi, którzy razem z nią przyszli, wzruszył się w duchu, rozrzewnił i zapytał: „Gdzieście go położyli?" Odpowiedzieli Mu: „Panie, chodź i zobacz!". Jezus zapłakał. A Żydzi rzekli: „Oto jak go miłował!". (...) A Jezus ponownie, okazując głębokie wzruszenie, przyszedł do grobu. Była to pieczara, a na niej spoczywał kamień. Jezus rzekł: „Usuńcie kamień!". (...) Jezus rzekł do niej: „Czyż nie powiedziałem ci, że jeśli uwierzysz, ujrzysz chwałę Bożą?" (...).

To powiedziawszy zawołał donośnym głosem: „Łazarzu, wyjdź na zewnątrz!". I wyszedł zmarły, mając nogi i ręce powiązane opaskami, a twarz jego była zawinięta chustą. Rzekł do nich Jezus: „Rozwiążcie go i pozwólcie mu chodzić!".

Ewangelia według św. Jana 11,1.3.17.30-39.40.43-44

Jest to opowieść pełna smutku i ludzkich emocji. Widzimy w niej Jezusa płaczącego. Dla ewangelisty Jana ostateczne przesłanie z Betanii jest jasne: Jezus jest tym, który włada siłami życia i śmierci; sam jest „zmartwychwstaniem i życiem" (J 11,25).

Owa kulminacja pierwszej połowy Ewangelii według św. Jana kończy się jednak relacją nie pozbawioną ironii. Oto niektórzy świadkowie nadzwyczajnego cudu dokonanego przez

Jezusa postanawiają zawiadomić o nim przywódców religijnych w Jerozolimie, którzy, słysząc o tym co się wydarzyło, decydują się Go zgładzić. Czytający Ewangelię zadają sobie w tym momencie pytanie: dlaczego Jezus, najwyraźniej władający siłami życia i śmierci, sam ma umierać? I co się stanie po Jego śmierci? Czy będzie ona Jego ostatnim słowem?

W ten sposób Betania wysyła wyprzedzający sygnał do Jerozolimy – sygnał o Bożej mocy zmartwychwstania obecnej w Jezusie. Nie jest to już tylko bezpieczna przystań i „dom z wyboru" dla Jezusa i Jego uczniów oraz miejsce, w którym widzimy Jego głębokie zaangażowanie w życie ludzkiej rodziny; nie jest to zwykłe miejsce przygotowań – do wydarzeń Niedzieli Palmowej lub do ukrzyżowania. Jest to również miejsce nowego życia, mała wioska z grobem poza zabudowaniami, której mieszkańcy byli świadkami życiodajnej mocy Jezusa-Mesjasza.

Rzekł do niej Jezus: „Ja jestem zmartwychwstaniem i życiem. Kto we Mnie wierzy, choćby i umarł, żyć będzie".
J 11,25

Betania

■ Ważne daty – Betania

ok. 530 prz. Chr.	Uchodźcy z plemienia Beniamina zamieszkują wioskę Anania, położoną na zboczu Góry Oliwnej, nieco wyżej od późniejszej Betanii (Ne 11,32)	ok. 350–380	Budowa bizantyjskiego kościoła z atrium i wejściem do grobu, leżącym po zachodniej stronie świątyni	1300–1400	Kościoły popadają w ruinę; w miejscu wejścia do grobu powstaje meczet
ok. 290 po Chr.	Euzebiusz z Cezarei nazywa grób Łazarza „kryptą" (*Onomastikon* 58,15-17)	381–384	Egeria odwiedza Betanię w „sobotę Łazarza", osiem dni przed Wielkanocą	1566–1575	Franciszkanie wybijają nowe „wejście do grobu" od strony północnej
		500–600	Rozbudowa kościoła św. Łazarza (przesunięcie apsydy w kierunku wschodnim)	1954	Budowie kościoła Ojców Franciszkanów (na miejscu kościoła z IV wieku) towarzyszą prace archeologiczne prowadzone przez franciszkanina Sallera
333	Pielgrzym z Bordeaux pisze o „krypcie, w której pochowano Łazarza wskrzeszonego przez Pana" (*Pielgrzym z Bordeaux* 596,1)	ok. 1138—1144	Królowa Melianda buduje na miejscu grobu klasztor i kościół krzyżowców	1965	Budowa świątyni prawosławnej w nowym miejscu, na zachód od grobu

Betania dzisiaj

Ogólne umiejscowienie Betanii nie budzi wątpliwości. Nazwa współczesnej wsi arabskiej el-Azarijeh jest zniekształconą formą bizantyjskiego Lazarium, czyli „miejsca Łazarzowego". Do niedawna była to niewielka osada oddalona od szczytu Góry Oliwnej o 20 minut marszu w kierunku południowo-wschodnim, położona z całą pewnością bardzo blisko Betanii z czasów Jezusa. Mimo intensywnej rozbudowy i ekspansji w okresie minionych siedemdziesięciu lat, miejsce to zachowuje wciąż charakter ostatniego zamieszkałego ośrodka na drodze ku Pustyni Judzkiej, rozciągającej się na wschód od niego.

Nie znamy jednak dokładnej lokalizacji domów Szymona Trędowatego oraz Łazarza i jego sióstr. W I wieku domostwa Betanii mogły być położone nieco wyżej na zboczu, w rejonie niedostępnym dziś dla zwiedzających. Stało się tak, ponieważ głównym obiektem zainteresowania wczesnego Kościoła nie były te domy, lecz grób Łazarza, który z natury rzeczy musiał znajdować się *poza* wsią (i, zgodnie z żydowską tradycją, po jej wschodniej stronie). W pismach Orygenesa (ok. 240 rok) znajdujemy wczesnochrześcijańskie refleksje na temat Betanii jako miejsca, w którym Jezus czuł się „jak w domu", nie ma jednak dowodów na to, by autor osobiście poszukiwał starożytnej wioski w terenie. Teksty Euzebiusza i Cyryla (późniejsze o 50 i 100 lat) charakteryzuje skupienie na cudownym wskrzeszeniu Łazarza.

Jest bardzo prawdopodobne, że **grób Łazarza** został zidentyfikowany i utrwalony prawidłowo. Miejsce kojarzone z nim obecnie zgodnie z powstałą tradycją musiało w I wieku

Wizyta Egerii w Betanii

Oto zanotowany przez Egerię opis modlitw w kościele św. Łazarza w Betanii, w sobotę przed Niedzielą Palmową:

W początkach więc siódmej godziny [pierwszej po południu] wszyscy wyruszają do Lazarium, to jest do Betanii, odległej od miasta o jakieś dwie mile. Przy drodze z Jerozolimy do Lazarium o jakieś pięćset kroków od niego, jest kościół w miejscu, gdzie Maria, siostra Łazarza, wyszła do Pana. Skoro biskup nadejdzie wszyscy mnisi wychodzą na jego spotkanie i lud wchodzi [do kościoła]. Tam następuje odśpiewanie psalmu, antyfony, przeczytanie wstępu z Ewangelii o tym, jak Maria, siostra Łazarza zabiegła Panu. (...) Wszyscy śpiewając hymny, idą aż do Lazarium. Gdy przybędą do Lazarium, rzesza tam zebrana jest tak wielka, iż nie tylko to miejsce, ale wszystkie pola są pełne ludzi. Śpiewają psalmy i antyfony, dostosowane do dnia i miejsca; odczytywane są lekcje do dnia odpowiednie. (...) Kapłan wstępuje na podwyższenie i czyta tekst zapisany w Ewangelii: „Gdy przyszedł Jezus do Betanii na sześć dni przed Paschą" itd. (...) Dlatego to w tym dniu się to odbywa, bo w Ewangelii jest napisane, iż szóstego dnia przed Paschą stało się to w Betanii.

Egeria, *Pielgrzymka do miejsc świętych* 29,3-6

Zbliżając się do Jerozolimy będziemy coraz częściej sięgali do tekstów Egerii. Wcześniej przytaczaliśmy jej komentarze z wizyty w Galilei (patrz: ss. 78). Kim była Egeria? I dlaczego jej dzienniki są tak ważne?

Wydaje się, iż była to hiszpańska zakonnica, która odbyła długą pielgrzymkę po wschodniej części Cesarstwa Rzymskiego w latach 381–384 po Chr. Do Jerozolimy przybyła z Konstantynopola przed Wielkanocą roku 381. Przebywała następnie w Ziemi Świętej trzy lata, podejmując podróże do Egiptu, na pustynię Synaj, do góry Nebo i do Galilei. Po Wielkanocy roku 384 wyruszyła w podróż powrotną do Konstantynopola przez Antiochię i Edessę. Musiała odznaczać się wielkim hartem ducha i silną konstytucją fizyczną, wszystkie podróże odbyła bowiem pieszo lub na mule.

Szczegółowe dzienniki podróży prowadziła z myślą o zakonnicach ze swojego zgromadzenia. Jedyny zachowany manuskrypt, odkryty w Arezzo w roku 1884, uważany jest do dziś za kluczowy tekst, pozwalający zrozumieć skalę i zakres chrześcijańskiego pielgrzymowania w okresie pierwszych dwóch pokoleń po intronizacji Konstantyna. Na jego podstawie można było zlokalizować niemal każde miejsce wymienione w księgach Nowego Testamentu (a także wiele miejsc starotestamentowych); w wielu z nich znajdowały się chrześcijańskie świątynie. Do Ziemi Świętej pielgrzymowały rzesze ludzi ze wszystkich zakątków Cesarstwa i spoza niego. Wielu zakonników i wiele zakonnic pozostawało na stałe w Jerozolimie i Betlejem.

Opracowano kalendarz uroczystości związanych z poszczególnymi zdarzeniami ewangelicznymi i obchodzonych w odpowiednim czasie. Tak powstał „rok liturgiczny" (opracowany prawdopodobnie przez biskupa Cyryla z Jerozolimy), który został przyjęty przez Kościół powszechny i jest obchodzony od wielu wieków (patrz: s. 198). Niektóre z nabożeństw odbywały się na Górze

Oliwnej – w Ogrójcu lub w kościele Eleona w pobliżu wierzchołka wzniesienia. Większość jednak odprawiano w kompleksie budynków wzniesionych na Golgocie oraz przy grobie Jezusa. Egeria opisuje te obiekty jako „wielki kościół" lub Martyrium (co oznacza świadek), obszar „przed Krzyżem" oraz Anastasis („zmartwychwstanie"). Komentuje też często swą radość z powodu starannego wyboru czytanych tekstów Pisma Świętego, czytanych stosownie do miejsc i czasu obchodzenia poszczególnych wydarzeń.

Oto kilka fragmentów ukazujących sposób przeżywania przez Egerię upamiętnienia wejścia Jezusa do Jerozolimy w Niedzielę Palmową roku 384. Można się domyślać, że biskup Cyryl grał rolę Jezusa, jadąc na ośle – choć autorka wyraźnie tego nie napisała!

Następnego dnia więc, to jest w dzień Pański rozpoczynający tydzień paschalny (...) każdy idzie do swego domu, aby się szybko posilić; wszyscy bowiem z początkiem siódmej godziny [1 po poł.] chcą być w kościele, którym jest w Eleona, to jest na Górze Oliwnej; tam jest owa grota, w której Pan nauczał. (...) Z początkiem godziny dziewiątej [3 po poł.], śpiewając hymny, wyruszają pod górę do Inbomon, to jest do miejsca, skąd Pan wstąpił do nieba, i tam siadają. Cały lud bowiem w obecności biskupa zawsze musi siedzieć (...).

Z początkiem godziny jedenastej [5 po poł.] [następuje] odczytanie ustępu z Ewangelii, w którym jest mowa, iż dzieci z gałązkami i palmami zabiegły drogę Panu (...). Po czym zaraz wstaje biskup i cały lud i schodzą pieszo ze szczytu Góry Oliwnej. Cały lud, śpiewając hymny i antyfony, wyprzedza biskupa i zawsze odpowiada: „Błogosławiony, który przybywa w imię Pańskie".

I wszystkie dzieci tamtejsze – nawet takie, które jeszcze chodzić nie mogą, bo są słabe i obejmują szyję swoich rodziców – trzymają gałązki, jedne palm, inne oliwek; prowadzą biskupa w ten sposób, jak woncza prowadzono Pana. I tak idą wszyscy pieszo ze szczytu góry do miasta, a potem przez całe miasto do Anastasis; wśród idących są znakomite niewiasty i panowie.

Egeria, *Pielgrzymka do miejsc świętych* 30-31

Patriarcha greckiego Kościoła prawosławnego wraz z duchowieństwem w Betanii w „sobotę Łazarza" (dzień przed Niedzielą Palmową)

Wnętrze tradycyjnego
grobu Łazarza

znajdować się na cmentarzu (inne groby z tego okresu znaleziono w pobliżu, nieco dalej na północ). Najstarsze pisemne wzmianki o nim pochodzą z III wieku (Euzebiusz z Cezarei, *Onomastikon*). Do czasu wizyty Egerii w latach osiemdziesiątych IV wieku na wschód od grobu wybudowano kościół z atrium i pasażem prowadzącym na zachód w kierunku grobu. W świątyni tej odprawiano nabożeństwa dla pielgrzymów, zwłaszcza w Wielkim Tygodniu, lecz już wtedy była ona za mała w stosunku do potrzeb. Dwieście lat później radykalnie ją powiększono.

Dowody istnienia tych dwóch różnych świątyń zbudowanych w tym samym miejscu można obejrzeć podczas zwiedzania **współczesnego kościoła Ojców Franciszkanów**, w którym zwracają też uwagę piękne malowidła ścienne przedstawiające sceny związane z Betanią. Sam grób trzeba jednak zwiedzać osobno, gdyż w międzyczasie powstało szereg późniejszych budynków, w tym niewielki meczet. Autentyczności tego miejsca nie można wykluczyć, choć pierwotne powierzchnie skalne są obecnie zasłonięte przez obmurowania – prawdopodobnie wykonane przez krzyżowców podczas budowy kościoła.

Procesje chrześcijan Kościoła zachodniego w Niedzielę Palmową rozpoczynają się w sąsiedniej wiosce **Betfage**, lecz nie przechodzą przez Betanię (el-Azarijeh), która ożywa natomiast w sobotę poprzedzającą o tydzień Wielkanoc prawosławną, kiedy to barwne procesje przechodzą do grobu z kościoła parafialnego, znajdującego się w odległości 450 m w kierunku wschodnim. Tego ranka radzimy zwiedzającym opuszczenie komory grobowej przed przybyciem duchownych i rozpoczęciem przez nich czytania fragmentu 11 rozdziału Ewangelii według św. Jana. Zdarzało się już bowiem, że po potężnych słowach Jezusa: „Łazarzu, wyjdź na zewnątrz!", z grobu wyłaniali się nieświadomi niczego turyści.

Każdy dom jest Betanią, jeśli mieszka w nim Chrystus.

Patience Strong

Góra Oliwna

(...) wieczorem zaś wychodził i noce spędzał na górze zwanej Oliwną.
Ewangelia według św. Łukasza 21,37

Potem wyszedł i udał się, według zwyczaju, na Górę Oliwną; towarzyszyli Mu także uczniowie.
Ewangelia według św. Łukasza 22,39

Wtedy wrócili do Jerozolimy z góry, zwanej Oliwną, która leży blisko Jerozolimy, w odległości drogi szabatowej.
Dzieje Apostolskie 1,12

Ulubione miejsce Jezusa

W czasach Jezusa Górę Oliwną, jak jej nazwa wskazuje, pokrywały gaje oliwkowe. Podejście z Betanii na jej szczyt zajmowało około 20 minut, i tyleż trwało zejście jej zachodnimi stokami do Jerozolimy. Jest to w istocie wzniesienie najbardziej wysunięte na południe z łańcucha wzgórz (obejmującego m.in. górę Skopus), tworzącego naturalną barierę między Jerozolimą i Pustynią Judzką na wschodzie.

Góra Oliwna w Starym Testamencie

Autor psalmu z uznaniem wyrażał się o różnych wzniesieniach otaczających Jerozolimę, np.: „Góry otaczają Jeruzalem: tak Pan otacza swój lud" (Ps 125,2). Z nich wszystkich Góra Oliwna jest najwyższa, a jej wierzchołek znajduje się na wysokości 90 metrów nad miastem. Strażnicy pełniący służbę na murach miejskich „wznosili swe oczy ku górom", wypatrując pojawienia się wrogów, a „wyglądając świtu" i pierwszych promieni słońca oświetlających grzbiet Góry Oliwnej (por. Ps 121,1; 130,6) najczęściej kierowali wzrok ku wschodowi.
W Starym Testamencie Góra Oliwna wymieniona jest pięciokrotnie:
- W obliczu zdrady Absaloma król Dawid uciekł z miasta „(...) na Górę Oliwną. Wchodził na nią płacząc" (2 Sm 15,30).
- Ponad 300 lat później, zgodnie z 2 Księgą Królewską (23,13) reformator religijny król Jozjasz „splugawił wyżyny", które „stały naprzeciw Jerozolimy, na południe od Góry Oliwnej" – wzniesione tam przez króla Salomona dla bogów (Asztarty, Kemosza i Milkoma), czczonych przez jego cudzoziemskie żony.
- W sensie bardziej pozytywnym Góra Oliwna występuje w rytuałach związanych ze świątynią, a w szczególności w ceremoniach oczyszczających, towarzyszących ofiarowaniu czerwonej jałówki. Izraelici mieli nakazane wykonywanie tych niezwykłych

ofiar „poza obozem" (por. Lb 19,1-10), tak więc zgodnie z Miszną najwyższy kapłan wychodził ze świątyni i spełniał tę ofiarę na szczycie Góry Oliwnej.

- W zupełnie innym duchu pojawia się Góra Oliwna w Księdze Ezechiela. Prorok Ezechiel w swojej wizji „chwały Pańskiej" widział ją jako opuszczającą świątynię. „Odeszła chwała Pańska z granic miasta, i zatrzymała się na górze, która leży na wschód od miasta" (Ez 11,23). W tym dramatycznym widzeniu sądu Bożego Góra Oliwna była jak gdyby „ostatnim punktem kontaktu" z obecnością Bożą, która następnie opuściła swój naród, by już nie powrócić.

Widok w kierunku zachodnim ponad szczytem Góry Oliwnej, w stronę Wzgórza Świątynnego; widoczna dzwonnica to wieża widokowa rosyjska na Górze Oliwnej przy sanktuarium Wniebowstąpienia

◆ I wreszcie, niektórzy z późniejszych proroków przedstawiali Boga objawiającego się, by sądzić narody, w dolinach i na wzgórzach otaczających Jerozolimę. Joel (Jl 4,2) opisuje takie zdarzenia z Doliny Jaszafat (zidentyfikowanej później jako Dolina Cedronu), natomiast Zachariasz wybiera Górę Oliwną: „Wtedy Pan wyruszy do boju i będzie walczył przeciwko ludom (...). W owym dniu dotknie stopami Góry Oliwnej, która jest naprzeciw Jerozolimy od strony wschodniej, a Góra Oliwna rozstąpi się w połowie od wschodu ku zachodowi" (Za 14,4). Te potężne wizje sądów Bożych mogły przyczynić się do rozwoju żydowskich praktyk związanych z pochówkami na stokach góry (a także w Dolinie Cedronu), z którymi mogło wiązać się przekonanie, że pogrzebani tam właśnie zmarli otrzymają jako pierwsi błogosławieństwo Boga w dniu sądu.

Miejsce ucieczki i odejścia, miejsce bałwochwalstwa, spełniania ofiar, sądu i pochówku – oto niektóre obrazy związane z Górą Oliwną, obecne w umysłach Żydów współczesnych Jezusowi.

Miejsce wytchnienia pielgrzymów

Góra Oliwna jawi się także jako miejsce wypoczynku utrudzonych pielgrzymów, przybywających od strony Jerycha, z których wielu miało okazję oglądać świątynię jerozolimską po raz pierwszy w życiu. Wielu też z pewnością na tym miejscu spało. W okresach poprzedzających Paschę liczba ludzi przebywających w Jerozolimie potrajała się, przy czym większość pielgrzymów nocowała pod drzewami na stokach Góry Oliwnej, na której poza – Betanią i Betfage – było niewiele ludzkich siedzib.

Wzgórze, o którym mowa, pojawia się często w relacjach z ostatniej wizyty Jezusa w Jerozolimie. Tam właśnie można Go było spotkać, gdy nie znajdował się w mieście (w obrębie jego murów) lub nie zażywał wytchnienia w Betanii. Trzysta lat później Euzebiusz pisał o Górze Oliwnej jako o często odwiedzanej przez Jezusa (Euzebiusz z Cezarei, *Życie Konstantyna* 3,43). Wiążą się z nią także trzy epizody ewangeliczne – „triumfalny wjazd" do miasta, rozmowa Jezusa z uczniami na temat przyszłości świątyni oraz ostatnia przed pojmaniem modlitwa w Ogrójcu – gaju oliwnym położonym u podnóża góry.

Triumfalny wjazd do Jerozolimy

Zbliżał się już do zboczy Góry Oliwnej, kiedy całe mnóstwo uczniów poczęło wielbić radośnie Boga za wszystkie cuda, które widzieli. I wołali głośno: „Błogosławiony Król, który przychodzi w imię Pańskie".
Ewangelia wedlug św. Łukasza 19,37-38

„Wjazd triumfalny" to osobliwe określenie jeszcze bardziej osobliwego zdarzenia. Zgodnie z wyraźną intencją miało być ono chwilą dramatyczną, starannie zaplanowaną przez Jezusa, symbolicznie nie mającą w sobie jednak nic „triumfalnego". Jezus postanowił wjechać do Jerozolimy nie na koniu, lecz na ośle! Realizując ten plan, płakał, co raczej nie zdarzało się triumfującym zwycięzcom, wjeżdżającym do miast w tzw. glorii chwały. Relacja Łukasza, piszącego o spontanicznym wybuchu radości uczniów na stoku Góry Oliwnej, daje dobre wyobrażenie o uniesieniu pielgrzymów, gdy otwierała się przed nimi panorama miasta. Był to moment, którego oczekiwali przy każdej wizycie w Jerozolimie. Tym razem jednak utrudzeni drogą Galilejczycy pragnęli zaprezentować mieszkańcom miasta kogoś niezwykłego – potężnego Nauczyciela i Cudotwórcę; kogoś, kto w ich mniemaniu miał wprowadzić ludzi do długo oczekiwanego „królestwa Bożego".

Trudno się dziwić, że nie podobało się to niektórym faryzeuszom. Jezus nie starał się jednak uciszać tłumów, zaś uczniowie byli przekonani, że postępują słusznie. Był to moment kluczowy w historii Jerozolimy – być może najważniejsza chwila jej przeznaczenia – czas, dla którego układano kiedyś jej kamienie. I wówczas Jezus daje zagadkową odpowiedź faryzeuszom, domagającym się uspokojenia tłumów: „Powiadam wam: jeśli ci umilkną, kamienie wołać będą" (Łk 19,40).

Ów „król" nie był jednak zwykłym władcą. Rozmyślny wybór osła oznaczał, że przybywał w pokoju, a nie z myślą o prowadzeniu wojny. Rzucał wprawdzie konkretne *wyzwanie* władzom Jerozolimy, dawał im jednak do zrozumienia, że nie muszą obawiać się konfrontacji *militarnej*. Niektórzy Jego zwolennicy mogli mieć na ten temat inne zdanie, On jednak nie przyszedł, by inicjować zbrojną walkę – czy to z pogańskimi Rzymianami, czy też z żydowską arystokracją skupioną wokół świątyni. Zamiast tego, po swoim spektakularnym „wkroczeniu" do miasta wyszedł z niego, udając się na noc do Betanii (Mk 11,11). Ci, którym paliło się w głowach, musieli być bardzo rozczarowani. Jezus nie zamierzał jednak „kuć żelaza".

Dla tych, którzy dobrze znali proroctwa Starego Testamentu, osioł oznaczał coś jeszcze. Zachariasz przewidział mianowicie radość Jerozolimy z przybycia jej króla.

Jedź, jedź w Majestacie, w skromnym przepychu jedź ku śmierci.

Henry Milman, *Ride on, ride on in Majesty*

Raduj się wielce, Córo Syjonu, wołaj radośnie, Córo Jeruzalem! Oto Król twój idzie do ciebie, sprawiedliwy i zwycięski. Pokorny – jedzie na osiołku (...). On (...) pokój ludom obwieści. Jego władztwo sięgać będzie od morza do morza, od brzegów Rzeki aż po krańce ziemi.

Księga Zachariasza 9,9-10

Jezus wybierając osiołka, świadomie nawiązuje do tego proroctwa. Chciał bowiem nie tylko uzmysłowić ludziom „łagodność" swojej władzy, lecz także to, iż jest prawdziwym królem Jerozolimy i rzeczywistym władcą świata. Zakres Jego władzy jest przeogromny, mimo że nie posługuje się siłą wojskową. Był to prawdziwy akt mesjanistyczny – dowód, że był z dawna oczekiwanym Zbawcą Izraela, „namaszczonym" Mesjaszem, Tym, który będzie rządzić Izraelem i resztą świata.

Zdarzenie, o którym mowa, ma jeszcze głębszą i bardziej tajemniczą warstwę znaczeniową, albowiem w myśli biblijnej „król Syjonu" był też pojmowany jako *sam Bóg*. Jerozolima była – jak nazwał ją sam Jezus – „miastem wielkiego Króla" (Mt 5,35), miastem, którego prawdziwym władcą jest tylko Bóg Izraela. W psalmach określano Jerozolimę jako „miasto Boga" (Ps 46,4; 48,1), a w słynnej wizji Izajasza określony został czas, w którym Pan obwieszcza Syjonowi (Jeruzalem): „Twój Bóg zaczął królować", a strażnicy miasta oglądają „powrót Pana na Syjon" (por. Iz 52,7-8). Czyżby Jezus dawał do zrozumienia – dosiadając osiołka jako „król Syjonu" – że oto nadszedł ten moment, w którym *sam Bóg* powraca do niego?

Jak wiemy, wcześniej prorok Ezechiel twierdził, że widział obecność Pana odchodzącą z Syjonu w kierunku wschodnim i nad Górą Oliwną. Jest więc coś dziwnie potężnego w obrazie Jezusa zstępującego z tejże góry do miasta – powracającego do niego ze wschodu na zachód. Czy był On w jakimś sensie wcieleniem obecności Bożej; Boga powracającego w ludzkiej postaci do Jerozolimy po tych wszystkich wiekach? Jeśli tak, to nie możemy się zbytnio dziwić, że po pewnym czasie w świątyni rozgorzały spory. Był to dla Jerozolimy i świątyni moment krytyczny i decydujący – przybycie prawdziwego władcy w osobie samego Boga.

To właśnie głębsze znaczenie, leżące pod powierzchnią zjawisk i „zakryte przed twoimi [tj. miasta] oczami" może wyjaśniać płacz Jezusa w tym doniosłym momencie: „Gdy był już blisko, na widok miasta zapłakał nad nim" (Łk 19,41). Jezus widział rzeczy, których nie dostrzegali Jego wyznawcy i krytycy. Według Jego własnych słów był to naprawdę „czas przyjścia Boga" (lub, bardziej dosłownie, czas boskiego „nawiedzenia"). Była to dla Jerozolimy „godzina" przeznaczenia. *Miasto* Boga było wówczas świadkiem przybycia Syna Bożego – prawdziwego jego władcy.

Miasto jednak „nie rozpoznało" tej chwili, a jego ślepota miała przynieść tragiczne konsekwencje: „(...) twoi nieprzyjaciele otoczą cię (...) i nie zostawią w tobie kamienia na kamieniu" (Łk 19,43). Dysponujący profetycznym wglądem Jezus potrafił przewidzieć klęski, które miały spaść na to miasto w ciągu jednego pokolenia. Widział rzymskie legiony obozujące wokół niego oraz zniszczenie świątyni.

Była to wizja przerażająca. Jej spełnienie miało być częściowo efektem błędów politycznych i niezdolności narodu żydowskiego do znalezienia właściwych warunków pokoju („tego, co przyniosłoby wam pokój"), a częściowo nacjonalizmu Żydów oraz ich tęsknoty do całkowitej niezależności od władzy i dominacji pogan. Miało ono nastąpić, ponieważ mieszkańcy Jerozolimy nie potrafili dostrzec, że ich aspiracje duchowe, wynikające z tradycji biblijnych, mogłyby być autentycznie zaspokojone w zupełnie inny sposób za sprawą nastawionego pokojowo Mesjasza z Nazaretu. Gdyby potrafili widzieć to, co oferował im

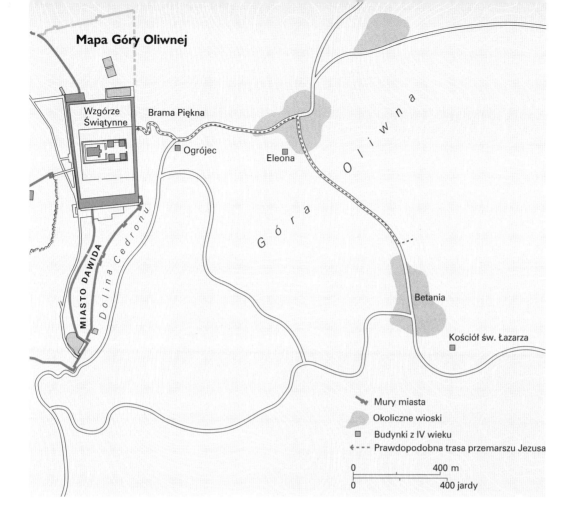

Mapa Góry Oliwnej

Wzgórze Świątynne

Brama Piękna

Ogrójec

Eleona

Góra Oliwna

MIASTO DAWIDA

Dolina Cedronu

Betania

Kościół św. Łazarza

Mury miasta

Okoliczne wioski

Budynki z IV wieku

Prawdopodobna trasa przemarszu Jezusa

0   400 m

0   400 jardy

Jezus, nie podejmowaliby walki. Mogli być Izraelem w zupełnie inny sposób – stając się ludem Bożym w świecie i dla świata. Nie przyjęli jednak oferty alternatywnego spełnienia własnych nadziei. Rezultat tego był wystarczająco smutny, by skłonić do płaczu każdego miłującego lud Boży. Nie bez powodu więc tak zwany „triumfalny wjazd" zakończył się płaczem.

Tajemnicze objawienia na Górze Oliwnej

Gdy niektórzy mówili o świątyni, że jest przyozdobiona pięknymi kamieniami i darami, powiedział: „Przyjdzie czas, kiedy z tego, na co patrzycie, nie zostanie kamień na kamieniu, który by nie był zwalony".
Ewangelia według św. Łukasza 21,5-6

Kilka dni później Jezus mówił ponownie o zniszczeniu świątyni. W naturalnym odruchu uczniowie pytali Go, kiedy to się stanie. Odpowiedzią była długa nauka skierowana do czterech z nich, z którymi Jezus siedział gdzieś „na Górze Oliwnej, naprzeciw świątyni" (Mk 13,3). W wypowiedzi tej, znanej dziś jako „dyskurs apokaliptyczny" (czyli rozważa-

Prawdziwa historia podaje, że w tej właśnie grocie Chrystus, Zbawiciel wszystkich, wtajemniczył uczniów w swe niezbadane tajemnice.

Euzebiusz z Cezarei
Życie Konstantyna 3,43

nie „odsłaniające" boskie tajemnice teraźniejszości i przyszłości), Jezus potraktował pytania uczniów dotyczące zburzenia świątyni (które mogło im się wydawać „końcem" znanego im świata Żydów), jako punkt wyjścia do ujawnienia innych aspektów ostatecznego końca wszystkich rzeczy i zjawisk.

W nauce tej Jezus mówił o zniszczeniu Jerozolimy, *jak również* o „przyjściu Syna Człowieczego". Odwołanie się do tych dwóch, jakże odległych poziomów znaczeniowych musiało wywołać ogromny zamęt – i w umysłach uczniów, i zwykłych ludzi – zamęt, który do dziś nie został przezwyciężony. Mimo to owe tajemnicze wypowiedzi Jezusa na Górze Oliwnej były czymś bardzo odpowiednim.

Nie tylko bowiem Zachariasz kojarzył to wzgórze z *własnymi* apokaliptycznymi wizjami przyszłości; było ono również (jako jedyne miejsce, z którego widać całą Jerozolimę) naturalną scenerią dla Jezusowych refleksji o losie miasta, a także prób zmuszenia uczniów do wzniesienia się ponad nie i dostrzeżenia w większej skali planów Bożych dla świata. Ponadto, miejsce to było usytuowane „naprzeciw" świątyni, dlatego świetnie nadawało się do kwestionowania odwiecznych poglądów o jej wyjątkowości i unikalności oraz ukazywania innego ośrodka, wokół którego koncentrowały się zamysły Boże – „Syna

Człowieczego" w Jego własnej osobie. W ten sposób *fizyczny* kontrast między świątynią i Górą Oliwną symbolicznie podkreślał kontrast *duchowy* między świątynią i Jezusem, sygnalizując przeniesienie boskiego skupienia z pierwszego obiektu na drugi. Oczywistą intencją Jezusa było uwolnienie uczniów od tęsknot związanych ze świątynią oraz zastąpienie ich nową wizją zasadniczego zaangażowania w Jego osobistą misję. Tam właśnie, na Górze Oliwnej, ich poczucie lojalności miało zostać przeniesione ze świątyni jerozolimskiej na Jezusa.

Umiejscowienie tego ważnego wydarzenia miało też swój aspekt praktyczny, na Górze Oliwnej można było bowiem znaleźć spokojne miejsce, oddalone od zgiełku miasta nawiedzanego przez pielgrzymów. Było to miejsce „ciszy przed burzą". Coś z tego można wyczuć w trzecim i ostatnim epizodzie ewangelicznym na Górze Oliwnej przed śmiercią Jezusa – Jego modlitwą w Ogrójcu, gdzie spędził ostatnie chwile spokoju przed pojmaniem i egzekucją.

Ogrójec – ostatnie miejsce spokoju

Potem wyszedł i udał się, według zwyczaju, na Górę Oliwną: towarzyszyli Mu także uczniowie. Gdy przyszedł na miejsce, rzekł do nich: „Módlcie się, abyście nie ulegli pokusie". A sam oddalił się od nich na odległość jakby rzutu kamieniem, upadł na kolana i modlił się tymi słowami: „Ojcze, jeśli chcesz, zabierz ode Mnie ten kielich! Jednak nie moja wola, lecz Twoja niech się stanie!"

Ewangelia według św. Łukasza 22,39-42

Słowo „Getsemani" (Ogrójec) oznacza „prasę do wyciskania oliwy". Była to prawdopodobnie ogrodzona działka ziemi, być może należąca do któregoś z przyjaciół i uczniów Jezusa, na której znajdował się gaj oliwny (sad oliwkowy) i kilka urządzeń do tłoczenia oliwy. Jezus i jego uczniowie nocowali tam zapewne w dniach poprzednich, odseparowani nieco od galilejskich pielgrzymów, biwakujących na stoku góry. Ewangeliści piszą, że Jezus udał się tam „według zwyczaju" (Łk 22,39) oraz, że Judasz znał dobrze to miejsce, „bo Jezus i uczniowie Jego często się tam gromadzili" (J 18,2). Tak więc Jezus wybrał na swoją ostatnią modlitwę miejsce dobrze znane. W świetle pełni paschalnego księżyca, intonu-

I odszedłszy nieco dalej, upadł na twarz i modlił się tymi słowami: „Ojcze mój, jeśli to możliwe, niech Mnie ominie ten kielich! Wszakże nie jak Ja chcę, ale jak Ty".

Mt 26,39

jąc kilka hymnów lub psalmów przedzielonych ponurą ciszą, przeszli po Ostatniej Wieczerzy w Górnym Mieście do Doliny Cedronu, a potem udali się w górę do Ogrójca. „To powiedziawszy Jezus wyszedł z uczniami swymi za potok Cedron. Był tam ogród, do którego wszedł On i jego uczniowie" (J 18,1).

Widzimy tu Jezusa pogrążonego w „udręce", samotnego, oddalonego od śpiących uczniów i modlącego się żarliwie do Ojca. Ci sami trzej uczniowie, którzy jeszcze nie tak dawno widzieli Jezusa przemienionego, zanim zmorzył ich sen – obserwując Go, mogli się przekonać, jak bardzo był udręczony. Dowiadujemy się też, że Jezus wiedział o nieuchronności śmierci krzyżowej; gdyby bowiem był jakiś inny sposób wypełnienia Jego misji, z pewnością zostałby znaleziony. „Kielich" był starotestamentowym symbolem „gniewu Bożego"; spożycia jego zawartości Bóg wymagał od swoich wrogów (por. Jer 25,15-16). Teraz Jezus miał pić z kielicha cierpienia, będącego symbolem gotowości przyjęcia śmierci.

Najważniejszą lekcją płynącą z Ogrójca jest jednak to, że Jezus dobrowolnie wybrał drogę prowadzącą Go na krzyż. Nie był to przypadek. Gdyby bowiem chciał uciec, mógłby ukryć się w Betanii (odległej o 40 minut marszu) albo na pustyni. Czekał jednak w Ogrójcu, prawdopodobnie przez dwie lub trzy godziny (jego uczniowie, jako rybacy, byli przyzwyczajeni do czuwania w nocy, a mimo to *trzykrotnie* zasypiali). Umiejscowienie Ogrójca mówi nam więc bardzo wiele na temat natury misji Jezusa. Gdyby chciał *walczyć,* wkroczyłby do miasta od zachodu; gdyby zamierzał *uciec* i zaznać spokoju, przeszedłby przez Górę Oliwną na wschód. On jednak pozostawał odważnie w najbardziej niebezpiecznym miejscu, pozornie bierny i zdany na łaskę innych, lecz – według ewangelistów – naprawdę panujący nad sytuacją.

I oto Judasz, po pośpiesznych rozmowach i naradach w mieście, nadchodzi na czele straży świątynnej. Widząc Jezusa, napastnicy wahają się przez chwilę, po czym Judasz całuje Jezusa, co jest umówionym znakiem do Jego aresztowania. Jezus zostaje pojmany, związany i zabrany do miasta. Dwaj uczniowie podążają za Nim w bezpiecznej odległości, inni jednak uciekają w jedynym możliwym kierunku – na szczyt Góry Oliwnej i do Betanii.

Po zmartwychwstaniu – z Jerozolimy na Górę Oliwną

Na tym się jednak historia nie kończy. Góra Oliwna powraca – warto zauważyć – w szczególnym okresie po zmartwychwstaniu Jezusa.

Zacznijmy od tego, że po opuszczeniu grobu Jezus był widziany wielokrotnie, choć ewangeliści nie precyzują dokładnie miejsc, w których się ukazywał. Należy przypuszczać, iż działo się to na Górze Oliwnej, z dala od miejskich tłumów. Jednym z wielu miejsc mogło być na przykład to, gdzie Jezus odbył wcześniej ważną rozmowę z Szymonem Piotrem (zob. Łk 24,34). Niektórzy sugerowali, że Piotr, pełen wyrzutów sumienia z powodu zaparcia się Jezusa, powrócił do Ogrójca, chcąc tam właśnie rozmyślać i modlić się – i wtedy spotkał Jezusa.

Gdzie mogło dojść do spotkania z dwiema kobietami, opisanego przez św. Mateusza (por. Mt 28,9-10). Jeśli większość uczniów była w Betanii, to mogły one być w drodze z nieoczekiwaną wiadomością o pustym grobie i właśnie spotkały Jezusa – gdzieś na Górze Oliwnej.

Góra Oliwna miała być też miejscem Jego ostatecznego odejścia – zwanego wniebowstąpieniem (zob. Dz 1,1-12). Wspomnieliśmy już (s. 111), że według św. Łukasza było to gdzieś w pobliżu Betanii: „(...) wyprowadził ich ku Betanii" (Łk 24,50). W drugim tomie

ok. 980 prz. Chr.	Dawid ucieka przed Absalomem przez Górę Oliwną (zob. 2 Sm 15,30); później król Salomon wznosi na niej posągi obcych bóstw (zob. 1 Kr 11,7-8)	ok. 200	Apokryficzna *Apokalipsa św. Jana* (rozdz. 97) opisuje ukazanie się Jezusa Janowi w pieczarze na Górze Oliwnej (rzekomo podczas ukrzyżowania)	400–600	Budowa klasztorów i kościołów na Górze Oliwnej
ok. 622 prz. Chr.	W ramach reform króla Jozjasza pogańskie posągi zostają usunięte (zob. 2 Krl 23,13)	ok. 290	Euzebiusz z Cezarei opisuje wielu chrześcijan odwiedzających Górę Oliwną.	ok. 1198	Saladyn przekazuje tytuł do posiadania miejsca wniebowstąpienia Jezusa swoim dwóm towarzyszom
ok. 592 prz. Chr.	Przebywający na wygnaniu Ezechiel ma wizję „chwały Pańskiej" opuszczającej świątynię (zob. Ez 11,23)	333	Górę Oliwną odwiedza Pielgrzym z Bordeaux	1857	Przy kościele „Ojcze Nasz" powstaje siedziba francuskiego zakonu sióstr karmelitanek
		ok. 335	Zakończenie budowy kościoła Eleona nad grotą na Górze Oliwnej (Euzebiusz z Cezarei, *Życie Konstantyna* 3,43)	1883	Franciszkanie budują kościół w Betfage
ok. 30 po Chr.	Pobyt Jezusa na Górze Oliwnej			1924	Benedyktyni budują w Ogrójcu kościół Wszystkich Narodów
ok. 55	Prokurator Antoniusz Feliks udaremnia próbę zdobycia Jerozolimy przez fałszywego proroka z Egiptu, którego siły zgrupowały się na Górze Oliwnej (Józef Flawiusz, *Wojna żydowska* 2,13.5)	381–84	Egeria opisuje swoją wizytę na Górze Oliwnej, a w szczególności nabożeństwa w Eleona i na szczycie góry	1955	Franciszkanie budują kościół Dominus Flevit
		392	Poimenia, należąca do rodziny cesarskiej, buduje pierwszy kościół Imbomon dla upamiętnienia wniebowstąpienia Jezusa		

swoich pism (Dz 1,12) Łukasz pisze po prostu o „górze zwanej Oliwną". Dokładna lokalizacja tego wydarzenia nie jest więc znana. W każdym razie nic nie sugeruje, aby dokonało się ono na najwyższym szczycie, lecz raczej gdzieś w innym miejscu na Górze Oliwnej.

Przemawia za tym nie tylko fakt spędzenia tam ostatnich dni w towarzystwie uczniów, lecz także bliskość Jerozolimy; wszak Góra Oliwna „leży blisko Jerozolimy, w odległości szabatowej" (Dz 1,12) i – symbolicznie – znajduje się „naprzeciw" miasta. Innymi słowy, była idealnym miejscem dla zawarcia nowego przymierza z Bogiem. Jezus wskazał, że dni szczególnego statusu Jerozolimy jako centrum Bożych planów wkrótce się wypełnią. Miasto doświadczyło czegoś nowego, co oznaczało, że nigdy już nie będzie tym, czym było. Tym „czymś" był sam Jezus, który pokazał Żydom, że to On, a nie ich „święte miasto", powinien być ośrodkiem uwagi i obiektem czci. Świątynia stała na „Górze Pańskiej" (Iz 2,2). Teraz, w całkiem realnym znaczeniu, Góra Oliwna miała przejąć tę rolę.

Dlatego więc Jezus wziął uczniów tam właśnie. Być może było to kolejne echo wizji Ezechiela, w której „chwała Pańska", opuszczając miasto Jeruzalem, zatrzymała się nad Górą Oliwną. Mogło też być nieoczekiwanym spełnieniem niezwykłego proroctwa Zachariasza o tym, że „Pan dotknie stopami Góry Oliwnej" (Za 14,4). Tak czy owak, tam właśnie „(...) uniósł się w ich obecności w górę i obłok zabrał Go im sprzed oczu" (Dz 1,9) – po zapowiedzi, że we właściwym dniu powróci.

Góra Oliwna dzisiaj

W miarę zbliżania się do Jerozolimy nasza marszruta coraz bardziej się komplikuje. Rozmieszczenie miejsc opisanych w Ewangeliach nie jest zbyt wygodne dla każdego, kto chce je odwiedzać tak, by dostosować się do chronologicznego porządku zdarzeń z życia Jezusa. Ponadto, bywamy czasem zmuszani do rozważania różnych epizodów związanych z odwiedzanymi miejscami (proponowaną marszrutę dla odwiedzających Jerozolimę i jej okolice zamieściłem na stronie 130). Problem ten pojawia się już przy Górze Oliwnej, z którą wiążą się zarówno wydarzenia Niedzieli Palmowej, jak i wniebowstąpienie Jezusa. Jest to również doskonałe miejsce, z którego można obejrzeć całą okolicę oraz zapoznać się z topografią Jerozolimy. Wielu odwiedzających zaczyna tam zwiedzanie miasta, a ich uwaga koncentruje się raczej na jego panoramie (patrz: s. 117), a nie na samej Górze Oliwnej i na związanych z nią miejscach ewangelicznych.

Górę Oliwną najlepiej zwiedzać pieszo. Przed południem można wyruszyć na szczyt z Betfage i zejść koło Ogrójca do starej Jerozolimy, by zdążyć na obiad. W dalszej części tego rozdziału podążymy śladami wyimaginowanych pielgrzymów, których poranek zastał właśnie w Betfage (punkcie wyjściowym Jezusowego „triumfalnego wjazdu").

Do Betfage (którego nazwa oznacza dosłownie „dom niedojrzałych fig") można dojechać z różnych stron. Nie ma drogi łączącej to miejsce z Betanią (pokonanie pieszo tego dystansu to 15 minut przyjemnego spaceru), istnieje za to dojazd od południa. Odwiedzający najczęściej jednak dojeżdżają szeroką drogą prowadzącą od północno-wschodniego krańca Starego Miasta, następnie skręcają w prawo na skrzyżowaniu u szczytu wzniesienia, przejeżdżają przez wioskę Et Tur, a następnie kierują się w lewo w kierunku Betfage, pokonując ciasny i wąski zakręt. Warto zauważyć, że wspomniane wcześniej skrzyżowanie (w najwyższym punkcie wzniesienia drogi) znajduje się dokładnie na „przełęczy", przez którą biegła kiedyś **rzymska droga** z Jerycha do Jerozolimy. Do tego samego skrzyżowania możemy też dojechać od północy lub od wschodu. W pierwszym przypadku warto zwrócić uwagę na widoki pustyni otwierające się spoza terenów Uniwersytetu Hebrajskiego na górze Skopus oraz z rejonu szpitala Augusta Victoria. Dojazd od strony wschodniej pokrywa się ze szlakiem starożytnej drogi rzymskiej (jest jednak dość stromy i dla niektórych pojazdów trudny do pokonania).

W dzisiejszym **Betfage** widoczną z daleka budowlą jest kościół zbudowany w roku 1883 na ruinach kościoła średniowiecznego. Dokładna lokalizacja starożytnej wioski jest dość trudna, jednak z całą pewnością miejsce to leży w niewielkiej od niej odległości. W IV wie-

Góra Oliwna widziana z murów Starej Jerozolimy (z miejsca przy Bramie św. Szczepana); na obszarze byłego Ogrójca stoją dwie świątynie – rosyjska cerkiew św. Marii Magdaleny (ze złotymi kopułami) oraz kościół Wszystkich Narodów bliżej głównej drogi; w czasach Jezusa cała Góra Oliwna była obsadzona oliwkami, ale uprawy te zostały zniszczone w 70 roku przez wojska rzymskie oblegające Jerozolimę

ku zbudowano w nim niewielki kościółek, upamiętniający spotkanie Jezusa z Marią i Martą (na drodze z Betanii). Krzyżowców zainteresował też duży głaz, znajdujący się obecnie we wnętrzu kościoła; wyobrażali sobie, że z jego pomocą Jezus dosiadał osiołka (zapominając, że podpora taka raczej nie była Mu potrzebna, jechał przecież na małym osiołku, a nie na dużym koniu).

To spokojne sanktuarium może być idealnym miejscem rozpoczęcia medytacji wydarzeń Niedzieli Palmowej. Niektórzy pielgrzymi stąd właśnie udają się pieszo w milczeniu na szczyt góry. W każdą Niedzielę Palmową z kościoła wyrusza niewiarygodnie długa procesja (której koniec zwykle nie jest jeszcze uformowany, gdy czoło dociera do Starej Jerozolimy); uczestniczący w niej wierni niosą sztandary i głośno wołają "Jedzie Król w Majestacie" lub "Hosanna Synowi Dawidowemu!". Można sobie wówczas łatwo wyobrazić entuzjazm tłumów, towarzyszących "prorokowi z Galilei" podczas dramatycznego i osobliwego wkroczenia do stolicy kraju.

Na szczycie Góry Oliwnej zmuszeni jesteśmy przerwać kontemplację wydarzeń Niedzieli Palmowej. Około trzydziestu metrów na prawo znajduje się niewielki meczet na ogrodzonym terenie, stojący – zgodnie z tradycją – w **miejscu wniebowstąpienia Jezusa**. Jest to dokładny wierzchołek Góry Oliwnej. W IV wieku chrześcijanie bizantyjscy uznali to właśnie miejsce za najbardziej odpowiednie dla upamiętnienia tego wydarzenia (aczkolwiek Biblia nie wspomina ani słowem, by nastąpiło ono na szczycie wzniesienia).

Tak czy owak, pierwszy bizantyjski kościół na Górze Oliwnej, znany jako Eleona, zbudowano w innym miejscu – 45 metrów na południe, nad istniejącą tam grotą. Pierwotne próby wykorzystania tej budowli do upamiętnienia wniebowstąpienia zostały jednak udaremnione przez pielgrzymów, którzy pragnęli zachowywać w pamięci miejsce "otwarte na niebo". Już podczas wizyty Egerii w latach osiemdziesiątych IV wieku nabożeństwa odprawiano poza świątynią, na pobliskim wzgórku, a dziesięć lat później kobieta imieniem Poimenia ufundowała odpowiednią strukturę (znaną jako Imbomon). Nie była to świątynia w ścisłym znaczeniu tego słowa, a raczej zaokrąglony podwórzec, otoczony kolumnadą, z naturalną skałą w części centralnej oraz z ubitą ziemią, na której pielgrzymi odnajdywali znaki kojarzone ze śladami stóp Jezusa.

Dziś na tym miejscu znajdują się budowle krzyżowców, przejęte później i zmodyfikowane przez muzułmanów. Wprowadzone przez nich zmiany polegały głównie na zadaszeniu części środkowej oraz dodaniu *mihrabu* – niszy modlitewnej zwróconej w stronę Mekki. Zachowało się też coś, co zgodnie z tradycją ma być śladem prawej stopy Jezusa. Wierni prawosławni nadal modlą się w święto Wniebowstąpienia Pańskiego na tym ośmiokątnym dziedzińcu, ale nie jest to dobre miejsce na rozważanie tej tajemnicy wiary, a więc i opisu ewangelicznego tego wydarzenia. Szkoda, że tak się dzieje – zważywszy, że jest ono bardzo ważnym punktem doktryny chrześcijańskiej. Jego znaczenie teologiczne pozostaje jednak niezmienione, niezależnie od geograficznych wątpliwości i osobliwości dziejowych.

Kolejnym obiektem godnym odwiedzenia jest **kościół "Ojcze Nasz"** – częściowa rekonstrukcja kościoła bizantyjskiego na Górze Oliwnej; znanego jako Eleona (dosłownie: "z oliwek"). Po przeprowadzeniu prac wykopaliskowych na miejscu ukrzyżowania architekci Konstantyna przystąpili do budowy dwóch świątyń – na Górze Oliwnej i w Betlejem. W przekonaniu biskupa Euzebiusza z każdym z trzech ważnych miejsc o kluczowym znaczeniu dla chrześcijaństwa (narodzin Jezusa, Jego śmierci i zmartwychwstania oraz wniebowstąpienia) związana była jakaś "grota". Ta "uporządkowana", lecz przy tym całkowicie sztuczna koncepcja okazała się na dłuższą metę nieprzekonująca. Dlatego Euzebiuszowa "promocja groty wniebowstąpienia" nie zyskała zwolenników. Jak wiemy, zdarzenie to zostało upamiętnione nieco dalej na wzgórzu.

Do dzisiejszego dnia Góra Oliwna, teraz jeszcze kierująca oczy wiernych na Tego, który na chmurze wstąpił do nieba.
Święty Cyryl Jerozolimski, Katechezy 14,23

Możemy dziś wejść do owej „groty" znajdującej się w podziemiach sanktuarium kościoła bizantyjskiego. Archeolodzy Konstantyna, jak się wydaje, odkopali grobowiec *kokh* i do-
konali jego obmurowania; mimo to pierwotna materia skalna jest dziś łatwo widoczna.
Warto też zauważyć, że niektórzy biskupi Jerozolimy (w tym św. Cyryl) zostali pochowani
na Górze Oliwnej, prawdopodobnie w owej grocie lub w jej pobliżu. Mimo całej osobliwości idei, „grota wniebowstąpienia" miała dla wczesnych chrześcijan doniosłe znaczenie
(zob. s. 129); nie można też wykluczyć, że Jezus w jakimś momencie mógł z niej korzystać.
Jednego możemy być pewni: za Jego życia ta grota na pewno tam istniała.

Po wyjściu z podziemi, możemy wyrobić sobie pogląd na temat rozmiarów kościoła Eleona, zarówno jego nawy, jak i dziedzińca po stronie zachodniej. Możemy też zapoznać się
z 62 wersjami Modlitwy Pańskiej w różnych językach! Skojarzenie tego miejsca z jej prze-
kazaniem przez Jezusa jest znacznie późniejsze – dotyczy okresu przed wyprawami krzyżo-
wymi. Od tamtej pory stanowiło silnie ugruntowaną tradycję.

Po wyjściu z kościoła, zwiedzający skręcają zwykle w lewo, kierując się na południe,
nieświadomi tego, co za chwilę zobaczą. Nagle, po ominięciu kilku budowli po prawej
stronie, otwiera się przed nimi panorama Jerozolimy, co pozwala zyskać ogólniejszą
orientację w terenie (patrz: s. 130). Warto w tym momencie wrócić do tematu Niedzieli
Palmowej, przypominając sobie wyrazisty tekst Łukasza: „Zbliżał się już do zboczy Góry
Oliwnej, kiedy całe mnóstwo uczniów poczęło wielbić radośnie Boga (...). I wołali głośno"
(Łk 19,37). Ewangelista uchwycił tu znakomicie ów elektryzujący moment, w którym Jerozolima ukazywała się nareszcie oczom
pielgrzymów.

Po zejściu z kilku stopni, nagle rozpoczynamy dość strome zejście z Góry Oliwnej.
Na wprost widnieje muzułmańska Kopuła
Skały; po lewej stronie widać groby z I stulecia (błędnie kojarzone z niektórymi prorokami Starego Testamentu), a po prawej niewielki kościółek z wyróżniającym się dachem, mający formę łzy. To kościół **Dominus
Flevit** (łac.: Pan zapłakał), zbudowany przez
franciszkanów w roku 1955 w miejscu dawnego klasztoru bizantyjskiego i często używanych cmentarzy, intensywnie ewokujący
chwilę w której Jezus zapłakał nad Jeruzalem (zob. Łk 19,41-44).

Jerozolima
widziana przez
okno kościoła
Dominus Flevit;
krzyż i kielich
znajdują się celowo
na osi bazyliki
Grobu Pańskiego,
a nie Kopuły na
Skale

Spoglądając przez zwieńczone łukiem okno z centralnym motywem kielicha na miejsce
tradycyjnie identyfikowane z Golgotą, mamy szczegółowy ogląd Jerozolimy; miasta,
w którym – jak dowiadujemy się z Ewangelii – Jezus został odrzucony i zabity, i które „nie
rozpoznało godziny nadejścia Pana". Siedząc na zewnątrz, na ogrodowych murach, i wsłu-
chując się w szum miejski po drugiej stronie doliny, warto spojrzeć na Jerozolimę współczesną oczami Jezusa, który ją opłakiwał. Paradoksalne jest to, że słowo „Jeruzalem" znaczy „miasto pokoju". Znając ogrom nieszczęść, jakich doświadczało to miasto przez wieki, trudno nie wspomnieć w takiej chwili potężnych słów Jezusa: „O gdybyś i ty poznało
w ten dzień *to, co służy pokojowi!*" (Łk 19,42).

Schodząc ze zbocza Góry Oliwnej, otoczeni wysokimi murami, mijamy kilka bram i dochodzimy w końcu do rosyjskiej **cerkwi św. Marii Magdaleny**. Bramy świątyni otwarte są
tylko przez kilka godzin w tygodniu, może więc być konieczna ponowna wizyta w tym

Euzebiusz z Cezarei i Góra Oliwna

Po 300 roku Góra Oliwna była miejscem najbardziej sprzyjającym ewangelicznym refleksjom. W przeciwieństwie do miasta, które do tego czasu dwukrotnie już niszczono, na Górze Oliwnej niewiele się zmieniło.

Potwierdza to Euzebiusz, uczony chrześcijański, którego siedzibą i miejscem pracy była Cezarea Nadmorska (zob. s. 14). Komentując tekst proroka Zachariasza („W owym dniu dotknie stopami Góry Oliwnej" (Za 14,4), pisał on, co dzieje się ok. 315 roku:

Wyznawcy Chrystusa przybywają tu z całego świata (...), by się przekonać, że miasto było oblegane i niszczone zgodnie z przepowiedniami proroków, oraz by oddawać cześć Bogu na sąsiadującej z nim Górze Oliwnej (...).

[Tam również] odeszła chwała Pańska z granic miasta [Ez 11,23] (...). Tamże, zgodnie z otrzymanym i znanym przekazem, stawiał swe stopy Pan nasz i Zbawca, będący samym Słowem Boga, obecnym w przybytku ciała ludzkiego, który przybył na Górę Oliwną do groty tamże pokazywanej; tam też, na szczycie Góry Oliwnej modlił się i objawiał uczniom swoim tajemnice swego końca, po czym dokonał Wniebowstąpienia.

Euzebiusz z Cezarei, *Ewangeliczny dowód* 6,18

Pielgrzymki wczesnochrześcijańskie

Biorąc poprawkę na możliwe wyolbrzymienia, z pism Euzebiusza wnioskujemy, że wielu chrześcijan pielgrzymowało do Jerozolimy przed erą Konstantyna. Znamy imiona tylko nielicznych: Melito z Sardis; Aleksander (któremu podczas wizyty w Ziemi Świętej proponowano biskupstwo Jerozolimy); Orygenes (biblista aleksandryjski kontynuujący swoje badania Pisma Świętego w Cezarei Nadmorskiej), a także Polikarp (umęczony później za wiarę w Smyrnie). W innym dziele Euzebiusz wspomina, że pielgrzymi odwiedzali Ogrójec i rzekę Jordan (*Onomastikon*, 74,16-18; 58,19). Pisze jednak, iż Góra Oliwna była głównym miejscem ich „pielgrzymiej ofiary". Ogólnie rzecz biorąc, pielgrzymowanie do Ziemi Świętej nie polegało w tym okresie na gruntownym badaniu „miejsc świętych" oraz ich poszukiwaniu i identyfikowaniu, z którym mamy do czynienia w IV stuleciu. Było to raczej coś, co byśmy dziś nazwali „świadomą chrześcijańską turystyką".

Znaczenie upadku Jerozolimy w roku 70 po Chr.

Teksty Euzebiusza z Cezarei dają nam wyobrażenie o podejściu pierwszych chrześcijan do upadku Jerozolimy. Było ono postrzegane jako potężne potwierdzenie Ewangelii – spełnienie przepowiedni zawartych w Starym Testamencie i w słowach Jezusa. Zniszczenie świątyni jerozolimskiej zakończyło erę biblijnej historii, w której zamysły Boże skupione były na konkretnej ziemi. Teraz, zgodnie z proroctwem Izajasza (2,2) „słowo Pańskie" wychodziło „z Jeruzalem", by dotrzeć „do krańców ziemi" (por. Iz 2,2).

Oznaczało to, że Jerozolima, choć wciąż interesująca historycznie, utraciła swój status teologiczny. Cytując List do Galatów (4,26) i List do Hebrajczyków (12,22), Euzebiusz twierdził, że chrześcijanie nie powinni koncentrować się na Jerozolimie, lecz na „mieście niebiańskim" lub „duchowym". Sugerował też, że chrześcijanie odwiedzający Jerozolimę powinni skupić swoją uwagę na implikacjach owych spektakularnych zniszczeń. Wysoce „uduchowione" koncepcje Euzebiusza zaczęły tracić na znaczeniu wraz z odnową zainteresowania chrześcijan materialną substancją Jerozolimy w dobie Konstantyna.

Tajemnicza grota

Euzebiusz wspomina o grocie, „tamże pokazywanej". Najwyraźniej owa grota w pobliżu szczytu Góry Oliwnej została skojarzona przez chrześcijan z wydarzeniami z życia Jezusa. Pierwotnie mogło to być po prostu wygodne miejsce do wspólnych modlitw w małych grupach – osłonięte przed ludźmi i kaprysami pogody. Stopniowo jednak zaczęto ją łączyć z Jezusowym „dyskursem apokaliptycznym" (zob. Łk 21,5-36), jak też z innymi rozmowami, które Jezus prowadził z uczniami przed wniebowstąpieniem (zob. Dz 1,3-8).

Dziś wyobrażamy sobie takie sceny na „wolnym powietrzu", w miejscach, z których widać było panoramę miasta i świątyni. Z ideą groty lub pieczary wiązała się konotacja przekazywania przez Jezusa ukrytych prawd, dotyczących przyszłości (a także „tajemnicy Jego końca"). Inspirowała ona również wyobraźnię członków grup heretyckich – stąd jej pojawienie się w apokryficznej Apokalipsie św. Jana.

Pod koniec życia Euzebiusz starał się rozwinąć swoją „teologię grot". Triadę tajemnych pieczar reprezentowały i promowały trzy nowe kościoły zbudowane w okolicach Jerozolimy w czasach Konstantyna. Była to koncepcja elegancka, lecz mało przekonująca. Niemniej jednak wątek tajemnicy przewija się wyraźnie w barwnych tekstach Euzebiusza, dotyczących budowy kościoła Eleona, którą podjęto po wizycie w Jerozolimie matki cesarza, Heleny:

Dalej matka cesarza wybudowała jeszcze okazałe budowle na Górze Oliwnej, na pamiątkę Wstąpienia do Nieba Tego, który jest Zbawcą rodzaju ludzkiego, wznosząc na samym szczycie góry święty budynek kościoła wraz z oratorium. Prawdziwa historia podaje, że w tej właśnie grocie Chrystus, Zbawiciel wszystkich, wtajemniczył uczniów w swe niezbadane tajemnice. Również i tutaj cesarz uczcił wielkiego Króla przez różnorakie ofiary i ozdoby.

Euzebiusz z Cezarei, *Życie Konstantyna* 3,43

129

miejscu. Szczególnie warto posłuchać pięknych pieśni liturgicznych śpiewanych przez małe grupy zakonnic. Nabożeństwa wielkopiątkowe i wielkanocne mogą być wielkim przeżyciem; wejściem do zupełnie innego świata.

Ogrójec najlepiej odwiedzać w godzinach rannych, przed południowym zamknięciem terenu na przerwę obiadową. Dokładnego miejsca, w którym Jezus się modlił, nie można już dziś ustalić, wiadomo jednak z całą pewnością, że znajdowało się ono po prawej stro-

Cztery dni w Jerozolimie

W Jerozolimie – jak w każdym mieście współczesnym – jest znacznie więcej rzeczy wartych obejrzenia, niż można zobaczyć w ciągu kilku dni, lecz nawet tak krótki czas wystarcza do zapoznania się z ogólnym charakterem miejsca i najważniejszymi jego obiektami. Sugerowane poniżej propozycje adresujemy do osób, pragnących spędzić w mieście i jego okolicach długi weekend, oraz szczególnie zainteresowanych wydarzeniami nowotestamentowymi.

Piątek

Wyjeżdżamy z miasta wcześnie rano z zamiarem obejrzenia Morza Martwego oraz ruin Masady i Qumran. Wracając późnym popołudniem zatrzymujemy się na Pustyni Judzkiej w miejscu, z którego widać Wadi al-Qelt. Następnie wracamy na Górę Oliwną i tuż przed zachodem słońca oglądamy „panoramę" miasta (z punktu widokowego przed hotelem Siedmiu Łuków. Miejsce to nadaje się świetnie do pierwszego całościowego spojrzenia na miasto od strony, z której zbliżał się do niego Jezus.

Sobota

Wycieczka do Betlejem (Pole Pasterzy, Plac Żłóbka i bazylika Narodzenia Pańskiego); obiad w Betlejem (np. w jednej z instytucji chrześcijańskich). Powrót do Jerozolimy i popołudniowa wizyta na górze Syjon, (Wieczernik, kościół św. Piotra „in Gallicantu", kościół Zaśnięcia NMP); piesza wycieczka o zachodzie słońca do Muru Zachodniego i obserwacja zakończenia szabatu.

Niedziela

Poranne nabożeństwo w bazylice Grobu Pańskiego i/lub w innych kościołach Starego Miasta (kościół Zbawiciela; kościół św. Jana) ze śniadaniem w pobliżu. Obiad w okolicy kolumnady Cardo Maximus, a po nim zwiedzanie domów herodiańskich lub Spalonego Domu w dzielnicy żydowskiej. Późnym popołudniem wizyta w Instytucie Yad Vashem i/lub Muzeum Izraela (ze Świątynią Księgi) w Jerozolimie zachodniej.

Poniedziałek

Wyjazd do Betfage wczesnym rankiem. Przed południem wycieczka piesza przez Górę Oliwną do sadzawki Betesda lub miejsca wykopalisk przy łuku Ecce Homo. Obiad na początku lub na końcu Drogi Krzyżowej. Wczesnym popołudniem zwiedzanie bazyliki Grobu Pańskiego. Zwiedzanie grobu w ogrodzie (i wizyta w księgarni).

Niektóre osoby wyjeżdżające następnego dnia do Galilei korzystają z możliwości cichego porannego spaceru przez Pustynię Judzką (wzdłuż szlaku starożytnej drogi rzymskiej w kierunku monasteru św. Jerzego Koziby), co daje sposobność do refleksji inspirowanych zwiedzaniem Jerozolimy.

Turyści mogą również nawiązać kontakt z mieszkańcami miasta, by dowiedzieć się czegoś o jego życiu. W tym celu organizuje się specjalne spotkania, przeważnie w godzinach wieczornych. Może to być np. udział w piątkowym zebraniu chrześcijan palestyńskich, wycieczka z przewodnikiem do dzielnicy żydów ortodoksyjnych w sobotę (po szabacie), ewentualnie niedzielne spotkanie z Żydami wyznania chrześcijańskiego. Możliwe są również spotkania z muzułmanami, Żydami i chrześcijanami obrządku ormiańskiego, podczas których usłyszeć można wiele różnych poglądów religijnych i politycznych. Kontakty takie dają odwiedzającym wyobrażenie o złożoności życia społeczno-religijnego współczesnej Jerozolimy oraz panujących w niej napięciach.

Miasto dysponuje bogatą ofertą noclegową, od eleganckich hoteli w części zachodniej do mniejszych schronisk w rejonie Starego Miasta i jego okolicach. Wiele osób pragnie być blisko jerozolimskiej Starówki – nawet gdy tam nie nocują – by móc do niej dotrzeć pieszo bez większego trudu (i zwiedzić ten rejon samodzielnie). W tym celu najlepiej znaleźć zakwaterowanie na północ od Bramy Damasceńskiej.

nie. Od czasów poprzedzających erę Konstantyna chrześcijanie utożsamiali leżący tam duży naturalny głaz z miejscem agonii Jezusa. Stał się on punktem centralnym „pięknego kościoła", zbudowanego tuż przed wizytą Egerii w latach osiemdziesiątych IV wieku. Obecnie jest on eksponowany w dość ciemnym wnętrzu **kościoła Wszystkich Narodów**, odpowiedniego dla prywatnych modlitw, dających sposobność do osobistej refleksji nad słowami Jezusa wypowiedzianymi do uczniów w tym ogrodzie: „Tak, jednej godziny nie mogliście czuwać ze mną? Czuwajcie i módlcie się, abyście nie ulegli pokusie" (Mt 26, 40-41).

Nieopodal rosną stare drzewa oliwkowe, pomagające przenosić myśl do czasów Jezusowych. Jeśli nawet żadne z nich nie rosło za Jego życia, to dają przynajmniej dobre pojęcie o tym, jak mógł wyglądać gaj oliwkowy w I wieku – choć sąsiadująca z tym miejscem ruchliwa droga nie ułatwia mentalnego podróżowania w czasie. Osoby pragnące ciszy i spokoju mogą powrócić w to miejsce w godzinach popołudniowych bądź przejść się w górę zbocza, dalej od drogi, gdzie także rosną oliwki. Chcąc ujrzeć oczyma wyobraźni kroczącego tamtędy Jezusa, warto przyjść po zmroku – najlepiej podczas pełni księżyca.

Ogrójec jest dobrym miejscem na zakończenie wizyty na Górze Oliwnej. Tam właśnie Jezus musiał wybierać – ucieczkę za Górę Oliwną bądź pozostanie i oczekiwanie na ludzi mających Go pojmać. Wracając na obiad (najchętniej w rejonie Starego Miasta) warto pamiętać, że Jezus odbył i tę drogę – już po pojmaniu.

ROZDZIAŁ 11

Świątynia

Potem wszedł do świątyni i zaczął wyrzucać sprzedających w niej. Mówił do nich: „Napisane jest: «Mój dom będzie domem modlitwy», a wy uczyniliście z niego «jaskinię zbójców»".

I nauczał codziennie w świątyni. (...) podeszli arcykapłani i uczeni w Piśmie wraz ze starszymi i zapytali Go: „Powiedz nam, jakim prawem to czynisz albo kto Ci dał tę władzę?" (...).

Gdy podniósł oczy, zobaczył, jak bogaci wrzucali swe ofiary do skarbony. Zobaczył też, jak uboga jakaś wdowa wrzuciła tam dwa pieniążki (...). „Ta uboga wdowa wrzuciła więcej niż wszyscy inni" (...).

Gdy niektórzy mówili o świątyni, że jest przyozdobiona pięknymi kamieniami (...) powiedział: „Przyjdzie czas, kiedy (...) nie zostanie kamień na kamieniu".

Ewangelia według św. Łukasza 19,45-47; 20,1-3; 21,1-3.5-6a

Serce narodu

Nikt, kto odwiedzał Jerozolimę w I stuleciu, nie mógł pozostać obojętnym wobec świątyni. I nikt też nie miał takiej intencji. Jeszcze nie tak dawno odbudowana i rozbudowana przez Heroda Wielkiego, zajmowała niemal piątą część całej powierzchni miasta. Ktoś powiedział, że w czasach Jezusa nie było to „miasto ze świątynią", lecz „świątynia z miastem". Inaczej mówiąc, świątynia jerozolimska była sercem miasta w znaczeniu duchowym i fizycznym – jego *raison d'etre*.

Kiedy więc Jezus zbliżał się do Jerozolimy, było całkiem jasne, dokąd zmierza. „Tak przybył do Jerozolimy i wszedł do świątyni. Obejrzał wszystko, a że pora była już późna, wyszedł razem z Dwunastoma" (Mk 11,11), by następnego dnia powrócić. I od tej chwili zaczęły sypać się iskry.

Tak zwane „oczyszczanie świątyni" to jedna z najbardziej dramatycznych scen ewangelicznych (według relacji św. Jana Jezus używał nawet „bicza" do wygnania z budynku owiec i bydła). Dla badaczy o radykalniejszych poglądach jest to jeden z najbardziej oczywistych faktów w publicznej działalności Jezusa – wywołanie zamieszania w centralnym ośrodku kultowym Izraela, którego efektem było aresztowanie i późniejsza egzekucja. Co Go do tego skłoniło? Co dokładnie krytykował w świątyni? Jakie miał intencje i co zamierzał osiągnąć?

Świątynia w starotestamentowej myśli i praktyce

Aby sobie na te pytania odpowiedzieć, trzeba znać historię świątyni jerozolimskiej, której początki tkwią na pustyni. Izraelici wędrowali przez pustynię niosąc przenośny „przybytek", który miał postać namiotu. Na górze Synaj otrzymali instrukcje dotyczące sposobu oddawania czci Bogu, jak również poszukiwania „miejsca" w Ziemi Obiecanej, które Bóg wybrał jako „miejsce na mieszkanie dla imienia swego" (Pwt 12,11).

Kilka wieków później król Dawid miał nadzieję zbudować owo „miejsce przebywania chwały Pańskiej" na klepisku Arauny Jebusyty w nowej stolicy, Jerozolimie. Dzieła tego dokonał jednak dopiero jego syn Salomon. Z wędrującego plemienia Żydzi stali się ludem osiadłym, a nowym wcieleniem świętości Synaju stała się góra Syjon.

Wzniesiona na niej świątynia pozostawała sercem i symbolem Izraela przez prawie 400 lat. Zgodnie ze wskazaniami Tory (Pięcioksięgu) każdy Żyd, który ukończył dwunasty rok życia, powinien był ją odwiedzać trzy razy w roku (z okazji Paschy, święta Tygodni i święta Sukkot, czyli Namiotów). Jednakże, około roku 620 przed Chr. prorok Jeremiasz, stając na jej stopniach, zaczął upominać Żydów. Wskazywał, że przedmiotem ich czci stały się same jej mury, oraz że uczynili z niej „jaskinię zbójców" – miejsce intryg, w którym Pan został „wyzuty" z czci należnej Jego imieniu. Jeremiasz ostrzegał, że Bóg jest władny zniszczyć świątynię, którą sam powołał. Jakkolwiek była ona darem Bożym, to jednak mogła zostać ludziom odebrana, jeśli nie przestaną jej bezcześcić, nadużywać i wykorzystywać do celów niezgodnych z intencją Stwórcy. Trzydzieści lat później proroctwo się spełniło – Babilończycy zrównali świątynię z ziemią, a kilka lat później prorok Ezechiel miał wizję chwały Bożej opuszczającej świątynię. Tak oto jerozolimski dom Boży opustoszał.

Po powrocie uchodźców z niewoli babilońskiej świątynię odbudowano, była ona jednak

Panie, miłuję dom, w którym mieszkasz, i miejsce, gdzie przebywa Twoja chwała.
Ps 26,8

Południowa ściana potężnych fundamentów świątyni z czasów Heroda; kopuła na drugim planie należy do meczetu al-Aqsa.

Świątynia Heroda

Zainicjowane przez Heroda przedsięwzięcie było prawdziwie imponujące z architektonicznego punktu widzenia. Budowę świątyni rozpoczęto w roku 15 prz. Chr.; 46 lat później, w czasach działalności publicznej Jezusa, była ona nadal w toku (zob. J 2,20), a później kontynuowano ją jeszcze przez 30 lat. Z wielką budową wiązał się napływ do miasta ogromnej liczby robotników oraz jego ekspansja terytorialna w kierunku północno-zachodnim.

Wielkie marmurowe bloki wycinano w kamieniołomach, położonych na północ od Wzgórza Świątynnego. Największy z nich miał 12 metrów długości i 3 metry wysokości. Łatwo sobie wyobrazić ogromne trudności związane z przemieszczaniem tak wielkich brył oraz ich ustawianiem we właściwych miejscach. Musiało być ich wiele, bo architekci Heroda zaprojektowali rozszerzenie powierzchni fundamentów o 30 proc., czyli o 23 metry w kierunku południowym. Nie było to łatwe zadanie. W tym rejonie skalne podłoże opada dość stromo, należało więc zbudować najpierw ogromną platformę, a dopiero na niej położyć właściwe fundamenty konstrukcji świątyni w postaci czterech portyków i ogromnego „sanktuarium", czyli miejsca Święte Świętych, wznoszącego się na wysokość 40 metrów ponad poziom fundamentu.

Potrafimy dziś odtworzyć plan świątyni Heroda z dużym stopniem dokładności na podstawie opisów Józefa Flawiusza (*Wojna żydowska* 5,5) oraz późniejszych tekstów *Miszny*, pisanych około roku 200. Oba te źródła powstały po zburzeniu świątyni, mogą więc być obarczone błędami, ale wyłaniający się z nich ogólny obraz jest wiarygodny.

W ostatnich latach powstały dwa użyteczne modele świątyni oparte na tych dwóch relacjach – jeden w Jerozolimie (do niedawna w hotelu Holylend), a drugi w angielskim hrabstwie Suffolk (autorstwa Aleca Garrarda). Dają nam one dobre wyobrażenie o wyglądzie świątyni Heroda. Studiując je, warto zwrócić uwagę na następujące szczegóły:

- wyraźne rozgraniczenie koncentrycznych dziedzińców (dla kapłanów, żydowskich mężczyzn, żydowskich kobiet i pogan);
- wejścia – w szczególności Bramy Hulda po stronie południowej – pozwalające odwiedzającym docierać ukrytymi schodami do środkowej części dziedzińca pogan;
- miejsca rytualnych ablucji (*mikveh*) po południowej stronie tych wejść;
- południowo-zachodni narożnik, z którego dźwiękami trąby *szofar* sygnalizowano początek szabatu;
- wysokość całej platformy ponad poziomem ulicy (od zachodu) i Doliny Cedronu (od wschodu).

Wydaje się całkiem prawdopodobne, że dziedziniec pogan powstał po raz pierwszy podczas tej właśnie Herodiańskiej rekonstrukcji. Osoby nie będące narodowości żydowskiej nie miały nigdy wstępu na kolejne dziedzińce. W świątyni wzniesionej przez Heroda dopuszczono ich obecność jedynie w miejscu dla nich przeznaczonym. Nie wolno im było jednak przekraczać linii, którą wyznaczał *soreq* – niski, symboliczny płotek lub murek.

Na owej przegrodzie widniały ostrzeżenia, grożące utratą życia każdemu, kto ośmieliłby się je złamać. Jedno z nich (w języku greckim) zachowało się do dziś i można je oglądać w jerozolimskim Muzeum Rockerfellera. Święty Paweł miał niemal napewno na myśli *soreq* pisząc o tym, jak Jezus „burzył rozdzielający je [obie części ludzkości] mur" (Ef 2,14). Ten element żydowskiej świątyni należał do najbardziej widomych znaków wrogości pomiędzy Żydami i innymi narodami, która – jak sądził Paweł – została przez Jezusa radykalnie przełamana.

Model świątyni jerozolimskiej: wychodząc z dużego białego sanktuarium, w którym za kotarą znajdowało się Święte Świętych, widzimy dziedziniec dla mężczyzn, dla kobiet oraz dla pogan (na zewnątrz, bliżej kolumnady); warto zwrócić uwagę na cztery potężne menory na dziedzińcu dla kobiet (mające szczególne zastosowanie w dniu święta Namiotów), oraz wielką Bramę Nikanora dla kapłanów, zbliżających się do ołtarza (w pomieszczeniu wewnętrznym po stronie lewej)

tylko cieniem poprzedniej. Ci, którzy pamiętali jej dawniejszą świetność, płakali (Ez 3,12). Niewola się skończyła, lecz pamięć o niej pozostała. Dlatego przez następne pięćset lat Izraelici żyli ndzieją, że Bóg przywróci ich narodową tożsamość (a także świątynię) do dawnego stanu. Byli też i tacy (jak esseńczycy, mający swoją siedzibę w Qumran), którzy, porzucając świątynną hierarchię, tworzyli „alternatywne" społeczności religijne, lecz i oni trwali w modlitewnym oczekiwaniu Bożej interwencji, przywracającej chwałę świątyni w Jerozolimie. Żywiąc coraz silniejszą nadzieję na przyjście Mesjasza-króla, wielu wyobrażało go sobie jako nowego Salomona – władcę wznoszącego dom Boży według dawnych wzorów – nowego Pana nowej świątyni.

Te żydowskie oczekiwania musiały być dobrze znane Herodowi Wielkiemu, chociaż nie był Żydem. Tak czy owak, starał się umocnić swoją władzę w Judei, odbudowując świątynię w Jerozolimie. Czyniąc to, *sam* zamierzał być owym władcą, legitymizowanym przez świątynię Boga. Wielu Żydów miało w związku z tym mieszane uczucia. Rozpaczliwie pragnęli odbudowy świątyni, a jednocześnie wiedzieli, że „darowanemu koniowi nie zagląda się w zęby". Z drugiej strony, władza Heroda budziła ich niechęć – choćby dlatego, że nie był Żydem. Zadawano sobie pytania: Czy „poganin" może zbudować prawdziwą świątynię Pana? Czy świątynia taka będzie spełnieniem nadziei inspirowanej proroctwami? Czy może należałoby oczekiwać innej świątyni po przyjściu autentycznego Mesjasza? Z tych wszystkich względów możliwe było głębokie przekonanie o znaczeniu tradycji judaistycznej i samej świątyni z jednoczesną dezaprobatą *tej konkretnej* świątyni oraz tęsknotą do jej zastąpienia. Taki oto ideologiczny zamęt panował w czasie, gdy Jezus przybył do świątyni w Jerozolimie. Czy był to prawdziwy przybytek Boży? Co mogłoby go zastąpić? Kto sprawował tam rzeczywistą władzę?

Model Jerozolimy z I wieku: widok od strony sadzawki Siloe (Siloam, Sziloach) i wzgórza Ofel (południowo-wschodniej części Wzgórza Świątynnego) w kierunku wielkiej platformy świątynnej (u góry po prawej)

Sprawy doczesne – pogaństwo, korupcja i polityka

Prowokacyjne działania Jezusa w świątyni miały wiele znaczeń, nie powinniśmy więc interpretować ich w sposób uproszczony. Jezus podejmując je, na pewno chciał zasygnalizować wiele różnych spraw, ponieważ życie świątyni dostarczało wiele powodów do krytyki. Trzy z nich wydają się oczywiste, prócz nich istniały jednak głębsze, bardziej fundamentalne.

Po pierwsze, sprzeciw Jezusa budził sposób traktowania przez Żydów innych narodów i pogan. Jego konkretne działania na terenie świątyni niemal z całą pewnością dotyczyły dziedzińca pogan. Zgodnie ze szlachetną wizją proroka Izajasza świątynia miała być „domem modlitwy dla *wszystkich narodów*" (Iz 56,7), tymczasem jej część zewnętrzną opanowali ludzie trudniący się wymianą walut. Skoro była to jedyna przestrzeń, w której cudzoziemcy mogli czcić Boga Izraela, to fakt jej przekształcenia w miejsce spekulacji i handlu („jaskinię zbójców") był ewidentnym skandalem. Była to stosunkowo niedawna innowacja, bo wprowadzona około dwadzieścia lat wcześniej przez arcykapłana Kajfasza. Jezus domagał się jednak jej likwidacji, uważał ją bowiem za profanację świątyni.

Drugim przedmiotem krytyki były nadużycia finansowe. Wymagano mianowicie od wiernych, by płacili za zwierzęta ofiarne w szeklach tyryjskich, co stwarzało pole do wyzysku przy wymianie walut. Zgorszenie Jezusa faktem wykorzystywania ubogich wynika jasno z Jego komentarza na temat skromnego datku biednej wdowy i „ofiar" składanych przez bogaczy. Wygląda na to, że praktykowany w świątyni „rabunek w biały dzień" sprowokował Jezusa do gwałtownej reakcji.

Trzecie zagadnienie to wymiar polityczny świątyni, stającej się w coraz większym stopniu symbolem fanatycznego żydowskiego nacjonalizmu. Świątynia była pilnie obserwowana z rzymskiej fortecy Antonia, przy czym szczególną uwagę zwracano na wszelkie formy politycznego niepokoju. Przypominało to Żydom w sposób przykry i prowokujący o tym, kto sprawuje nad nimi polityczną kontrolę. Mimo to nacjonaliści zbierali się w świątyni i knuli w niej spiski. Sama świątynia rozbudzała żydowskie namiętności; rosło żarliwe pragnienie obrony „tego miejsca" przed wrogami Izraela. W Ewangeliach czytamy, że członkowie Sanhedrynu (głównej rady żydowskiej w Jerozolimie) obawiali się, iż działania Jezusa mogłyby wywołać polityczne niepokoje, w następstwie których „przyjdą Rzymianie, i zniszczą nasze miejsce święte i nasz naród" (J 11,48). Uważali oni, że miejsca tego należy bronić przed Rzymianami za wszelką cenę. W ten sposób świątynia jerozolimska stała się bastionem opozycji i głównym symbolem pragnienia politycznej niezależności.

Jezus wyraźnie wskazywał, że nacjonalistyczne przywiązanie do świątyni jest postawą niesłuszną i niewłaściwą. Miejsce przeznaczone do oddawania czci Bogu nie powinno stawać się ośrodkiem aspiracji politycznych. „Oddajcie więc Cezarowi to, co należy do Cezara, a Bogu to, co należy do Boga" (Łk 20,25) – przekonywał Jezus uczonych w Piśmie, wzywając, by nie odbierali Bogu miejsca kultu i nie wykorzystywali *Jego* świątyni do *własnych* celów. Nie posłuchano Go. Czterdzieści lat później stało się to, co przewidywał – gwałtowne starcia w świątyni oraz dysputy o jej „świętości" i niezależności stały się „zaproszeniem" dla rzymskiej armii.

Głębsze znaczenie – przeczucie zniszczenia?

Działania Jezusa były także formą proroczego ostrzeżenia przed tym, co miało się wkrótce dokonać. Jego wystąpienia nie były tylko krytyką niewłaściwych praktyk – szowinistycznych postaw wobec pogan, finansowej korupcji, politycznej intrygi. Jezus dokonywał boskiego osądu oraz jednoznacznie ostrzegał, bowiem dni tej świątyni były już policzone – nie bez związku z wielorakimi jej nadużyciami, których się dopuszczano. W tym sensie Jego działanie było „zwiastunem zniszczenia" oraz proklamacją zbliżającego się upadku świątyni Bożej.

Artystyczna wizja świątyni jerozolimskiej, nad którą góruje forteca Antonia

Do takich wniosków zmusza nas sama natura Jezusowych czynów. Krótkotrwały protest niczego by nie zmienił; wszystko działoby się po staremu już w następnej godzinie. Źródłem mocy dokonań Jezusa było ich symboliczne znaczenie. Były one podobne do działań proroków Starego Testamentu, dokonujących czynów niecodziennych i osobliwych (takich jak stłuczenie naczynia przez Jeremiasza) w celu przekazania potężnej lekcji ludowi Bożemu. Lekcja udzielona przez Jezusa wyrażała boskie niezadowolenie z tego, co działo się w świątyni – jak w czasach Jeremiasza.

Ewangelista Marek pomaga nam dostrzec wątki nadchodzącego zniszczenia, umieszczając je między dwoma zdarzeniami dotyczącymi drzewa figowego (por. Mk 11,12-14.20-21). W drodze do Jerozolimy Jezus przeklina drzewo figowe, które nie daje owoców – rzecz dziwna, nie była to bowiem pora owocowania tych drzew („nie był to czas na figi"). Następnego dnia, po „oczyszczeniu" świątyni, uczniowie donoszą ze zdumieniem, że „drzewo figowe, któreś przeklął, uschło". Co chce nam przekazać św. Marek, wplatając epizod ze świątynią między wydarzenia z figowcem?

Nie ma wątpliwości, że incydent z drzewem ma związek z działaniami Jezusa w świątyni oraz że chciał on w ten sposób przekazać uczniom głębsze ich znaczenie. Dwa profetyczne uczynki dostarczają sobie razem interpretacji. Marek sugeruje nam, iż „oczyszczenie" świątyni było w istocie jej „wyklęciem" prowadzącym do „uschnięcia". Było to również stwierdzenie, że w oczach Boga świątynia „nie daje owoców". Ewangelista tym samym potwierdza, że działanie Jezusa było zapowiedzią rychłego jej upadku.

Wystąpienie Jezusa przeciwko świątyni

Jezus wyraźnie zapowiada zniszczenie pięknych budynków świątynnych, mówiąc: „Nie zostanie tu kamień na kamieniu, który by nie był zwalony" (Mk 13,2). Przy tej okazji Chrystus objaśnia symboliczne znaczenie swoich profetycznych działań. Jednak Jego uczniowie patrząc na potężne bloki skalne i wspaniałą świątynię przede wszystki z przerażeniem pytają, kiedy nastąpi zapowiadane przez Niego zniszczenie świątyni herodiańskiej? Jezus, odpowiadając na ich pytanie, stwierdza, że stanie się to wkrótce po tym, jak obce wojska otoczą Jerozolimę (por. Łk 21,2-36; zob. s. 140).

Zresztą Jezus zapowiedział to już wcześniej – zarówno gdy nawiązywał do symboliki „domu" budowanego na piasku, a walącego się pod naporem wezbranych potoków i silnych wiatrów, jak i podczas tryumfalnego wjazdu do Jerozolimy, gdy nad nią zapłakał i powiedział, że przyjdą na Jerozolimę dni, gdy nieprzyjaciele otoczą ją wałem, „powalą na ziemię" i nie zostawią na niej „kamień na kamieniu" (por. Mt 7,26-27; Łk 13,35; 19,43-44). Co więcej, występował przeciw świątyni jerozolimskiej jako wyłącznej szafarce Bożego przebaczenia także w Galilei, gdy podczas swej publicznej działalności odpuszczał grzechy różnym ludziom (por. Łk 5,20; 7,48). Syn Boży przyszedł na ziemię i świątynia stała się zbyteczna. Tylko Jemu, a nie świątyni, przysługiwała władza odpuszczania grzechów. Jezus był tego świadom, bo przecież wskazując na siebie samego mówił: „Tu jest coś większego niż świątynia" oraz „oto tu jest coś więcej niż Salomon" (por. Mt 12,6.42); Salomon zaś był budowniczym pierwszej, również zburzonej, świątyni jerozolimskiej.

Są to więc wskazówki, że Jezus określał siebie jako Syna Człowieczego, który jako jedyny może przeciwstawić się świątyni, która pełniła różne role w Izraelu – była sercem narodu oraz miejscem przebaczenia i obecności Boga. teraz te funkcje On przejmował. To Chrystus, a nie świątynia, miał być dla Jego wyznawców „bramą i drogą" do Ojca w niebie.

Ewangelia według św. Jana – Jezus jako prawdziwa świątynia

Wątek ten rozwija najdobitniej ewangelista Jan, poświęcający sporo miejsca działaniom Jezusa w świątyni. Ma to na celu nie tylko uprzytomnienie, że bywał On w niej wielokrotnie przed kulminacyjnym zdarzeniem, lecz także przekazanie potężnej prawdy o Jezusie jako prawdziwej świątyni i rzeczywistym spełnieniu mesjańskiej obietnicy.

Święty Jan przekazuje to różnymi sposobami. Na przykład: podczas święta Namiotów, kiedy w świątyni odprawiano skomplikowany rytuał i zapalano wielkie menory, Jezus powiedział: „Jeśli ktoś jest spragniony, a wierzy we Mnie – niech przyjdzie do Mnie i pije!", a także: „Ja jestem światłością świata" (J 7,37; 8,12). Inaczej mówiąc, Jan widział duchowy sens i symbolikę w starożytnym obrządku, który Jezus wypełniał teraz swoją własną osobą.

Symbolika ta widoczna jest najwyraźniej w jego relacji z „oczyszczania świątyni", którą umieścił blisko początku swojej Ewangelii (zob. J 2,13-25), co może świadczyć o wielokrotnych konfrontacjach Jezusa ze świątynnymi obyczajami, bądź też podkreślić znaczenie tego wątku dla zrozumienia całości ewangelicznego przekazu. Tak czy owak, w Ewangelii Janowej znajdujemy stwierdzenie, trafiające w samo sedno sprawy. Kiedy bowiem pytano Jezusa, kto Mu pozwolił przewracać stragany, zaczął mówić o świątyni jako o „domu Ojca", a następnie wypowiedział znamienne słowa: „Zburzcie tę świątynię, a Ja w trzech dniach wzniosę ją na nowo" (J 2,19).

To osobliwie enigmatyczne i potężne zarazem stwierdzenie przeciwnicy Jezusa próbowali (nieskutecznie) przywoływać podczas Jego procesu. Oskarżyciele pamiętali, że wy-

Jezus dawał do zrozumienia, że sam jest Tym, czym była dotąd świątynia oraz że pełni jej funkcje (...). Wkraczał do Jerozolimy jako ucieleśnienie nowego systemu, z pełną świadomością reprezentowania Boga żywego – uzdrawiającego, odnawiającego i reorganizującego naród.

N.T. Wright

stępował w swych wypowiedziach przeciwko świątyni oraz że mówił o czymś, co miało nastąpić „w trzech dniach", nie pofrafili jednak odtworzyć dokładnego sformułowania (por. Mk 14,58). Powinno być jednak dla nas jasne, co następuje: Jezus używał swych działań w świątyni jako symbolu jej zniszczenia, wypowiadał się przeciwko „tej świątyni" w kontekście nadchodzącego jej upadku, a jednocześnie sugerował możliwość jej zastąpienia czymś nowym.

Jak już widzieliśmy, w niektórych nurtach judaizmu istniało pragnienie zastąpienia „świątyni Heroda" czymś, co wyobrażano sobie jako nową i większą świątynię. Jezus sugeruje jednak, że tym, co miałoby ją zastąpić, jest *On sam*. Dla ewangelisty Jana słowa „w trzech dniach" są wyraźną przepowiednią zmartwychwstania, co według niego oznaczałoby, że Jezus „mówił o *świątyni* swego *ciała*" (J 2,21). Skoro Jezus przyszedł, funkcje świątyni przestały być ważne, ponieważ na świecie zaczęła się epoka nowej rzeczywistości – Mistycznego Ciała Chrystusa.

W myśli biblijnej świątynia reprezentowała obecność Boga wśród Jego ludu. Jan pisze, że w ten sam sposób Jezus ucieleśnia Boską obecność na ziemi. „A Słowo stało się ciałem i zamieszkało wśród nas" (J 1,14). W ten sposób motyw świątyni, rozumiany zgodnie z wykładnią św. Jana, staje się żydowskim i biblijnym sposobem pojmowania tego, co chrześcijanie będą później nazywać wcieleniem – obecnością Jezusa jako Boga żyjącego pośród nas. Dawniej mieszkał On w świątyni, a teraz przebywa w Jezusie.

Autorytet Jezusa jako Mesjasza i Pana

W świetle tego wszystkiego trudno się dziwić, że przybycie Jezusa do Jerozolimy i Jego wkroczenie do świątyni musiały prowadzić do konfrontacji. Można powiedzieć, że „w mieście nie było dość miejsca" dla obu sposobów obecności Boga wśród ludzi.

Jezus wchodzący do świątyni nie tylko wyrażał społeczny protest, jawiąc się jako prorok głoszący druzgocące prognozy, lecz przede wszystkim rzucał wyzwanie świątyni mocą własnego autorytetu. Żydzi oczekiwali Mesjasza, który odbuduje świątynię i będzie nią władał. Nic dziwnego, że widząc Jego działania, przywódcy religijni zadali Mu pytanie o tytuł do władzy: „Powiedz nam, jakim prawem to czynisz albo kto Ci dał tę władzę?" (Łk 20,2). Pytający wyczuwali ukrytą w Jego działaniach mesjańską tożsamość. Ta sama kwestia wypłynęła później podczas procesu przed obliczem Kajfasza. Pytano Jezusa o stosunek do świątyni, spodziewano się bowiem, że zmusi Go to do jawnego potwierdzenia statusu Mesjasza.

W jeszcze głębszym sensie Jezus wszedł do świątyni jako jej prawowity dysponent i władca – jako *sam Pan*. W starotestamentowym proroctwie Malachiasza czytamy: „Oto ja wyślę anioła mego, aby przygotował drogę przede Mną" (Ml 3,1). Autorzy Ewangelii wierzyli, że zaczęło się ono spełniać, gdy św. Jan Chrzciciel przygotowywał nadejście Jezusa. W następnym wersecie Malachiasz pisze jednak wyraźnie: „(...) a potem nagle przybędzie do swej świątyni Pan" (Ml 3,2). Jeśli przyjście Jezusa było rzeczywiście spełnieniem tego proroctwa, to znaczy, że wkraczał on do świątyni jako jej Pan. Inaczej mówiąc, prawowity władca pojawił się nagle *w swoim własnym domu*. W efekcie słowa z Księgi Izajasza cytowane przez Jezusa podczas „oczyszczania świątyni" jawią się w nowym świetle, w którym stwierdzenie „*Mój* dom będzie domem modlitwy" nabiera dodatkowego, głębokiego sensu. Słowa Boga o *Jego* domu, wypowiedziane przez proroka Izajasza, stają się teraz słowami Jezusa o *Jego* domu. Był to subtelny przekaz dla tych, którzy potrafili pojąć, że w osobie Jezusa pojawił się prawowity władca świątyni, czyli sam Bóg.

Zniszczenie świątyni

Józef Flawiusz opisuje bardzo szczegółowo zburzenie świątyni jerozolimskiej oraz pożar Górnego Miasta w lecie roku 70. Oto opis chwil poprzedzających spalenie „Świętego Świętych (Przybytku)". Próbując tłumaczyć sobie w jakiś sposób te tragiczne wydarzenia, autor, jak się wydaje, stara się oczyścić Tytusa z osobistej intencji zniszczenia świątyni (Flawiusz pisał te słowa w Rzymie, adresując je do rzymskich czytelników) oraz sugeruje, że jej zagłada była „zrządzeniem losu".

Skoro już dwa legiony skończyły sypanie wałów – stało się to w ósmym dniu miesiąca Loos – Tytus rozkazał ustawić tarany naprzeciw zachodniego krużganka zewnętrznego dziedzińca świątynnego. (...) Tymczasem żołnierze podłożyli ogień pod bramy i topiące się srebro szybko otworzyło dostęp do drewna płomieniom, które gwałtownie strzeliły w górę i ogarnęły krużganki. Żydom, którzy patrzyli, jak dokoła szaleje pożar, nie stało zarówno sił ciała, jak i ducha.

Tytus tymczasem wycofał się do Antonii, postanowiwszy z brzaskiem następnego dnia uderzyć wszystkimi siłami i otoczyć Przybytek. Lecz Bóg już dawno skazał go na zniszczenie ogniem i skoro wypełniły się czasy, nadszedł ów przez los naznaczony dziesiąty dzień miesiąca Loos, dzień, w którym już kiedyś obrócił go w popiół król babiloński. (...)

Kiedy Cezar nie widział sposobu powstrzymania porwanych szałem żołnierzy i pożar się wzmagał, wszedł ze swoimi wodzami do wnętrza i oglądał święte miejsce Przybytku i to, co się w nim znajdowało (...). Gdy płomienie jeszcze w żadnym miejscu nie wdarły się do środka, lecz ogarnęły pomieszczenia wokół Przybytku, Tytus uważając (w czym się zresztą nie mylił), że można jeszcze uratować to dzieło, wypadł na zewnątrz i sam starał się nakłonić żołnierzy do gaszenia ognia. Lecz ani respekt dla Cezara, ani strach przed tym, który ich powstrzymywał, nie były w stanie pokonać wściekłości i nienawiści do Żydów i jeszcze gwałtowniejszego zapału do walki. Dla wielu pobudką była nadzieja rabunku, ponieważ żywili przekonanie, że wewnątrz Przybytku musi znajdować się mnóstwo skarbów, skoro, jak widzieli, wszystko dookoła było sporządzone ze złota. Ale kiedy Cezar wybiegł, aby powstrzymać żołnierzy, jeden z tych, którzy już wtargnęli do środka, podłożył w ciemności ogień pod zawiasy bramy. Wtedy nagle wewnątrz rozbłysnął płomień. (...) W taki to sposób Przybytek, wbrew woli Cezara, stał się pastwą płomieni.*

Trudno nie zapłakać gorzko nad losem dzieła, które było ze wszystkich, jakie kiedykolwiek poznaliśmy, czy to na własne oczy, czy też ze słyszenia, najwspanialsze tak pod względem budowy, rozmiarów i bogactwa w każdym szczególe, jak i rozgłosu, jakim cieszyły się te święte miejsca. Jednak największą pociechę można znaleźć w tym, że przed wyrokiem losu nie ujdą również dzieła sztuki i miejsca tak samo jak istoty żywe.

Józef Flawiusz, *Wojna żydowska* 6,4.1.2.5.7.8

Pozostawienie świątyni za sobą

Tak więc zgodnie z przekazem Nowego Testamentu świątynia jerozolimska znalazła swój odpowiednik w Jezusie, co było wyrazem jej prawdziwego znaczenia. Z Jego nadejściem jej duchowa moc w Nim została ukazana, przez dalszych czterdzieści lat wyznawcy Jezusa wciąż spotykali się tam przy różnych okazjach, wypełniając zwyczajowe obowiązki, nigdy jednak nie zapominali o Jego zapowiedzi, że świątynia zostanie zniszczona. Równocześnie zaczynali doświadczać nowej rzeczywistości, polegającej na tym, że wszyscy chrześcijanie w różnych częściach świata są prawdziwą świątynią. Pisząc do Koryntian św. Paweł odważnie ich pouczał: „Świątynia Boga jest święta, a wy nią jesteście" (1 Kor 3,17).

Autorzy Nowego Testamentu uczyli również, że docieranie z Dobrą Nowiną do wszystkich narodów ostatecznie unieważnia wyłączenie pogan z uczestnictwa w świątyni. Podczas swego pobytu w Jerozolimie w roku 57 św. Paweł został oskarżony o wprowadzanie do świątyni Greków (takich jak ewangelista Łukasz). Było to oskarżenie fałszywe, Paweł przestrzegał bowiem obowiązujących zwyczajów, choć logika jego nauczania wyraźnie wskazywała na inny kierunek myślenia. W świetle dostępnej dla wszystkich Ewangelii świątynia w sposób oczywisty należała już do przeszłości. Jej dni były policzone. Autor Listu do Hebrajczyków (rozwijając koncepcję, w myśl której śmierć Jezusa unieważniła potrzebę dalszego składania ofiar przez kapłanów) pisał: „(...) to, co się przedawnia i starzeje, bliskie jest zniszczenia" (Hbr 8,13). W kategoriach chrześcijańskiej teologii biblijnej świątynia nie była już potrzebna, ponieważ „(...) tu jest coś większego niż świątynia" (Mt 12,6).

Świątynia jerozolimska dzisiaj

Teren byłej świątyni (150 000 m² w sercu historycznej Jerozolimy), na którym działania Jezusa wywołały niegdyś burzę sporów, jest do dziś miejscem kontrowersji i napięć. Niewiele jest na świecie miejsc, budzących tak gwałtowne emocje.

A świątyni w nim [tj. w mieście] nie dojrzałem: bo jego świątynią jest Pan Bóg wszechmogący oraz Baranek.

Ap 21,22

Ważne daty – Świątynia jerozolimska

ok. 980 prz. Chr.	Dawid kupuje klepisko Arauny Jebusty (2 Sm 24,18-25)	ok. 8 po Chr.	Dwunastoletni Jezus siedzi z nauczycielami w świątyni i nazywa ją „domem swego Ojca" (Łk 2,49)	333	Pielgrzym z Bordeaux ogląda „wieżę" kojarzoną z kuszeniem Jezusa, „krew Zachariasza", widoczną wciąż na świątynnym ołtarzu, dwa pomniki Hadriana oraz „wydrążoną skałę, którą Żydzi co roku namaszczają" (BP 590-591)
ok. 976 prz. Chr.	Salomon buduje pierwszą świątynię (1 Krl 5–6)	30	Jezus, a później Jego apostołowie nauczają w świątyni (Łk 20-21; Dz 3-4)		
ok. 587/6 prz. Chr.	Zniszczenie świątyni przez Babilończyków	49	Masakra około dziesięciu tysięcy ludzi w świątyni (Józef Flawiusz, Wojna żydowska 2,12); do zdarzenia tego nawiązuje przypuszczalnie św. Paweł w 1 Liście do Tesaloniczan (1 Tes 2,16)	638	Do Jerozolimy wkraczają muzułmanie
ok. 515 prz. Chr.	Odbudowa świątyni w mniejszych rozmiarach przez Zorobabela, zachęconego przez proroków Aggeusza i Zachariasza (zob. Ezd 6)			691	Kalif Abd al-Malik z dynasti Omajjadów buduje Kopułę Skały
ok. 167 prz. Chr.	Antich IV Epifanes ograbia świątynię jerozolimską (1 Mch 1,20-24), która trzy lata później zostaje oczyszczona i poświęcona przez Machabeuszy (zob. 1 Mch 4,57-60; 12, 37)	57	Święty Paweł odwiedza świątynię i zostaje pobity i aresztowany pod fałszywym zarzutem wprowadzania pogan do świątyni (Dz 21, 27-29)	705–15	Budowa meczetu al-Aqsa
				1099–1187	Krzyżowcy, biorąc meczet al-Aqsa za „świątynię Salomona", a Kopułę Skały za „świątynię Pana", przystosowują te budowle do swoich celów
63 prz. Chr.	Pompejusz wchodzi do „Świętego Świętych" i, ku swemu zdumieniu, niczego w nim nie znajduje	62	Jakub (krewny Jezusa, syn Kleofasa i Marii) ginie śmiercią męczeńską, strącony ze świątynnej wieży (Euzebiusz z Cezarei, Historia kościelna 2,23)	1967	Wojska izraelskie zajmują platformę Kopuły Skały, a później oddają to miejsce pod kontrolę muzułmanów; rozbudowa kompleksu Muru Zachodniego
ok. 15 prz. Chr.	Herod Wielki rozpoczyna renowację i rozbudowę świątyni i jej fundamentów; św. Jan pisze później, że prace te trwały „46 lat" (J 2,20)	67	Świątynia staje się ośrodkiem zamieszek podczas pierwszego powstania żydowskiego	1998	Otwarcie podziemnego tunelu dla odwiedzających wzdłuż zachodniej krawędzi platformy wywołuje gwałtowne protesty miejscowych muzułmanów
ok. 5 prz. Chr.	Prezentacja Dzieciątka Jezus w świątyni (por. Łk 2,22-38)	70	Żołnierze rzymscy pod dowództwem Tytusa niszczą świątynię		
		ok. 290	Euzebiusz opisuje odwiedzających Jerozolimę chrześcijan, kontemplujących upadek świątyni zgodnie ze słowami Pana (Ewangeliczny dowód 6,18)	2000	Prowokacyjna wizyta Ariela Szarona na Wzgórzu Świątynnym przyczynia się do wybuchu intifady

Punkty widzenia muzułmanów i żydów

Dla muzułmanów, uważających Jerozolimę za trzecie z najświętszych miast świata (obok Mekki i Medyny) platforma Kopuły Skały to jedno z centralnych miejsc ich religii. Nazywają ją Haram asz-Szarif – Czcigodnym Dziedzińcem. Zgodnie z tradycją islamu, z tego właśnie miejsca – „najdalszego sanktuarium" (Koran, Sura 17) – Mahomet wstąpił do nieba, rozpoczynając swoją „nocną podróż". Na tymże miejscu znajdują się też dwie najstarsze (ponad 1300 lat) budowle związane z tą religią – meczet al-Aqsa („najdalsze sanktuarium") oraz Kopuła Skały.

Dokładnie to samo miejsce ma wyjątkowe znaczenie dla historii narodu żydowskiego. Tam właśnie przez prawie tysiąc lat stała świątynia Izraela – ośrodek życia religijnego i politycznego żydów. Po utracie świątyni w roku 70 rabiniczny judaizm dobrze przygotował żydów do życia bez niej. Dlatego większość praktykujących żydów nie czuje potrzeby odbudowy. Na całym świecie otaczają oni jednak szacunkiem kamienie, pochodzące z jej ruin. Od wieków Mur Zachodni jest miejscem modlitw i symbolem narodowych aspiracji. Istnieje też artykułująca swoje potrzeby mniejszość, której reprezentanci gorąco pragną odbudowy świątyni w jej „trzecim wcieleniu" – co przypuszczalnie nie byłoby możliwe bez uprzedniego zniszczenia istniejących obecnie świątyń muzułmańskich.

Wszystko to tworzy potencjalną mieszankę wybuchową. Wszelkie ingerencje Izraela w „miejscu świętym" interpretowane są przez Palestyńczyków jako próby jego zawłaszczenia. Palestyńczycy z kolei odrzucają żydowskie roszczenia terytorialne. Wystarczyłaby niewielka prowokacja, by w miejscu tym wybuchł gwałtowny i niebezpieczny konflikt.

Podejście chrześcijańskie

Większość chrześcijan „trzyma się z dala" od tego napięcia. Znając działania Jezusa w świątyni oraz Jego naukę, w myśl któryej prawdziwą świątynią jest On sam, kościoły chrześcijańskie nie widziały nigdy potrzeby odtwarzania świątyni jerozolimskiej. Zgodnie z Nowym Testamentem, Jezus umarł na krzyżu za wszystkich grzeszników (zob. Hbr 10,10-25; Rz 3,25). Pierwsi chrześcijanie mieszkający w Jerozolimie pragnęli głosić swoje nauki w świątyni, lecz równocześnie oczekiwali spełnienia Jezusowego proroctwa o jej rychłym zniszczeniu. Jest raczej pewne, że opuścili oni miasto przed przybyciem wojsk rzymskich, okazując w ten sposób lojalność wobec Jezusa-Mesjasza, a nie wobec świątyni starego obrządku. Nie ma też dowodów, by chrześcijanie opłakiwali utratę świątyni w roku 70; uważali raczej ten

fakt za potwierdzenie swej wiary, że poprzez Jezusa Bóg skierował historię zbawienia na nowe tory, inicjując nową epokę, w której świątynia jerozolimska nie była już potrzebna.

Tak więc, w roku 325, gdy chrześcijanie mieli po raz pierwszy możliwość dysponowania miejscem dawnej świątyni, pozostawili je w spokoju. Bizantyjczycy nie zbudowali kościoła na Placu Świątyni, pozostawiając duży obszar w sercu miasta w stanie całkiem opuszczonym, co było dla nich uderzającym świadectwem mocy prawdy zawartej w słowach Jezusa. Przed przyjściem Konstantyna spoglądali na to miejsce z Góry Oliwnej; teraz mogli je obserwować z innego wzgórza, z okolic bazyliki Grobu Pańskiego. Lecz niezależnie od punktu swych obserwacji, kontrast był ewidentny. Stara epoka dobiegła końca, a nowa wyraźnie się stabilizowała.

Ironiczną konsekwencją tej polityki – kwietystycznej i triumfalistycznej zarazem – było nieumyślne „przygotowanie" doskonałego terenu pod budowę świątyń muzułmańskich dla wyznawców Allacha przybyłych do Jerozolimy w roku 638. Dzięki niej bizantyjskie kościoły w Jerozolimie nie zostały zburzone, z drugiej jednak strony Plac Świątyni stał się ostoją nowego triumfalizmu. Oczywiście, chrześcijanie wykorzystali jerozolimskie wzgórza do uwiecznienia w kamieniu swego niewątpliwego zwycięstwa nad judaizmem, później jednak muzułmanie zrobili to samo, głosząc *swoje* zwycięstwo nad chrześcijaństwem. Jerozolima stała się więc sceną długoterminowego religijnego „ping-ponga". Wiele wieków

Z nadejściem naszego Zbawiciela Syjon został porzucony jak namiot w winnicy, jak szałas na polu ogórków, czy też jak coś jeszcze bardziej zbędnego...

Euzebiusz z Cezarei,
Ewangeliczny dowód 2,3

Widok w kierunku południowym ponad murami Starego Miasta, w stronę Placu Świątyni (przesłoniętego drzewami i dwoma budowlami – Złotą Kopułą Skały i szarym meczetem al-Aqsa); w Muzeum Rockerfellera (na pierwszym planie, z wieżą) znajduje się napis, zabraniający poganom wstępu do sanktuarium, pochodzący z żydowskiej świątyni

później powrót Żydów do miasta zapoczątkował kolejny, jeszcze bardziej burzliwy okres jego dziejów.

Każdy, kto odwiedza dziś rejon świątyni, powinien uwrażliwić się na napięcia związane z tym miejscem oraz wypracować sobie własną, pogłębioną refleksję teologiczną w odpowiedzi na to, co widzi. W miejscu tym mamy bowiem do czynienia nie tylko ze starymi kamieniami z zamierzchłej przeszłości, lecz z żywą Osobą, stale zadającą nam podstawowe pytania.

Trzy wyznania: żydowski grób na Górze Oliwnej na tle muzułmańskiej Kopuły Skały i (nieco dalej) szarej kopuły chrześcijańskiej bazyliki Grobu Pańskiego

Zwiedzanie Placu Świątyni

W praktyce dostęp do rejonu byłej świątyni może być utrudniony. W czasie muzułmańskich modłów nie-muzułmanie nie mają tam wstępu. Zdarza się też, że rejon jest trwale zamknięty z powodu lokalnych napięć społecznych. Wiele można się jednak dowiedzieć o świątyni, oglądając Plac Świątyni z różnych stron.

Niektórzy turyści zaczynają zwiedzanie od **południowo-wschodniego narożnika Placu Świątyni**, widocznego z omijającej go ciasnym łukiem drogi. Wielkie wrażenie robią rozmiary bloków kamiennych ułożonych w czasach Heroda, jak też imponująca wysokość platformy w stosunku do naturalnego terenu. Poniżej szczytu południowo-wschodniego znajdują się **Stajnie Salomona** – obszerne podziemne krypty, błędnie opatrzone taką nazwą przez krzyżowców i używane przez nich w takim właśnie charakterze, jak również w celach magazynowych. Wchodzili oni do nich przez pojedynczą bramę w południowej ścianie platformy (obecnie zablokowaną). Dostęp od góry rzadko jest teraz możliwy; wiele niepokoju wzbudziły też niektóre potajemnie prowadzone „prace wykopaliskowe", połączone z usuwaniem historycznych artefaktów. Ci, którym udało się widzieć wnętrza krypt, wyrażają się z uznaniem o umiejętnościach robotników Heroda, którzy zdołali wznieść platformę w sposób zapewniający jej trwałość na przestrzeni wielu pokoleń.

Oglądając od dołu południową ścianę platformy warto zwrócić uwagę na kontury (obecnie zamurowane) **Bramy Potrójnej**, która – wraz z Bramą Podwójną znajdują się nieco dalej po lewej stronie (zasłoniętą przez fundamenty meczetu al-Aqsa) – niegdyś herodiańską Bramą Hulda stanowiły, odpowiednio, główne wejście i wyjście ze świątyni. Ruch wiernych odbywał się jednokierunkowo. Po rytualnym obmyciu w pobliskich miejscach do tego przeznaczonych *(mikveh)* wierni wstępowali po zewnętrznych stopniach (częściowo jeszcze dziś widocznych), wchodzili do świątyni przez Bramę Podwójną, a następnie przechodzili sklepionym korytarzem ze stopniami prowadzącymi na dziedziniec pogan – tuż przed obecnym wejściem do meczetu al-Aqsa.

Chcąc dojść do owych **stopni świątynnych** trzeba przejść przez ozdobną Bramę Bab al-Qattanin, skręcić za nią w prawo do kasy biletowej, a następnie skierować się na wschód. Niektórzy turyści, siadając na stopniach świątyni, doznają bardzo głębokich przeżyć. Stopnie te były wprawdzie całkiem niedawno naprawiane, lecz tkwiące w nich starożytne kamienie tworzą oczywiste fizyczne powiązanie z I stuleciem naszej ery. Po tych kamieniach stąpali wszyscy żydowscy pielgrzymi przychodzący do świątyni, „żeby się modlić" (jak mówił Jezus w przypowieści o faryzeuszu i celniku, przytoczonej przez ewangelistę Łukasza (zob. Łk 18,10)). Po nich przeszli również Maryja i Józef z Dzieciątkiem, „aby Je przedstawić Panu" (Łk 2,22-38). Należy też przypuszczać, że również sam Jezus wielokrotnie po nich przechodził.

W Ewangelii według św. Mateusza czytamy: „Gdy Jezus szedł po wyjściu ze świątyni, podeszli do Niego uczniowie, aby Mu pokazać budowle świątyni" (Mt 24,1) – komentując z podziwem piękno i wielkość jej kamiennych bloków. Kierując się w stronę południowo--wschodniego narożnika zwiedzający mogą się dziś zorientować, o co chodziło uczniom Jezusa. Bloki skalne z czasów Heroda, łatwo rozpoznawalne po sposobie obróbki krawędzi, są rzeczywiście imponujących rozmiarów. Ich transport i układanie musiały być w owych czasach niewiarygodnie trudnym zadaniem. A przecież były to tylko elementy fundamentu, ponad którym wznosiły się struktury budowli (będące przedmiotem zachwytu uczniów Jezusa).

Skręcając za narożnikiem i spoglądając wzdłuż zachodniej krawędzi platformy znajdu-

Brama Złota po wschodniej stronie Placu Świątyni

Powyżej: Cytat z Księgi Izajasza (66,14) na jednym z charakterystycznych bloków kamiennych z czasów Heroda, użytych do budowy platformy świątyni

Poniżej: Miejsce upadku świątynnych kamieni – szczątki starożytnych uliczek i sklepów na zachód od świątyni, zniszczonych podczas jej burzenia przez Rzymian w 70 roku

jemy namacalny dowód prawdziwości proroczych słów Jezusa: „(...) nie zostanie kamień na kamieniu, który by nie był zwalony" (Łk 21,6). Można tam zobaczyć niektóre z **ogromnych bloków** kamiennych, zwalonych przez rzymskich żołnierzy na znajdujące się niżej budynki i sklepy.

Południowo-zachodni narożnik świątyni miał znaczenie szczególne, bowiem z jego szczytu rozlegały się dźwięki *szofaru,* oznaczające czas składania ofiar i czas modlitw.

Nieco niżej znajdowało się wejście do świątyni w formie schodów nad łukiem zwanym obecnie **łukiem Robinsona.** W połowie wysokości muru widoczne są jego fragmenty oraz niektóre filary. W roku 1842, gdy Edward Robinson po raz pierwszy zauważył ten łuk, widoczna była tylko jego część szczytowa. Tam właśnie znajdował się kiedyś „poziom gruntu".

To samo dotyczy łuku Wilsona i Bramy Barclaya (dalej wzdłuż ściany zachodniej), opatrzonych – podobnie jak łuk Robinsona – nazwiskami dziewiętnastowiecznych archeologów, którzy je zidentyfikowali.

Dalszych dowodów zmiany poziomu gruntu na przestrzeni wieków dostarcza **hebrajska inskrypcja**, znajdująca się obecnie wysoko nad poziomem gruntu. Widnieją na niej słowa z Księgi Izajasza: „Na ten widok rozraduje się serce wasze, a kości wasze nabiorą świeżości jak murawa" (Iz 66,14). Możemy być niemal pewni, że inskrypcja ta powstała podczas prób odbudowy świątyni w latach 361–363.

Po obejrzeniu pozostałości wielu budynków i sklepów, zwiedzający muszą wycofać się do kasy biletowej, a następnie skierować na północ (przez przejście osłonięte dla celów

bezpieczeństwa) na **Plac Muru Zachodniego**. Do roku 1967 w odległości 4 metrów od muru stały domy. Obecnie plac został oczyszczony i uporządkowany jako miejsce o znaczeniu historycznym i duchowym dla Żydów z całego świata. Jest to Ściana Płaczu, do której podchodzą Żydzi z wielu krajów, by modlić się w pobliżu starożytnej świątyni. Nie była ona – jak się często sądzi – ścianą samej świątyni, a jedynie częścią jej *platformy fundamentowej*. Wielu odwiedzających pragnie być w tym miejscu nieco dłużej, by móc odczuć jego symboliczną moc. Niektórzy pogrążają się tam w modlitewnym skupieniu.

Czego możemy się jeszcze dowiedzieć o świątyni z I wieku, stojąc na Placu Muru Zachodniego? Otóż po stronie prawej (nad częścią przeznaczoną dla kobiet) widać zarys **Bramy Barclaya**, a po lewej (przy części zarezerwowanej dla mężczyzn) – wejście do **tunelu**, otwartego niedawno dla zwiedzających, ciągnącego się przez całą długość platformy fundamentowej (wyjście z niego znajduje się przy wejściu do szkoły Umariyya, w głębi dzielnicy muzułmańskiej). Osoby, którym czas pozwala na przejście całego tunelu, mogą

Plac Muru Zachodniego z górującą nad nim Kopułą Skały; na lewo od przestrzeni zarezerwowanej dla Żydów, modlących się przy murze, widać wejście do tunelu

obejrzeć wiele sklepionych komór oraz rezultaty prac wykopaliskowych, prowadzonych w latach sześćdziesiątych XIX wieku przez Warrena, a w szczególności znalezione przez niego dwa głębokie szyby. Szyb bliższy świątyni o głębokości 18 metrów, przechodzący przez 14 warstw bloków Herodiańskich, daje dokładne wyobrażenie o umiejętnościach starożytnych budowniczych i gigantycznych rozmiarach zrealizowanego przez nich przedsięwzięcia. Trudno się dziwić, że prace te trwały aż 46 lat oraz że fakt ten znalazł odbicie w tekście Ewangelii (J 2,20). Istnieją dowody na to, że roboty budowlane w obrębie świątyni kontynuowano jeszcze w latach sześćdziesiątych I wieku.

Wielu odwiedzających pragnie wejść na **Plac Świątyni** i obejrzeć go w całości. Pierwszym wrażeniem po przejściu przez kasę biletową jest zwykle zdumienie na widok jego rozległości. W starożytności świątynia zajmowała 20 proc. zabudowanej powierzchni miasta. Obecnie jej teren jest oazą spokoju, kontrastującą z niżej położonymi ruchliwymi ulicami.

Meczet al-Aqsa został poddany gruntownej renowacji w latach czterdziestych XX wieku. W odróżnieniu od Kopuły Skały, nie jest on osadzony w geologicznie spójnym podłożu, w związku z czym ulegał wielokrotnym uszkodzeniom podczas trzęsień ziemi. Oprócz dobrze zachowanych mozaik z XI wieku, cały wystrój wnętrz pochodzi z czasów późniejszych. W okresie wojen krzyżowych budynek pełnił rolę pałacu królewskiego, a następnie został przekazany templariuszom (zob. s. 90).

Znacznie większe wrażenie robi zbudowana w roku 691 **Kopuła Skały** – niezrównany przykład klasycznej architektury islamu. Ośmiokątna budowla oraz jej kopuła imponują matematyczną precyzją. Mozaiki zewnętrzne zastąpiono w XVI wieku płytkami ceramicznymi, a kolejnej wymiany elewacji dokonano podczas ostatniej renowacji w roku 1962. We wnętrzu zachowano jednak mozaiki oryginalne, przepięknie zaprojektowane przez chrześcijan syryjskich z uszanowaniem zasady nieprzedstawiania wizerunków „żywych stworzeń" (tj. ludzi i zwierząt) i wykorzystaniem wyłącznie motywów roślinnych.

Ściśle biorąc, Kopuła Skały nie jest meczetem, a raczej sanktuarium-mauzoleum upamiętniającym „nocną podróż" Mahometa. Kalif Abd al-Malik miał jednak również inne cele. Na przykład budowla została wzniesiona na skale, na której – zgodnie ze starożytną tradycją żydowską – o mało nie doszło do ofiarowania Bogu przez Abrahama syna Izaaka. Księga Rodzaju (22,2) wspomina wzgórze w kraju Moria, nie precyzując, gdzie się ono znajdowało. Nie wiadomo dokładnie, kiedy nastąpiło skojarzenie świątyni z tradycjami Abrahamowymi, wiadomo natomiast, co chciał wyrazić kalif al-Malik – było to swego rodzaju „przywłaszczenie" historii Abrahama oraz manifestacja wyższości islamu nad judaizmem.

Ten sam władca pragnął również wykazać wyższość swojej religii nad chrześcijaństwem. Część inskrypcji fundacyjnej długości 210 metrów – opasującej ośmiokąt wewnętrzny w jego górnej części – jest wyraźnym przesłaniem adresowanym do chrześcijan, podważającym ich wiarę w Trójcę Świętą i Tajemnicę Wcielenia: „O, Ludu Księgi, nie przekraczaj granic swojej religii, a o Bogu mów tylko prawdę (...). Nie mów o trzech. Tak będzie lepiej dla ciebie. Bóg jest jeden i tylko jeden. Gdyby miał syna, byłoby to dalekim od chwały Jego". W kontekście rywalizacji trzech wyznań, tak mocno reprezentowanych w Jerozolimie, ten uderzający historyczny pomnik ma swoją silną, milczącą wymowę.

Z tych lub innych przyczyn niektórzy chrześcijanie rezygnują ze zwiedzania Placu Świątyni. Istnieją też reguły zabraniające ortodoksyjnym żydom przebywania w tym miejscu – z zupełnie innych powodów. Chodzi mianowicie o niebezpieczeństwo nieumyślnego znalezienia się w miejscu, które kiedyś było **„Świętym Świętych"**. Dokładna jego lokalizacja jest przedmiotem ciągłych ożywionych dysput. Wiele przemawia za tym, że znajdowa-

ło się ono na najwyższej skale w okolicy, którą teraz kryją fundamenty Kopuły Skały. Inne hipotezy umiejscawiają je nieco dalej w kierunku północno-zachodnim, być może na linii Bramy Złotej (usytuowanej na wschodniej ścianie platformy fundamentowej). Jeśli tak, to by oznaczało, że na miejscu Świętego Świętych.

Z chrześcijańskiego punktu widzenia dokładna lokalizacja nie ma istotnego znaczenia. Stokroć ważniejszy jest wyrażony w Nowym Testamencie pogląd, iż w chwili ukrzyżowania „zasłona przybytku" „rozdarła się przez środek" (Łk 23,45). Ewangelista Łukasz sugeruje tym samym, że wszelkie bariery między świętością Boga i grzeszną ludzkością zostały zniesione przez śmierć Jezusa na krzyżu. Zgodnie z treścią Listu do Hebrajczyków, Jezus „wkroczył do Miejsca Świętego" i zachęca swych wyznawców, by uczynili to samo; przez Jezusową ofiarę dostęp do „wstrząsającej obecności Bożej" jest teraz otwarty dla wszystkich (por. Hbr 10,18-25).

Kończymy zatem naszą wizytę w świątyni jerozolimskiej z odnowioną świadomością jej szczególnej roli i znaczenia dla Jerozolimy czasów Jezusa, a także ogromnej skali wyzwania, jakie rzucił On tej monumentalnej instytucji. Twierdził, że sam jest świątynią i osobiście, potężnym działaniem i proroczymi słowami, przewidział jej rychły upadek. Kim więc był w swoim przekonaniu? I dlaczego Jego przyjście oznaczało radykalną zmianę stosunku Boga do Jego ludu?

Mamy więc, bracia, pewność, iż wejdziemy do Miejsca Świętego przez krew Jezusa. (...) Mając zaś kapłana wielkiego, który jest nad domem Bożym, przystąpmy z sercem prawym, z wiarą pełną.
Hbr 10,19. 21-22

Jerozolima

Wielki jest Pan i godzien wielkiej chwały w mieście Boga naszego.
Góra Jego święta, wspaniałe wzgórze, radością jest całej ziemi;
góra Syjon, kraniec północy, jest miastem wielkiego Króla.
Bóg w jego zamkach okazuje się obroną (...).
Obchodźcie Syjon dokoła, policzcie jego baszty.
Przypatrzcie się jego murom, oglądajcie jego warownie,
by opowiedzieć przyszłym pokoleniom.

Księga Psalmów 48,1-3.12-13

Święte miasto?

Jerozolima – „miasto pokoju", „święte miasto", ukochany „Syjon". Księgi Starego Testamentu pełne są pochwał dla tego niewielkiego ośrodka ukrytego wśród wzgórz Judei. Założone przez Dawida około roku 1000 prz. Chr. miasto, na miejscu wcześniejszego miasta Jebus, twierdzy Jebusytów (Jebuzytów), stało się miastem-matką narodu żydowskiego i na przestrzeni wieków stopniowo się rozrastało. Liczbę mieszkańców Jerozolimy w czasach Jezusa szacuje się na około 40 000.

Starotestamentowy „Syjon"

Wspaniałe rzeczy mówią o tobie, Syjonie, miasto naszego Boga... Nieprzemijające radości i skarby znają tylko dzieci Syjonu.

John Newton, *Wspaniałe rzeczy mówią o tobie*

Jak każde miasto, Jerozolima doświadczała historycznych momentów radości i chwały, takich jak: powrót Arki Przymierza z niewoli filistyńskiej (2 Sm 6), poświęcenie świątyni (1 Krl 8) i pomyślne przetrwanie oblężenia Sennacheryba (Iz 37). W jej dziejach nie brakowało jednak również smutku, wstydu i klęsk, do których zaliczały się bałwochwalcze rządy króla Manassesa (2 Kr 21), pożar i zniszczenie miasta przez Babilończyków (2 Krl 25), a także okupowanie przez pogańskich Rzymian.

Autorzy ksiąg Starego Testamentu wiedzieli doskonale, że Jerozolima – jak każde inne miasto – podlegała wpływom zła i intryg: „(...) widzę przemoc i niezgodę w mieście. (...) złość i ucisk są w pośrodku niego. (...) a z jego placu nie znika krzywda i podstęp" (Ps 55,10-12). Zachęcali jednak swoich rodaków do pielęgnowania miłości dla miasta oraz nadziei na jego przyszłą chwałę. Izajasz przepowiedział jego odbudowę po okresie wygnania: „Zabrzmijcie radosnym śpiewaniem wszystkie ruiny Jeruzalem! Bo Pan pocieszył swój lud, odkupił Jeruzalem" (Iz 52,9). W psalmach intonowanych w świątyni często wielbiono miasto i jego rolę w zamysłach Bożych: „Budowla Jego jest na świętych górach: Pan miłuje bramy Syjonu bardziej niż wszystkie namioty Jakuba" (Ps 87,1-2).

Teksty Starego Testamentu inspirowały ludzi w czasach Jezusa do wielkiej miłości, nie tylko do świątyni, w której czcili Boga, lecz także do samego miasta. Jerozolima była ośrodkiem świadomości narodowej Żydów. Dlatego psalmista pisał: „Jeruzalem, jeśli zapomnę o tobie, niech uschnie moja prawica! Niech język mi przyschnie do podniebienia, jeśli (...) nie postawię Jeruzalem ponad największą moją radość" (Ps 137,5. 6a.6c). Należy przypuszczać, że słynne słowa Psalmu 122 często docierały do uszu pielgrzymujących do Jerozolimy i przekraczających jej bramy:

Uradowałem się, gdy mi powiedziano:
„Pójdziemy do domu Pańskiego!"
Już stoją nasze nogi
* w twych bramach, o Jeruzalem,*
Jeruzalem, wzniesione jako miasto
gęsto i ściśle zabudowane. (...)

Jerozolima widziana
z lotu ptaka od strony
południowo-wschodniej;
większa część obszaru
położonego na południe
od tureckich murów
Starego Miasta znaj-
dowała się w granicach
miasta w czasach
Jezusa – zarówno Miasto
Górne (góra Syjon),
zdominowane dziś
przez stożkową kopułę
kościoła Zaśnięcia NMP,
jak i Miasto Dolne
(Miasto Dawida)
w formie południowej
odnogi Placu Świątyni

151

Zdjęcie lotnicze
współczesnej Jerozolimy ze
wschodnią częścią Starego
Miasta (*u dołu*) i podnóżem
Góry Oliwnej (*u góry*);
warto zwrócić uwagę na
rozmiary herodiańskiej
świątynnej platformy
fundamentowej (zajmującej
1/5 całej ówczesnej
powierzchni miasta); inne
wyraźnie widoczne obiekty
to: Plac Muru Zachodniego,
bazylika Grobu Pańskiego
(*u dołu w części środkowej*)
oraz kontur Doliny Cedronu
(*ciągnącej się ku wschodowi
po stronie prawej*)

Model Jerozolimy z I wieku po Chr. widzianej w kierunku północno--wschodnim, od strony zamożnego Miasta Górnego w stronę świątyni; na zboczu zstępującym ku Dolinie Tyropeonu widoczne są uboższe domy mieszkalne; widać też wyraźnie łuk Robinsona (mostek prowadzący do południowo-zachodniego wejścia do świątyni), Święte Świętych i fortecę Antonia

Proście o pokój dla Jeruzalem,
niech zażywają pokoju ci, którzy ciebie miłują!
Niech pokój będzie w twoich murach, a bezpieczeństwo w twych pałacach!

Ps 122,1-3.6-7

Miasto czasów Heroda

W okresie poprzedzającym przyjście Jezusa w Jerozolimie dokonywały się wielkie przeobrażenia. Plany Heroda obejmowały nie tylko imponującą rozbudowę świątyni. Przykładem innych inwestycji były: sąsiadująca ze świątynią twierdza Antonia przeznaczona dla rzymskiego garnizonu (nazwana na cześć Marka Antoniusza), nowy pałac samego Heroda (w zachodniej części miasta) oraz nowe łaźnie przy sadzawce Siloe. Wiele starych budowli poddano renowacji. Wielka koncentracja siły roboczej wymagała budowy mieszkań dla robotników, przypuszczalnie w Dolinie Tyropeonu w północno-zachodniej części miasta. Równocześnie arystokraci rozbudowywali własne rezydencje (na wzgórzu zachodnim). W niektórych informacjach Józefa Flawiusza można się nawet doszukać dowodów

budowy w Jerozolimie nowego hipodromu i teatru (obiektów, których istnienia nie dopuszczano dawniej w „świętym mieście").

Jakkolwiek więc ukochane miasto Izraelitów, z jego religijną historią i położeniem wśród wzgórz, miało charakter odmienny od bardziej kosmopolitycznych i komercyjnych miast imperium, to jednak nie należy go sobie wyobrażać jako zacofanego ośrodka prowincjonalnego. Święte miasto było prężne i pełne życia, a Herod starał się nadać mu nowy wizerunek.

Jezusa interesowała głównie sytuacja w świątyni, wiemy jednak, że chodził po ulicach różnych dzielnic. Podczas drugiego pobytu świątecznego w Jerozolimie widzimy go w pobliżu sadzawki Owczej (na północ od świątyni). Sadzawka ta była „(...) nazwana po hebrajsku Betesda, zaopatrzona w pięć krużganków" (J 5,2). Niemal na pewno było to jedno z miejsc niedawno odnowionych, znane z właściwości uzdrawiających (niektórzy kojarzyli je z kultem Eskulapa, praktykowanym w innych częściach cesarstwa). Gromadzili się tam ludzie niepełnosprawni i dotknięci chorobami, w nadziei wyzdrowienia. Jezus odwiedził Betesdę w szabat – mimo związanych z tym miejscem dziwnych, „pogańskich" asocjacji – i natychmiast uzdrowił człowieka, który był inwalidą od 38 lat. Komentując ten fakt, ewangelista Jan pisze o Jezusie, że jest On Synem Bożym.

Podczas swojej ostatniej wizyty w Jerozolimie Jezus ponownie przemierzał ulice miasta, niestety, także jako więzień Sanhedrynu i Poncjusza Piłata. Śledząc Jego drogi w mieście, koncentrujemy się szczególnie na tych 24 godzinach Jego życia, które poprzedziły ukrzyżowanie, a zwłaszcza na trzech wydarzeniach – Ostatniej Wieczerzy, nocnym przesłuchaniu przez Sanchedryn oraz porannym procesie przed Poncjuszem Piłatem. Narastające wokół Jego osoby napięcie polityczne w sposób oczywisty powodowało, że Jezus przebywał głównie w świątyni oraz poza miastem i w pewnej odległości od niego – w rejonie Góry Oliwnej. Gdy jednak nadszedł stosowny czas, odważnie wkroczył do miasta.

Ostatnia Wieczerza

Tak nadszedł dzień Przaśników, w którym należało ofiarować Paschę. Jezus posłał Piotra i Jana z poleceniem: „Idźcie i przygotujcie nam Paschę, byśmy mogli ją spożyć". (...) Oto gdy wejdziecie do miasta, spotka się z wami człowiek niosący dzban wody. Idźcie za nim do domu, do którego wejdzie, i powiedzcie gospodarzowi: „Nauczyciel pyta cię: Gdzie jest izba, w której mógłbym spożyć Paschę z moimi uczniami?" On wskaże wam salę dużą, usłaną; tam przygotujecie". Oni poszli, znaleźli tak, jak im powiedział, i przygotowali Paschę.

A gdy nadeszła pora, zajął miejsce u stołu i Apostołowie z Nim. (...) Następnie wziął chleb, odmówiwszy dziękczynienie połamał go i podał mówiąc: „To jest Ciało moje, które za was będzie wydane: to czyńcie na moją pamiątkę!" Tak samo i kielich po wieczerzy, mówiąc: „Ten kielich to Nowe Przymierze we Krwi mojej, która za was będzie wylana".

Ewangelia według św. Łukasza, 22,7-8.10-15.19-20

W przygotowaniach Jezusa do Ostatniej Wieczerzy można wyczuć niezbędną ostrożność i dyskrecję. Żydowskim zwyczajem było celebrowanie dorocznej Paschy *wewnątrz murów miasta* – o ile była taka możliwość. Ponieważ jednak władze religijne szukały pretekstu do aresztowania Jezusa (por. Łk 19,47), miejsce paschalnego spotkania z uczniami musiało być bezpieczne i nikomu postronnemu nieznane. Jezus dał uczniom coś w rodzaju „zaszyfrowanych" instrukcji. W efekcie znaleźli oni właściciela, który udostępnił odpowiednie pomieszczenie – prawdopodobnie gdzieś w zamożniejszej części miasta. W ten sposób Mistrz mógł spędzić z przyjaciółmi kilka ostatnich cennych godzin.

Niewiele było w historii posiłków, którym późniejsze pokolenia poświęciły tak wiele uwagi. Ewangelie synoptyczne opisują to wydarzenie dość zwięźle, w przeciwieństwie do św. Jana, który poświęcił mu aż pięć rozdziałów swojej ewangelicznej relacji, pozosta-

Pascha była jednym z trzech najważniejszych świąt obchodzonych przez Żydów w I stuleciu. Pozostałe dwa to: majowe święto Tygodni (Szawuot/Zielone Świątki) oraz październikowe święto Namiotów (Sukkot). Święto Paschy (Pesach) przypadało w piętnastym dniu miesiąca nisan (zwykle na przełomie marca i kwietnia) i było początkiem tygodniowej przerwy w pracy (Święto Przaśników).

Tradycja Paschy wiąże się z wyzwoleniem Żydów z niewoli egipskiej. Przed ostatnią plagą w Egipcie Izraelici otrzymali polecenie zabicia młodych jagniąt lub koźląt i potarcia ich krwią drzwi swoich domów, by „anioł śmierci" – odbierający Egipcjanom ich pierworodnych synów – omijał ich siedziby (por. Wj 12–13).

W czasach Jezusa posiłek paschalny stał się symbolem narodowej tożsamości. Spożywano go w rodzinnych domach, dając każdemu możliwość przypomnienia owej „fundamentalnej" historii wyzwolenia narodu przez Boga. Towarzyszyło temu utożsamianie się z przodkami z okresu wyjścia z Egiptu oraz postrzeganie *samych siebie* jako uratowanych przez Boga z egipskiej niewoli. W okresie tych świąt żyjący w I stuleciu Żydzi tęsknili również do wyzwolenia – z Bożą pomocą – spod panowania rzymskiego.

Paschę świętowano także w całej diasporze (czyli wszędzie poza ziemią Izraela, gdzie Żydzi byli „rozproszeni"). Wielu starało się spędzić te święta w Jerozolimie. Józef Flawiusz pisze, że w mieście i jego okolicach gromadziło się około 3 mln ludzi, współcześni historycy szacują jednak tę liczbę ostrożniej – na 180 tysięcy. Z tak wielkim napływem pielgrzymów musiały się wiązać poważne problemy zakwaterowania, co potwierdzają informacje o rzeszach Galilejczyków, biwakujących na zboczach Góry Oliwnej. Tradycyjnym zwyczajem było również spożywanie paschalnej wieczerzy wewnątrz murów miasta – stąd niepokój uczniów Jezusa, czy uda się znaleźć Mu w zatłoczonym mieście odpowiednie pomieszczenie.

Późniejszy dokument żydowski (*Miszna*), którego ostateczna wersja powstała około roku 200 po Chr., opisuje szczegóły obrządku paschalnego, które dają wyobrażenie o tym, jak mógł on wyglądać w czasach Jezusowych. Każdy mężczyzna, będący „głową" rodziny, wybierał baranka ofiarnego w dniu 10 nisan i zabijał go po południu w dniu 14 nisan. W pomieszczeniach świątyni liczni kapłani odbierali naczynia z krwią zwierząt ofiarnych, którą spalano na ołtarzu. Ojcowie rodzin wracali następnie do domów z barankami owiniętymi w skóry i przewieszonymi przez ramię.

W międzyczasie schodzili się członkowie rodziny i goście (zwykle w liczbie co najmniej dziesięciu osób). Przed południem dzieci pomagały w dokładnym usu-

waniu wszystkich „drożdży" z pomieszczeń domowych. Zachód słońca wyznaczał początek dnia 15 nisan. Wszyscy siadali do posiłku, który spożywano w określonym porządku (*seder*). Towarzyszyły temu czynności rytualne, takie jak obmywanie dłoni. Posiłek składał się z pieczonego baranka, niekwaszonego chleba, gorzkich ziół oraz słodkiej masy o nazwie *haroset*, mającej przypominać „muł", z którego Żydzi zmuszeni byli produkować cegły w Egipcie, a ogólniej – cierpienia doznawane w niewoli, w której spożywali „chleb utrapienia". Podczas wieczerzy recytowano teksty dotyczące historii wyjścia z Egiptu (*haggada*), kosztując przy tym wina małymi porcjami w wyznaczonych momentach dla uczczenia różnych aspektów historycznej opowieści.

Zmieniając ustalone słowa, które zgodnie z tradycją wypowiadano nad niekwaszonym chlebem i winem, Jezus w sposób dramatyczny umiejscowił siebie w centrum dziejów ludu Izraela, sugerując iż nowy exodus, do którego Żydzi tęsknili, wreszcie się dokonuje – przez Niego i Jego śmierć. Niemal napewno kielich, nad którym ustanowił „Nowe Przymierze we krwi mojej" był tak zwanym „kielichem odkupienia" – stąd późniejsza nowotestamentowa idea „odkupienia" (lub wyzwolenia) przez Krew Jezusa.

Autorzy Ewangelii potwierdzają, że Jezusowa Ostatnia Wieczerza była wprawdzie skupiona na obrządku paschalnym (por. Łk 22,15), jednak Jezus sprawił, że nabrała nowego wymiaru. Mogła się nawet z powodzeniem odbyć dzień wcześniej. W Ewangelii według św. Jana (13,1; 18,28; 19,31) znajdujemy sugestię, jakoby ukrzyżowanie Jezusa dokonało się 14 (a nie 15) nisan, a więc w czasie, gdy Żydzi dokonywali rytualnego uboju jagniąt w pobliskiej świątyni.

Być może o to właśnie Mu chodziło (tj. pragnął dać do zrozumienia, że teraz On ma być Barankiem paschalnym). Miałoby to sens także z historycznego punktu widzenia. Zmiana terminu wieczerzy paschalnej o 24 godziny upodabniałaby Jezusa do członków niektórych grup żydowskich (takich jak esseńczycy lub faryzeusze) posługujących się odmiennym kalendarzem. Główny powód mógł jednak być czysto praktyczny: Jezus wiedział, że za 24 godziny będzie już za późno, bowiem będzie już po Jego egzekucji.

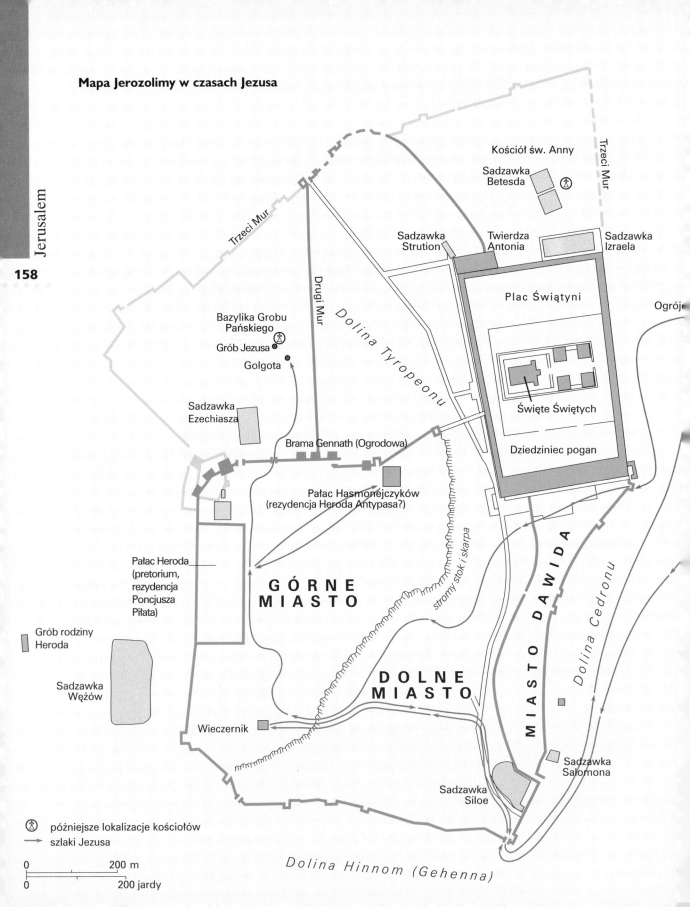

Mapa Jerozolimy w czasach Jezusa

Jerusalem

158

Kościół św. Anny

Sadzawka Betesda

Trzeci Mur

Trzeci Mur

Sadzawka Strution

Twierdza Antonia

Sadzawka Izraela

Plac Świątyni

Ogród

Drugi Mur

Dolina Tyropeonu

Bazylika Grobu Pańskiego

Grób Jezusa

Golgota

Święte Świętych

Sadzawka Ezechiasza

Dziedziniec pogan

Brama Gennath (Ogrodowa)

Pałac Hasmonejczyków (rezydencja Heroda Antypasa?)

stromy stok i skarpa

MIASTO DAWIDA

Dolina Cedronu

Pałac Heroda (pretorium, rezydencja Poncjusza Piłata)

GÓRNE MIASTO

Grób rodziny Heroda

DOLNE MIASTO

Sadzawka Wężów

Sadzawka Salomona

Wieczernik

Sadzawka Siloe

póżniejsze lokalizacje kościołów

szlaki Jezusa

0   200 m

0   200 jardy

Dolina Hinnom (Gehenna)

wiając nas jednak z wieloma pytaniami... Czy liczba uczniów ograniczona była do dwunastu? Czy podczas Ostatniej Wieczerzy Jezus odprawił z uczniami tradycyjną liturgię paschalną? Czy, mimo paschalnej formy i intencji, wieczerza ta rzeczywiście odbyła się dzień wcześniej niż było w powszechnym zwyczaju (a więc bez baranka), ponieważ Jezus wiedział, że w dniu następnym będzie już za późno? Na pytania te należy chyba odpowiedzieć twierdząco. Dlaczego jednak św. Jan, poświęcając niemal całą relację wypowiedziom Jezusa, dotyczącym Jego rychłego odejścia, nie cytuje tradycyjnych słów wypowiadanych nad chlebem i winem?

Mimo tych wątpliwości ogólny obraz jest jasny. Jezus chciał tego wieczoru wryć się mocno w pamięć swoich wyznawców. Liczyło się każde słowo i każdy gest. Spędził z uczniami kilka spokojnych godzin przed zbierającą się nad Nim burzą. Był to czas radowania się przyjaźnią i bliskością; czas formowania wyznawców w unikalny zespół; czas dramatycznych symboli i działań – na przykład Jezus bierze ręcznik, wciela się w rolę służącego i myje stopy swoim uczniom (por. J 13,4-17). Był to również czas pamiętnych nauk – o miłości Jezusa do tych, których wybrał i powołał do roli swoich przyjaciół (por. J 15, 13-15), o nowym przykazaniu wzajemnego obdarzania się miłością (por. J 13,34), o zesłaniu Ducha Świętego oraz o chwale Jezusa, którą dzielił z samym Bogiem (por. J 14,17).

Nade wszystko jednak była to okazja do ustanowienia Eucharystii, w której będzie On obecny aż do końca świata. Biorąc do rąk chleb i wino Jezus dramatycznie zmienił oczekiwane słowa paschalne. Nie był to już jedynie „chleb utrapień" i „kielich odkupienia". Powiedział swoim uczniom, by postrzegali te pokarmy jako Jego Ciało i Jego Krew. Musiało to być szokujące, a nawet przerażające – zwłaszcza dla Żydów wychowanych w bezwzględnym zakazie konsumowania krwi jakichkolwiek zwierząt, nie mówiąc już o istotach ludzkich. Jezus oczekiwał jednak od nich spożywania tych osobliwych Darów, którym nadał zupełnie nowe znaczenia.

Jezus mówił im, że Jego śmierć nadchodzi i jest nieunikniona, oraz że spełni się dla ich dobra, pieczętując Nowe Przymierze między Bogiem i ludźmi, zapewniające im „odpuszczenie grzechów" (Mt 26,28). Domagał się od uczniów, by uwierzyli, że Jego śmierć jest źródłem zbawienia. Dał im też Eucharystię, by o Nim nie zapominali. W niepowtarzalny i osobliwy sposób dał im siebie – jak miał im oddać siebie umierając. Pod postacią chleba i wina ofiarowywał im siebie, aby być zawsze z nimi i aby Jego Duch ich nie opuszczał.

Nic dziwnego, że Jego kapłani czynią to do dziś „na Jego pamiątkę", czy to podczas skromnych Mszy św., czy wielkich uroczystości. Akt ten powtarzany jest na całym świecie każdego dnia, a nie tylko w niedziele. A wszystko to zaczęło się w jerozolimskim wieczerniku, gdy młody Nauczyciel umieścił siebie w samym centrum nadziei narodu żydowskiego i całej ludzkości. Był więc prawdziwym Barankiem paschalnym, „złożonym w ofierze jako nasza Pascha" (1 Kor 5,7). On wyzwolił swój lud z grzesznego zniewolenia. W Chrystusie, a nie w świątyni, należało teraz szukać Bożego przebaczenia, ponieważ, Jego śmierć miała być ostateczną ofiarą, przywracającą zerwane więzi między ludźmi a Bogiem. Wywróciwszy stoły przekupniów w świątyni kilka dni wcześniej, Jezus ustanawiał teraz zupełnie inny stół – miejsce, przy którym Jego wyznawcy będą mogli z całą pewnością spotykać się z Nim w przyszłości. Odtąd nie świątynia, a Jezus miał zapewniać odczucie uzdrawiającej Bożej obecności.

Czy kiedykolwiek jakieś zalecenie było tak przestrzegane? Przez długie wieki, powoli, działanie to docierało do wszystkich kontynentów, ras ludzkich i krajów, spełniane we wszystkich możliwych do wyobrażenia okolicznościach życiowych, na użytek niemowląt, starców i tych, którzy już odeszli, z udziałem osób na szczytach społecznych hierarchii, a także uciekinierów i zbiegów żyjących w jaskiniach i norach.

G. Dix

Długa noc

Schwycili Go więc, poprowadzili i zawiedli do domu najwyższego kapłana. A Piotr szedł z daleka. (...)

Skoro dzień nastał, zebrała się starszyzna ludu, arcykapłani i uczeni w Piśmie i kazali przyprowadzić Go przed swoją Radę. Rzekli: „Jeśli Ty jesteś Mesjasz, powiedz nam!" On im odrzekł: „Jeśli wam powiem, nie uwierzycie Mi, i jeśli was zapytam, nie dacie Mi odpowiedzi. Lecz odtąd Syn Człowieczy siedzieć będzie po prawej stronie Wszechmocy Bożej". Zawołali wszyscy: „Więc Ty jesteś Synem Bożym?" Odpowiedział im: „Tak. Jestem Nim". A oni zawołali: „Na co nam jeszcze potrzeba świadectwa? Sami przecież słyszeliśmy z ust Jego".

Ewangelia wedłu św. Łukasza 22,54. 66-71

Dziś chrześcijanie postrzegają to wydarzenie w pozytywnym świetle, lecz wówczas był to wieczór ciężki, pełen napięcia i smutku. Zapamiętano też noc, która po nim nastąpiła, jako czas „kiedy [Jezus] został wydany" (1 Kor 11,23). Albowiem podczas wieczerzy jeden z uczniów – Judasz Iskariota – odszedł od stołu z zamiarem przekazania Sanhedrynowi informacji potrzebnych do znalezienia i aresztowania Jezusa. Sam Jezus, będący wówczas w podniosłym nastroju, mówił w zagadkowy sposób o swoim „odejściu": „(...) albowiem powiadam wam: odtąd nie będę już pił z owocu winnego krzewu, aż przyjdzie królestwo Boże" (Łk 22,16).

Łatwo możemy sobie wyobrazić ową niewielką grupę uczniów, pogrążonych w dziwnym smutku, zstępujących po stromych stopniach z Górnego Miasta w stronę sadzawki Siloe, prawdopodobnie koło godziny jedenastej wieczorem. Nieopodal lśniła spokojna toń historycznej sadzawki, odnowionej niedawno z inicjatywy Heroda, gdzie Jezus uzdrowił ociemniałego, zalecając mu przemycie oczu wodą (por. J 9,7). Teraz miało Go spotkać coś znacznie gorszego.

Uczniowie Jezusa przeszli wraz z Nim przez bramę, przekroczyli potok Cedron i zaczęli podchodzić zboczem Góry Oliwnej w kierunku Ogrójca. Dotarcie tam musiało zająć im około pół godziny. W tym czasie każdy zagłębiał się we własnych myślach. Mijali grobowce wycięte w skałach po prawej stronie, wyglądające trochę niesamowicie w świetle paschalnej pełni księżyca. Tej nocy śmierć wisiała w powietrzu.

Po upływie dwóch do trzech godzin Jezus został pojmany i wyruszył w drogę po-

Stopnie z I wieku po Chr. prowadzące w dół z Górnego Miasta (z okolic współczesnego kościoła św. Piotra „in Gallicantu") do Dolnego Miasta i sadzawki Siloe

wrotną do miasta pod eskortą strażników arcykapłana. Dwaj uczniowie podążali za Nim, zachowując bezpieczną odległość. Nie znamy dokładnej trasy tego marszu (Jezus mógł być prowadzony przy południowym krańcu świątyni lub przez bramę przy sadzawce Siloe, przez którą wcześniej opuszczał miasto). Nie wiemy również, gdzie znajdował się dom arcykapłana Kajfasza, choć należy się domyślać, że rezydował on w Górnym Mieście, w dzielnicy zamieszkałej przez arystokrację. Według relacji św. Jana Jezus został najpierw zaprowadzony do Annasza – poprzedniego arcykapłana, który był teściem Kajfasza – a następnie do niego samego (por. J 18,12-24).

Niemal na pewno nie był to formalny proces, a jedynie wstępne przesłuchanie. Kajfasz spodziewał się w nim uzyskać niepodważalny dowód „winy", który mógłby być wykorzystany następnego dnia rano na posiedzeniu Wysokiej Rady (Sanhedrynu). Działo się to około godziny trzeciej lub czwartej nad ranem; w tym czasie większość członków Wysokiej Rady spała, a formalne procedury sądowe nie miałyby mocy prawnej. Ewangeliści Marek i Mateusz koncentrują się jednak na owych przesłuchaniach nocnych, uważając je za ważniejsze od oficjalnego procesu (opisanego dokładnie przez św. Łukasza), w którym jedynie potwierdzono wcześniej podjęte decyzje.

Opisując przebieg wydarzeń Mateusz i Marek skupili uwagę na osobistej konfrontacji Jezusa, który później zostanie nazwany „wielkim arcykapłanem" (Hbr 4,14) z Kajfaszem, który pełnił tę funkcję z urzędu. W ich tekstach widzimy też pierwsze próby Kajfasza, zmierzające do budowania aktu oskarżenia wymierzonego w Jezusa.

Oskarżyciele skoncentrowali się w pierwszej kolejności na zagadkowych słowach Jezusa przytoczonych przez ewangelistę Jana: „Zburzcie tę świątynię, a Ja w trzech dniach wzniosę ją na nowo" (J 2,19), nie potrafili jednak uzgodnić między sobą dokładnego sformułowania. Zaczęli od tego, gdyż wydawało im się, że ta wypowiedź wyrażała radykalną i niebezpieczną wrogość Jezusa w stosunku do świątyni (potwierdzoną przepędzeniem przekupniów). Pytano o to również dlatego, że zniszczenie i odbudowa świątyni należały do oczekiwanej roli mającego przyjść Mesjasza. Czyż więc Jezus sugerował, że Nim jest?

Gdy ten zarzut upadł, a Jezus uparcie zachowywał milczenie, Kajfasz zadał Mu podstawowe pytanie: „Czy Ty jesteś Mesjasz, Syn Błogosławionego?" (Mk 14,61), na które Jezus odpowiedział: „Ja jestem. Ujrzycie Syna Człowieczego, siedzącego po prawicy Wszechmocnego" (Mk 14,62). Te słowa były uroczystą deklaracją własnej tożsamości jako Zbawcy Izraela oraz wywyższonego Syna Człowieczego – prawdziwego Boga wśród ludzi.

Ze strony Jezusa była to chwila szczerości, a także słowa zawierające ostrzeżenie; dla Kajfasza – to, czego oczekiwał, czyli „bluźnierstwo". Był pewien, że takie oskarżenie zostanie zaakceptowane przez cały Sanhedryn ze względów religijnych. Mogłoby ono być również przydatne przed obliczem Piłata jako argument przeciwko Jezusowi, bowiem każdego „zbawiciela" narodu żydowskiego łatwo było przedstawić w roli potencjalnego wywrotowca i buntownika. Jezus świadomie dał się wprowadzić w tę pułapkę.

Rozprawa przed Poncjuszem Piłatem

Teraz całe ich zgromadzenie powstało i poprowadzili Go przed Piłata. (...) Piłat (...) rzekł do nich: „Przywiedliście mi tego człowieka pod zarzutem, że podburza lud. Otóż ja przesłuchałem Go wobec was i nie znalazłem w Nim żadnej winy w sprawach, o które Go oskarżacie (...). Każę Go więc wychłostać i uwolnię". (...) Zawołali więc wszyscy razem: „Strać Tego, a uwolnij nam Barabasza!" Piłat, chcąc uwolnić Jezusa, ponownie przemówił do nich. Lecz oni wołali: „Ukrzyżuj, ukrzyżuj Go!"(...) Piłat więc zawyrokował, żeby ich żądanie zostało spełnione.

Ewangelia wedłud św. Łukasza, 23,1.14.16.18.20.21.24

W odpowiednim czasie doprowadzono Jezusa przed oblicze Piłata. Z domu arcykapłana w Górnym Mieście nie było daleko do byłego pałacu Heroda Wielkiego, w którym (niemal napewno) Piłat zatrzymał się podczas świątecznej wizyty.

Niektórzy uważają, że oficjalny proces przed Sanhedrynem odbył się w świątynnym Krużganku Salomona, można jednak przypuszczać, że na typowym dziedzińcu zamożnego domu w Górnym Mieście wystarczyło miejsca dla wszystkich członków Wysokiej Rady. Inni badacze sugerowali, jakoby Piłat przebywał w owym czasie w twierdzy Antonia – siedzibie rzymskiego garnizonu, sąsiadującej ze świątynią od północy. Nie można tego wykluczyć, jest jednak bardziej prawdopodobne, że rzymski prokurator spędzał święta w wygodnym i przestronnym pałacu, a nie w żołnierskich koszarach. Piłat nie lubił przyjeżdżać do Jerozolimy. Dlaczego więc miałby utrudniać sobie pobyt, mieszkając w gorszych warunkach? Oczywiście, musiał też mieć zapewnioną dobrą ochronę.

Kiedy żydowscy przywódcy religijni przyprowadzili Jezusa do Piłata, prokurator świadomie drażnił ich, sugerując konieczność odbycia oficjalnego procesu z formalnym „oskarżeniem". Żydzi liczyli, że prokurator zaaprobuje decyzję Sanhedrynu, on jednak postanowił przesłuchać Jezusa. Oskarżający ewidentnie starali się nadać słowu „Mesjasz" znaczenie polityczne, takie jak „władca Żydów", „król żydowski" itp. Dlatego Piłat zapytał: „Czy jesteś królem żydowskim?". Odpowiedź Jezusa: „Królestwo moje nie jest z tego świata" wystarczyła, by rzymski namiestnik zakwestionował oskarżenia Sanhedrynu, co doprowadziło członków Wysokiej Rady do wielkiej irytacji. „Ja nie znajduję w Nim żadnej

Poncjusz Piłat

Gdyby nie to, co się stało w piątek rano w Jerozolimie w 30 roku, bardzo niewielu ludzi (z wyjątkiem czytelników pism Józefa Flawiusza) słyszałoby o Poncjuszu Piłacie pełniącym w owym czasie obowiązki prokuratora Judei. Ponieważ jednak dokonały się wydarzenia, o których wszyscy wiemy, miliony chrześcijan wymienia w każdą niedzielę jego imię. Chodzi o słowa podczas odmawiania wyznania wiary, stwierdzające że Jezus został ukrzyżowany, umęczony i pogrzebany „pod Poncjuszem Piłatem".

Co wiadomo o tym człowieku? Nie mieliśmy żadnego archeologicznego dowodu jego istnienia do czerwca 1961 roku, kiedy to w Cezarei Nadmorskiej znaleziono inskrypcję z jednoznaczną łacińską referencją do jego nazwiska: Pontius Pilatus. Odkrycie to potwierdza fakt jego pobytu w Palestynie w interesującym nas okresie. Piłat mieszkał przypuszczalnie w Cezarei (administracyjnej stolicy prowincji), a do Jerozolimy przyjeżdżał tylko w sprawach służbowych oraz w krytycznych momentach takich jak Pascha.

Głównym źródłem informacji o nim są pisma Józefa Flawiusza. Judea znajdowała się pod bezpośrednim zarządem rzymskim od 6 roku po Chr. W tym też roku objął tam urzędowanie pierwszy rzymski „prokurator" (tj. namiestnik). Według Flawiusza, Piłat pełnił tę funkcję od roku 26 i w wielu przypadkach przejawiał postawę antagonistyczną w stosunku do tradycji miejscowych. Jednym z przykładów było sprowadzenie do miasta pod osłoną nocy proporców rzymskich legionów, mimo że ich symbolika była gorsząca i bulwersująca dla ludności żydowskiej. Przywódcy żydowscy udali się wówczas do Cezarei ze specjalną petycją, wyrażającą prośbę o ich usunięcie, na co w końcu Piłat wyraził zgodę (Józef Flawiusz, *Dawne dzieje Izraela* 18,3). W roku 36 stłumił powstanie Samarytan w wyjątkowo brutalny sposób, wzbudzając sprzeciw i oburzenie cezara Tyberiusza, czego efektem było odwołanie go do Rzymu (zob. s. 84).

Był więc Piłat człowiekiem, któremu inspirowanie przestępstw nie sprawiało trudności. W początkach swojej kariery nie był skłonny do kompromisów, ale później w pewnych okolicznościach bywał do nich zmuszany. W końcu jednak stracił posadę z woli cezara, z powodu swojej nadgorliwości. Wszystko to zgadza się ze znanymi nam wydarzeniami związanymi z Jezusem.

Prawdopodobny wygląd okolic Golgoty za czasów Jezusa (według Pixnera); rysunek przedstawia widok z północnego wschodu z założeniem wcięcia Drugiego Muru

Klucz

1 Rejon dzisiejszej Bramy Jafy
2 Górny pałac Heroda (cytadela)
3 Sadzawka Ezechiasza
4 Mauzoleum Jana Hirkana
5 Agora (pawilony handlowe)
6 Najstarsza jerozolimska Droga Krzyżowa
7 Brama Gennath (Ogrodowa)
8 Kamieniołom
9 Wzgórze Golgota
10 Grób Jezusa
11 Groby *kochim*
12 Ogród prywatny
13 Drugi Mur
14 Miejsce dzisiejszego grobu Chrystusa

winy". (J 18, 38)
– powiedział Piłat.

Kolejne oskarżenia były coraz poważniejsze. „Podburza lud, szerząc swą naukę po całej Judei". (Łk 23,5). „(...) sam siebie uczynił Synem Bożym" (J 19,7). Ten ostatni zarzut był zgodny z pierwotnym posądzeniem o „bluźnierstwo", teraz jednak odarto go z politycznych odniesień. Spowodowało to wahanie Piłata. Próbował on wykorzystać zwyczaj paschalnej amnestii, lecz gęstniejący tłum wolał widzieć na wolności buntownika i zabójcę Barabasza, a nie Jezusa (Mk 15,6-11). W tej sytuacji Piłat postanowił grać na zwłokę, odsyłając Jezusa do Heroda Antypasa (władcy Galilei, który z okazji Paschy także był w Jerozolimie – por. Łk 23,6-12). I wreszcie faryzeusze wyciągnęli swoją ostatnią kartę: „Jeżeli Go uwolnisz, nie jesteś przyjacielem Cezara. Każdy, kto się czyni królem, sprzeciwia się Cezarowi" (J 19,12). W tym momencie prokurator Rzymu poczuł się przyparty do muru.

Piłat wiedział, że oskarżenia wysuwane wobec Jezusa nie mają podłoża politycznego. Podejrzewał, że motywem kapłanów jest „zawiść" (por. Mk 15,10). Wiedział też, że argumenty odwołujące się do lojalności wobec cezara były wybitnie nieszczere (bowiem dla Żydów prawdziwym władcą był Bóg, a nie imperator). Zbyt wiele by jednak ryzykował, uniewinniając człowieka, któremu przypisywano władcze atrybuty, gdyby wieść o tym dotarła do Rzymu. Ważąc opcje polityczne, wyprowadził Jezusa na zewnątrz i „(...) zasiadł na trybunale, na miejscu zwanym Lithostrotos, po hebrajsku Gabbata" (J 19,13), a następnie zaakceptował wyrok zgodny z życzeniem Żydów – biczowanie i ukrzyżowanie. W relacji Mateusza Piłat umył dłonie po wydaniu orzeczenia (por. Mt 27,24).

Po ubiczowaniu, Jezus został wyprowadzony przez Bramę Gennath (zwaną też Ogrodową), położoną w północno-zachodnim narożniku murów miejskich. Pozostawiając za

Szymon Cyrenejczyk i Jan Marek

Gdy Jezus nie miał już siły dźwigać krzyża, żołnierze rzymscy wyznaczyli człowieka, który miał go nieść za Niego. Pochodził on z Cyreny w północnej Afryce i mógł być Żydem, odwiedzającym Jerozolimę w okresie Paschy. W Dziejach Apostolskich (2,10) znajdujemy wzmiankę o Żydach przybywających do Jerozolimy z tamtych rejonów. Być może zbliżał się on właśnie do miasta ze swoją pierwszą wizytą, bądź też wracał do niego w toku swych codziennych obowiązków. Ewangelista Łukasz pisze: „(...) zatrzymali niejakiego Szymona z Cyreny, który wracał z pola, i włożyli na niego krzyż" (Łk 23,26). Tak czy owak, są dowody na to, że owo przypadkowe zdarzenie zmieniło radykalnie bieg życia Szymona z Cyreny.

Święty Marek dodaje interesujący szczegół, pisząc: „I przymusili niejakiego Szymona z Cyreny, ojca Aleksandra i Rufusa" (Mk 15,21). Fraza ta sugeruje, iż synowie Szymona mogli być dobrze znani niektórym czytelnikom ewangelicznej relacji. Wielu uczonych uważa, że Marek pisał swoją Ewangelię w Rzymie, co czyni następującą wzmiankę w Liście św. Pawła do Rzymian jeszcze bardziej intrygującą: „Pozdrówcie wybranego w Panu Rufusa i jego matkę, która jest i moją matką" (Rz 16,13). Jeśli byłby to ten sam Rufus, znaczyłoby, że Paweł znał żonę Szymona i co najmniej jednego z jego synów. Można by więc sądzić, że cała rodzina przyjęła chrześcijaństwo – niemal na pewno w ścisłym powiązaniu z dramatycznym doświadczeniem Szymona na stokach Golgoty, na Jezusowej „drodze krzyżowej".

Na tym jednak nie koniec. W 1941 roku w grobowcu w Dolinie Cedronu znaleziono urnę na kości z następującymi inskrypcjami: „Aleksander z Cyreny" (w języku aramejskim) oraz „Aleksander, syn Szymona" (po grecku). Aleksander, Szymon, Cyrena – wiele mówiące zestawienie. Czyżby ta urna zawierała kości człowieka, którego ojciec dźwigał krzyż Jezusa?

Jeśli tak, to mielibyśmy informacje o czterech członkach rodziny – ojcu odwiedzającym Jerozolimę w krytyczny piątek, matce, która później opiekowała się apostołem Pawłem, oraz dwóch synach (znanych w Rzymie), z których jeden mieszkał tamże w początkach lat pięćdziesiątych I wieku, a drugi zmarł w Jerozolimie.

Uzyskujemy również wgląd w losy innej żydowskiej rodziny, która mogła mieć związki zarówno z Rzymem, jak i z Jerozolimą. Jakkolwiek bowiem ewangelista Marek pisał najprawdopodobniej w Rzymie, to jednak pochodził z Jerozolimy. Zwykle utożsamia się go z Janem Markiem towarzyszącym Pawłowi w jego pierwszej podróży misyjnej (por. Dz 12,25). Lecz z Dziejów Apostolskich dowiadujemy się również, że wcześni chrześcijanie zbierali się w „domu Marii, matki Jana, zwanego Markiem" (Dz 12,12). Ów dom znajdował się prawdopodobnie gdzieś w Jerozolimie.

Jeśli rodzina Marka rzeczywiście wywodziła się z Jerozolimy, to nie można wykluczyć, że wzmiankowany przez niego „młodzieniec", który „zostawił prześcieradło i nago uciekł" (Mk 14,52) to sam autor czwartej Ewangelii. Z tej hipotezy niektórzy wnioskują, że Marek mógł spać w Ogrójcu owej nocy, ponieważ jego ojciec był właścicielem tego gaju oliwnego. Być może wobec ogromnego tłoku w Jerozolimie ojciec Jana Marka zaproponował młodszym towarzyszom Jezusa nocleg pod gołym niebem (tj. w Ogrójcu), a osobom starszym (np. Matce Jezusa) – kwaterę w swoim domu w Górnym Mieście.

Dowody wskazują więc, iż członkowie rodzin Szymona i Marka uczestniczyli w wydarzeniach pierwszego Wielkiego Piątku, a później relacjonowali swoje przeżycia w Rzymie i innych krajach śródziemnomorskich.

---

sobą miasto Jeruzalem, ruszył w kierunku miejsca swojej egzekucji. Była to prawdziwa *via dolorosa* – droga smutku i łez.

Z początku zmuszono Go do dźwigania poprzecznej belki krzyża *(patibulum)*, lecz wyczerpany wszystkim, co ostatnio przeżył, zasłabł i upadł pod jego ciężarem. Wtedy żołnierze zmusili Szymona z Cyreny, który akurat był w pobliżu (por. Mk 15,21), aby pomógł Jezusowi.

W tłumie stały kobiety, które – widząc, co się dzieje – zaczęły płakać. Umęczony Jezus zwrócił się do nich ze słowami: „Córki jerozolimskie, nie płaczcie nade Mną; płaczcie raczej nad sobą i nad waszymi dziećmi!" (Łk 22-28). Nawet w tej tragicznej dla siebie chwili Jezus pamiętał o innej tragedii. To, co Rzymianie czynili Jemu, było tylko małą cząstką nieszczęścia mającego wkrótce spotkać Jerozolimę. Wiedział, że święte miasto zostanie zniszczone, a Syjon okryty wstydem. W ten sposób chciał wyrazić, że miasto, które Go skazało, samo wkroczyło już na swoją *via dolorosa* – drogę znaczoną smutkiem i żalem.

Jerozolima

166

ok. 1000 prz. Chr.	Dawid ustanawia byłą twierdzę Jebusytów Jeruzalem stolicą państwa żydowskiego; na południowo-wschodniej części wzgórza, dziś nazywanej Miastem Dawida	100 prz. Chr.	Górne wzgórze po stronie zachodniej zostaje włączone w obręb murów Jerozolimy	ok. 450	Przeniesienie tradycji związanej z grobem Dawida z Miasta Dawida na bizantyjską Górę Syjon
ok. 960 prz. Chr.	Salomon buduje świątynię na północ od Miasta Dawida	63 prz. Chr.	Początek panowania Rzymian w Jerozolimie	ok. 614	Spalenie kościoła Świętego Syjonu podczas inwazji perskiej
597 prz. Chr.	Pierwsze oblężenie Jerozolimy przez Babilończyków; działalność proroka Jeremiasza (627–580 prz. Chr.)	ok. 41–44 po Chr.	Za panowania Heroda Agryppy Jerozolima rozrasta się w kierunku północnym (budowa Trzeciego Muru)	ok. 1335	Franciszkanie budują na górze Syjon klasztor w miejscu, w którym – jak sądzono – odbyła się Ostatnia Wieczerza, a nie tylko zesłanie Ducha Świętego (por. Dz 1,13; 2,1)
587/6 prz. Chr.	Oblężenie i zniszczenie Jerozolimy przez Babilończyków; żydowscy władcy oraz liczni ich poddani dostają się do niewoli (2 Krl 24–25)	ok. 70	Rzymianie pod dowództwem Tytusa burzą świątynię jerozolimską (sierpień), a następnie palą miasto i niszczą południowe mury (wrzesień)	ok. 1517	Sulejman Wspaniały wznosi mury Starego Miasta (łącznie z Bramą Damasceńską)
538 prz. Chr.	Pierwsi Żydzi powracają do Jerozolimy z wygnania	ok. 135	Cesarz Hadrian niszczy Jerozolimę po drugim powstaniu żydowskim, a następnie zakłada na jej gruzach nowe miasto pod nazwą Aelia Capitolina; większa część Górnego Miasta znajduje się teraz na zewnątrz murów wojskowego „obozu" Hadriana	1917	Generał Allenby wkracza do Jerozolimy na czele wojsk alianckich
515 prz. Chr.	Odbudowa świątyni w mniejszej skali; działalność proroków Aggeusza i Zachariasza			1948	Proklamacja Państwa Izrael (Jerozolima wschodnia znalazła się pod kontrolą Jordanii)
ok. 450 prz. Chr.	Powrót kolejnych Żydów z niewoli; odbudowa murów Jerozolimy pod kierunkiem Nehemiasza	ok. 340	Budowa kościoła Świętego Syjonu, nazwanego później matką wszystkich kościołów; górne wzgórze zaczyna być nazywane „Górą Syjonu" (w wyniku błędnej identyfikacji Miasta Dawida w pismach Józefa Flawiusza)	1967	Wojna sześciodniowa, w wyniku której Izrael przejął kontrolę nad całą Jerozolimą

Od tamtej pory zawsze wskazywano na możliwość związku między obiema tragediami. Albowiem w chwili, gdy Jezus opuszczał w głębokim osamotnieniu mury miasta, widać było aż nadto wyraźnie, że święte miasto nie było wcale takie święte, oraz że „miasto Wielkiego Króla" mogło przyczynić się do odrzucenia tego, który był naprawdę władcą najwyższym.

Myśl moja już nie spocznie w boju,
Nie uśnie miecz w uścisku rąk,
Póki nie stanie Jeruzalem
W Anglii zielonej, kraju łąk.

William Blake, Jeruzalem
(tłum. Jerzy Pietrkiewicz)

Jerozolima dzisiaj

Każdy pierwszy pobyt w nieznanym mieście jest przeżyciem oszałamiającym, lecz w przypadku Jerozolimy może nim być w dwójnasób. Oto miasto zamieszkałe w sposób ciągły od 3000 lat. Miasto, o które Żydzi walczyli z Jebusytami, Asyryjczykami i Babilończykami, Rzymianami, Bizantyjczykami, Persami, krzyżowcami, Mamelukami, Brytyjczykami i Arabami, a współcześni Izraelczycy – z Palestyńczykami. Każdy, kto oczekuje łatwej drogi do odnalezienia „Jerozolimy z czasów Jezusa" – wyjętej z potoku dziejów i zachowanej dla potomności – będzie głęboko rozczarowany. W niektórych miejscach poziom ulic z I wieku znajduje się pod sześciometrową warstwą gruzów i odpadów nagromadzonych przez dwa tysiące lat zwykłego (a czasem bardzo niezwykłego) życia miasta. Jerozolima żyje i ulega zmianom.

Można nawet powiedzieć, że się przemieszcza! Pierwsza rzecz, którą dzisiejszy odwiedzający powinien sobie jasno uświadomić, to fakt iż widoczne obecnie mury Starego Mia-

sta (zbudowane w roku 1517) nie znajdują się w tych samych miejscach, w których istniały w I wieku. Od tamtej pory miasto przesunęło się o 270 metrów na północ (patrz: diagramy na s. 169). Niektóre obiekty w północnej części Starego Miasta były w czasach Jezusa *na zewnątrz* murów północnych, a pewne elementy w części południowej, będące wówczas *wewnątrz* miasta, znajdują się teraz poza murami. Tak więc w tym rozdziale (poświęconym ostatniej nocy Jezusa w Jerozolimie) będziemy dość często wychodzili poza obręb dziesiejszego Starego Miasta.

Nie ma prostej metody zwiedzania Jerozolimy. W mieście tym nawarstwiło się wiele historycznych wydarzeń, nie sposób więc śledzić w nim doświadczeń Jezusa, nie uświadamiając sobie innych epizodów poprzedzających Jego życie oraz późniejszych. Z praktycznych względów geograficznych i transportowych nie można w nieskończoność przekraczać w obie strony murów Starówki. Na stronie 130 zamieszczamy propozycję marszruty, która wielu osobom pomogła w porządkowaniu i organizowaniu materiału. Przewidziano w niej m.in. czas na ogólną orientację, bez której trudno w sensowny sposób zwiedzać konkretne obiekty.

Góra Oliwna w roku 1900 z widocznym Ogrójcem (na pierwszym planie) i niedawno wybudowanym kościołem św. Marii Magdaleny; uczniowie Jezusa prawdopodobnie uciekali do Betanii, na drugą stronę wzgórza z wierzchołkiem wzniesienia wiąże się tradycja wniebowstąpienia

Orientacja ogólna

Proponowana marszruta sugeruje rozpoczęcie zwiedzania od spojrzenia na **Jerozolimę z Góry Oliwnej**. Tym razem nie chodzi o odwiedzanie konkretnych miejsc na Górze Oliwnej (patrz: s. 126-130), lecz o ogólne spojrzenie na miasto w celu uzyskania orientacji w jego skomplikowanej topografii.

Z platformy widokowej przed hotelem Siedmiu Łuków turyści mogą zobaczyć, że starożytną Jerozolimę otaczały z trzech stron dość głębokie doliny (**Dolina Hinnom** od południa i zachodu oraz **Dolina Cedronu** po stronie wschodniej), miasto było więc najbardziej narażone na ataki z kierunku północno-zachodniego. Patrząc z tego samego miejsca można również ocenić ogromne rozmiary kompleksu świątyni Heroda oraz zlokalizować odnogę małego Syjonu/Jeruzalem króla Dawida (odchodzącą na południe od rejonu świątyni), której umiejscowienie wiązało się z dostępem do wody ze źródła Gihonu. Widząc to, możemy sobie wyobrazić, że owo **Miasto Dawidowe** i znajdujące się za nim wzgórze (**Górne Miasto** z czasów Jezusa) mieściły się *wewnątrz* murów Jerozolimy z I wieku.

Opisane miejsce widokowe jest dobrym punktem wyjścia z innego jeszcze powodu – umożliwia zwiedzającym odtworzenie w wyobraźni uczuć oczekiwania, którymi byli przejęci pielgrzymi przekraczający szczyt Góry Oliwnej i kontemplujący panoramę miasta otwierającą się przed ich oczyma. Do dziś wielu ludziom przybywającym do tego miasta żywiej bije serce w radosnym oczekiwaniu. Na Górze Oliwnej można zrozumieć, dlaczego tak się dzieje. Podchodząc od strony pustyni, być może ze słowami Psalmu 122 („Uradowałem się, gdy mi powiedziano: «Pójdziemy do domu Pańskiego!»"), możemy i dziś odczuć dokładnie to samo, co czuli pielgrzymi z czasów Jezusa (i wszystkich późniejszych), zbliżając się do tego niepowtarzalnego miasta. Przeżycie to jest szczególnie silne tuż przed zachodem słońca. Panorama Jerozolimy, widziana o takiej porze z Góry Oliwnej, dostarcza niezapomnianych wrażeń, będąc jednocześnie dobrym wprowadzeniem w jej złożoność.

Model starożytnej Jerozolimy

Kolejne miejsce pomocne w uzyskaniu ogólnej orientacji znajduje się dość daleko od Starego Miasta – we **współczesnej Jerozolimie zachodniej**. W latach 1948–1967 miasto było podzielone – część wschodnia należała do Haszymidzkiego Królestwa Jordanii, a część zachodnia do Izraela. Po wojnie sześciodniowej w czerwcu 1967 roku i „zjednoczeniu" miasta (wraz z tzw. „ziemią niczyją"), mur oddzielający obie jego części został rozebrany

Model Jerozolimy w I wieku po Chr. z miejscem tradycyjnie utożsamianym z Golgotą na zewnątrz Drugiego Muru, otoczonym przez domy mieszkalne wybudowane za czasów Heroda Agryppy (41–44 po Chr.)

Zmiany położenia murów Jerozolimy

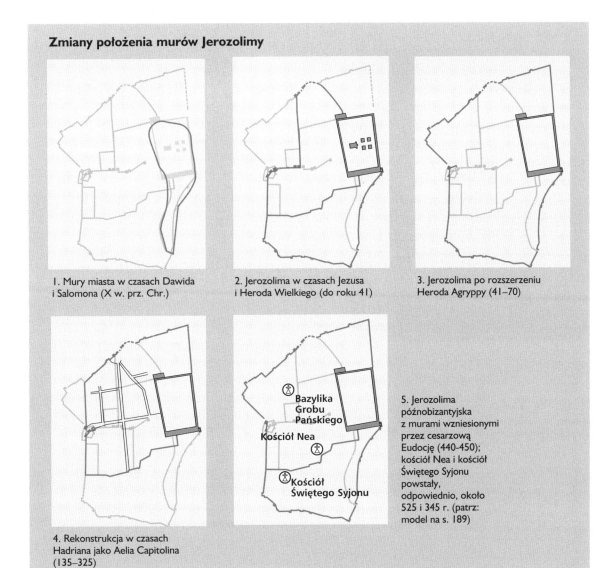

1. Mury miasta w czasach Dawida i Salomona (X w. prz. Chr.)

2. Jerozolima w czasach Jezusa i Heroda Wielkiego (do roku 41)

3. Jerozolima po rozszerzeniu Heroda Agryppy (41–70)

4. Rekonstrukcja w czasach Hadriana jako Aelia Capitolina (135–325)

Bazylika Grobu Pańskiego

Kościół Nea

Kościół Świętego Syjonu

5. Jerozolima późnobizantyjska z murami wzniesionymi przez cesarzową Eudocję (440-450); kościół Nea i kościół Świętego Syjonu powstały, odpowiednio, około 525 i 345 r. (patrz: model na s. 189)

i do dziś bardzo niewiele po nim pozostało. Mimo to pojęcia wschodniej i zachodniej Jerozolimy są nadal użyteczne z praktycznych i politycznych powodów.

W Jerozolimie zachodniej jest wiele ważnych rzeczy, które każdy zwiedzający powinien zobaczyć, a mianowicie: obiekty handlowe przy ulicy Jaffy i ulicy Ben Yehuda, ortodoksyjna dzielnica żydowska **Mea Sze'arim,** Muzeum Holocaustu **Yad Vashem** oraz fascynujące **Muzeum Izraela,** w którym można m.in. obejrzeć niektóre zwoje z Qumran (eksponowane w Świątyni Księgi) w tym kompletny egzemplarz Księgi Izajasza.

Na szczególną uwagę zasługuje wspaniały **model starożytnej Jerozolimy,** który do niedawna znajdował się na terenie hotelu Holyland. Istnieją obecnie plany przeniesienia go w inne miejsce, prawdopodobnie do Muzeum Izraela. Model, przedstawiający wygląd miasta tuż przed jego zniszczeniem przez Rzymian w roku 70, jest stale uaktualniany w miarę odkrywania nowych faktów przez archeologów. Także i jego studiowanie najle-

Ruiny sadzawki Betesda

piej zaczynać od Góry Oliwnej, spojrzenia na miasto od wschodu oraz wyobrażenia sobie tego, co mogli widzieć uczniowie Jezusa i On sam, spoglądający na miasto w pierwszą Niedzielę Palmową. A widzieli oni świątynię w pełni chwały (zob. s. 134), biedne domy w Mieście Dawida, które ustępowały miejsca zamożnym rezydencjom Miasta Górnego (zob. s. 154), głęboką Dolinę Tyropeonu rozdzielającą dwa wzgórza i biegnącą dalej w kierunku północno-zachodnim przez pozostałą część miasta.

Toczą się spory na temat przebiegu muru północnego, budowanego od lat czterdziestych I wieku. Józef Flawiusz, nazywający go **Trzecim Murem** (*Wojna żydowska* 5,4), zamieszcza obszerny opis, lecz mimo to ustalenie dokładnej linii jego przebiegu napotyka trudności. W modelu przyjęto wariant „maksymalistyczny", w którym grób w ogrodzie i Miejsce Czaszki (znajdujące się obecnie poza Starym Miastem) mieszczą się *wewnątrz* zarysu murów. Są jednak całkiem uzasadnione opinie preferujące wersję „minimalistyczną" z linią muru północnego pokrywającą się z grubsza z obecnym murem ograniczającym Stare Miasto od północy (zob. plan trzeci s. 169), co oznaczałoby wciąż znaczące rozszerzenie miasta w porównaniu z tym, które widział Jezus. W modelu uwzględniono linię muru wewnętrznego – czyli **Muru Drugiego** – dzięki czemu możemy się przekonać, że nawet miejsce, które tradycja wiąże z Golgotą, było w roku 30 poza murami miejskimi (zob. s. 168).

Kontrowersyjny jest również przebieg Muru Drugiego na północ od świątyni, lecz wydaje się, że **sadzawka Owcza,** czyli **Betesda**, przy której Jezus dokonał uzdrowienia (por. J 5,2) mogła znajdować się *w mieście*. Ewangelista Jan opisuje ją jako „zaopatrzoną w pięć krużganków". W pewnym okresie ten niezwykły opis budził wśród biblistów wątpliwości co do wiarygodności Janowego przekazu, jednak w latach trzydziestych XX wieku odkopano sadzawkę i okazało się, że miała rzeczywiście owe „krużganki" – nie tylko wzdłuż brzegów, ale i w poprzek basenu. Jej pozostałości (trochę niewyraźne) można obejrzeć na terenie przyległym do wzniesionego przez krzyżowców kościoła św. Anny – tuż za Bramą Lwów znaną także jako Brama św. Szczepana.

Ostatnie godziny Jezusa

Skupimy teraz uwagę na ostatnich dwudziestu czterech godzinach przeżytych przez Jezusa przed ukrzyżowaniem. Patrząc na na model Jerozolimy (zob. także mapę, s. 158) prześledźmy Jego kroki:

- ◆ Jezus udał się na **Ostatnią Wieczerzę** do domu w Górnym Mieście. Dom, w którym się ona odbyła, nie musiał być luksusowy, jak inne zamożniejsze domy widoczne na modelu. Mógł być jednak znacznie obszerniejszy od tych, które znajdowały się w Dolnym Mieście. Jezus potrzebował dużego pokoju, w którym jego uczniowie mogliby pomieścić się przy stole. Na szczęście miał znajomego w tej części miasta.
- ◆ Po wieczerzy Jezus i jego uczniowie zeszli z Górnego Miasta w kierunku **sadzawki Siloe**. Warto zwrócić uwagę, że było to zejście, jak na warunki miejskie, dość strome.

- ◆ Kolejnym wydarzeniem jest aresztowanie Jezusa i doprowadzenie Go do **domu Kajfasza**, który niemal napewno był jedną z największych i najokazalszych rezydencji w Górnym Mieście.
- ◆ Po przesłuchaniu przez Sanhedryn Jezus pojawia się przed obliczem Piłata, najprawdopodobniej nie w warowni Antonia, lecz w **pałacu króla Heroda** (zob. s. 162). Zgodnie z opisem Józefa Flawiusza, był to wielki wspaniały budynek; „lecz aby go opisać, brak po prostu słów" (*Wojna żydowska* 5,176). Pałac znajdował się w pobliżu zachodniego muru i był wyposażony w **trzy duże wieże** zbudowane przez Heroda dla uhonorowania członków jego rodziny i przyjaciół (osób znanych jako Hippikus, Fazael i Mariamme).

Patrząc na model miasta możemy zauważyć, że – z wyjątkiem „wycieczki" do spokojnego Ogrójca – Jezus spędził większość swych ostatnich godzin w jerozolimskim **Górnym Mieście**, a więc w samym centrum życia politycznego i społecznego, w siedzibach arystokratów i w ich środowisku, jakże odległym od ubogiej, wiejskiej scenerii początków Jego działalności w Galilei.

Góra Syjon – scena Ostatniej Wieczerzy?

Wracając do wschodniej Jerozolimy, zwiedzający powinni udać się do rejonu poza murami Starego Miasta noszącego obecnie mylącą nazwę **góra Syjon**. Wiemy już, że miasto Dawida (Syjon biblijny) znajdowało się dalej na wschód, na wzgórzu znacznie niższym, lecz do czasów Józefa Flawiusza (a już z całą pewnością w czasach bizantyjskich) błędnie zakładano, że Syjonem Dawidowym jest wyższe wzniesienie położone bardziej na zachód – stąd jego obecna nazwa. Kiedyś była to część jerozolimskiego Miasta Górnego, w którym Jezus spędził długą noc czwartkową. Dokładne odtworzenie Jezusowej „marszruty" przysparza poważnych trudności.

Nie potrafimy ustalić z jakimkolwiek stopniem pewności **miejsca Ostatniej Wieczerzy**. Niektórzy sądzą, że mogła się ona odbyć w domu ojca Jana Marka (por. Dz 12,12). Możliwe, że tak było, *gdzie* jednak stał ten dom? Mały koptyjski kościółek pod wezwaniem św. Marka ma wprawdzie bardzo odpowiedniego patrona jak na jerozolimską Starówkę, lecz jego umiejscowienie niczego pewnego nie oznacza.

Mniej więcej od V wieku Ostatnią Wieczerzę kojarzono z miejscem, w którym znajduje się obecnie franciszkański **Wieczernik** (tj. „refektarz"). Pierwotnie jednak miejsce to było niemal z całą pewnością kojarzone przez jerozolimskich chrześcijan nie z Ostatnią Wieczerzą, lecz z zesłaniem Ducha Świętego, które dokonało się również w „sali na górze" (Dz 1,13;2,1), w związku z czym późniejsi chrześcijanie (w V wieku) w sposób całkiem naturalny sugerowali wspólnotę miejsca obydwu zdarzeń. Ewentualności takiej nie można oczywiście wykluczyć, argumentem przemawiającym przeciwko niej jest jednak siła wczesnochrześcijańskiej tradycji, zgodnie z którą miejsce obecnego Wieczernika było kojarzone *wyłącznie z zesłaniem Ducha Świętego*. Gdyby we wczesnym okresie chrześcijaństwa istniało przekonanie o jedności miejsca tych zdarzeń, z pewnością mielibyśmy tego dowody, lecz ich nie mamy – prawdopodobnie dlatego, iż przypuszczenie to nie odpowiada prawdzie.

Jeżeli rzeczy tak właśnie się mają, to zwiedzając Wieczernik musimy pamiętać, że jest to miejsce zupełnie innego wydarzenia biblijnego – narodzin Kościoła. Uczniowie Jezusa otrzymali wtedy dar Ducha Świętego, po czym Piotr zaczął przemawiać do zebranych tłumów (por. Dz 2,1-41).

Jerozolima w Dziejach Apostolskich

W drugim tomie swoich pism ewangelista Łukasz opisuje niektóre działania uczniów Jezusa w Jerozolimie oraz wymienia miejsca nie wspomniane w Ewangelii.

Pisze, że wyznawcy spotkali się „wszyscy razem w jednym miejscu" w dniu zesłania Ducha Świętego. Miejsce to, choć tradycyjnie identyfikowane z Łukaszową „salą na górze" (por. Dz 1,13), mogło mieć charakter bardziej publiczny. Niektórzy sugerują nawet świątynię lub stopnie poniżej jej południowego wejścia.

Świątynia jerozolimska jest wielokrotnie wymieniana *expressis verbis* w Dziejach Apostolskich. Na przykład: Piotr i Jan, dokonawszy cudu uzdrowienia przy „bramie świątyni, zwanej Piękną" (Dz 3,2), przemawiali do zgromadzonego tłumu „w krużganku, który zwano Salomonowym" (Dz 3,12-16). Nie jest wykluczone, że ich przesłuchania przed Sanhedrynem odbywały się w tym samym rejonie (jako że Wysoka Rada obradowała czasem w krużganku Królewskim w południowej części świątyni). Ponad dwadzieścia lat później św. Paweł „wszedł do świątyni" (Dz 21,26), gdy jednak wybuchły zamieszki, został ujęty przez rzymskich żołnierzy i zaprowadzony „do twierdzy" (którą była prawdopodobnie Antonia), skąd przemawiał do tłumu (por. Dz 21,34–22,29).

Ewangelista Łukasz pisze natomiast, że pierwsi chrześcijanie spotykali się regularnie, „a łamiąc chleb po domach, przyjmowali posiłek z radością i prostotą serca" (Dz 2,46). Potrafimy jednak zidentyfikować tylko jedną konkretną rodzinę: po ucieczce z więzienia (znajdującego się gdzieś na terenie miasta) Piotr „poszedł do domu Marii, matki Jana, zwanego Markiem" (Dz 12,12). Tam też mogła się wcześniej odbyć potajemna Ostatnia Wieczerza (zob. s. 171), dzięki uprzejmości rodziców Marka.

Z Wieczernikiem wiąże się inne jeszcze nieporozumienie. Ponieważ Bizantyjczycy błędnie identyfikowali górne wzgórze ze starotestamentowym Syjonem, zatem wzniesiony tam kościół Świętego Syjonu zaczęto kojarzyć z **miejscem pochówku króla Dawida**. Dla „upamiętnienia" jego osoby zbudowano odpowiadający tym przekonaniom „grobowiec", którego od roku 1948 strzegą izraelscy Żydzi. Znajduje się on na poziomie gruntu, *pod* Wieczernikiem i podczas zwiedzania dochodzi się do niego *osobnym* wejściem.

Nieopodal Wieczernika znajduje się **kościół Zaśnięcia NMP** – duży kościół zbudowany w 1900 roku dla upamiętnienia katolickiej wiary w to, że Maryja, Matka Jezusa, została „wzięta do nieba" (przez co uniknęła naturalnej śmierci). Protestanci są przekonani, że Maryja zmarła w sposób naturalny w Nazarecie lub w Efezie. Niezależnie od tych wzajemnie sprzecznych poglądów, chrześcijanie odwiedzający Jerozolimę w pierwszych wiekach po Jezusie, „zidentyfikowali" miejsce jej rzekomego pochówku w pobliżu Ogrójca; znajdujący się w Getsemanii **grób NMP** pochodzi z VI wieku. Współistnienie tych dwóch miejsc w bardzo bliskiej odległości (z których jedno upamiętnia śmierć Maryi i jej pochówek, a drugie – wniebowzięcie) to jeden z wielu jerozolimskich paradoksów.

Kolejną zagadką rejonu góry Syjon są (trzymane pod kluczem na protestanckim cmentarzu) pozostałości czegoś, co mogło być wzmiankowaną przez Józefa Flawiusza (*Wojna żydowska* 5,145) **Bramą Esseńczyków**. Ich autentyczność oznaczałaby, że Ostatnia Wieczerza mogła się odbyć w dzielnicy zamieszkałej przez członków tego bractwa zakonnego. Zdaniem niektórych mogłoby to też tłumaczyć, dlaczego Jezus obchodził Paschę dzień wcześniej niż inni – czyżby trzymał się alternatywnego kalendarza esseńczyków?

Nieopodal znajduje się współczesny **kościół św. Piotra „in Gallicantu"** (co oznacza dokładnie „tam gdzie piał kogut") zbudowany dla upamiętnienia faktu zaparcia się Piotra, w czasie gdy Jezusa zaprowadzono do domu arcykapłana. Podziemia tej świątyni kryją szereg wyciętych w skale komór i piwnic z I stulecia po Chr., jest jednak mało prawdopodobne, by były one częścią dawnego domu Kajfasza. Mogą to być raczej pozostałości klasztoru zbudowanego w VI wieku dla upamiętnienia miejsca, w którym Piotr gorzko opłakiwał swój uczynek. Z balkonu kościoła roztacza się wspaniały widok Dolnego Miasta; widać z niego w szczególności pobliskie strome stopnie, po których mógł stąpać Jezus, schodząc w dół w drodze do Ogrójca w noc czwartkową (zob. s. 160).

Gdzie mieszkali Kajfasz i Piłat?

Z umiejscowieniem **domu Kajfasza** wiążą się podobne trudności, jak ze znalezieniem Wieczernika. Cały rejon był dwukrotnie niszczony – w 70 i 135 roku; musi więc być dla nas nieuchwytny. Kajfasz musiał zapewne mieszkać, jako najwyższy kapłan, w pobliżu szczytu wzgórza, gdzie najzamożniejsi mogli cieszyć się ożywczymi podmuchami z południowego zachodu. Nie wiemy jednak, czy jego dom znajdował się *na zewnątrz* murów Starego Miasta, czy też dalej na północ.

Prace wykopaliskowe prowadzone po roku 1967 na terenie żydowskiej części Starego Miasta odsłoniły szereg domów z I wieku, których pozostałości dają wyobrażenie o ich ówczesnym wyglądzie. **Spalony Dom** pozwala wyrobić sobie pogląd o rozmiarach zniszczeń dokonanych przez Rzymian w roku 70. Okazałe **domy herodiańskie** przybliżają nam skalę wielkości tych domów oraz przypuszczalny ich standard. Stojąc w jednym z obszernych westybulów przylegających do dziedzińca, zwiedzający mogą łatwo sobie wyobrazić sceny z udziałem Jezusa i Piotra w tych pałacowych wnętrzach. Nie ma jednak żadnych dowodów, by którykolwiek z odkopanych domów należał do Kajfasza (niektóre szczegóły wskazują raczej na pałac Hasmonejczyków, wykorzystywany prawdopodobnie przez Heroda Antypasa podczas wizyt w Jerozolimie).

Skrzynia z kośćmi kojarzona z osobą arcykapłana Kajfasza

Najbliższy archeologiczny kontakt z Kajfaszem możemy spotkać w **Muzeum Izraela**, w którym znajduje się **skrzynia na kości** należąca do jego rodziny. Wśród widniejących na niej inskrypcji figuruje wyraźnie „Caiaphas bar-Joseph". Obiekt ten, znaleziony w początkach lat dziewięćdziesiątych XX wieku, zbliża nas do człowieka, który przesłuchiwał Jezusa, aczkolwiek niektórzy wątpią w słuszność tej interpretacji.

Z domu Kajfasza zaprowadzono Jezusa do **pretorium**, przed oblicze Poncjusza Piłata. Urząd ten mieścił się w byłym pałacu Heroda Wielkiego, który przejęli na swoje cele rzymscy prokuratorzy. **Pałac Heroda** zajmował teren na południe od trzech dużych wież (w pobliżu współczesnej Bramy Jaffy), aż do obecnych południowych murów Starego Miasta. Ze względu na jego rozległość, dokładne miejsce, w którym odbył się proces, nie jest możliwe do ustalenia. Według ewangelisty Jana (J 19,13) Piłat „zasiadł na trybunale, na miejscu zwanym Lithostrotos, po hebrajsku Gabbata". Niedawno wśród archeologów rozeszła się wieść o znalezieniu tego miejsca, stanowisko jest jednak na razie niedostępne dla zwiedzających.

Musimy się więc chwilowo zadowolić **Cytadelą Dawida**. Poczynając od II wieku ten wysoko położony punkt miasta był naturalnym miejscem na twierdzę (później mylnie kojarzoną z królem Dawidem). Można tam obejrzeć masywne wieże Heroda oraz północny kraniec jego pałacu. Także i tu łatwo wyobrazić sobie przepych luksusowych wnętrz, w których sądzono Jezusa. Budynki, o których mowa, miały być wizytówką politycznej potęgi i wpływów cesarstwa. Były też jawną manifestacją władzy pogan. Był to teren, na który żydowscy oskarżyciele Jezusa woleli nie wkraczać, „aby się nie skalać" (J 18,28). W takim to właśnie pogańsko-imperialnym *entourage'u* skazano na śmierć Galilejczyka z niewielkiego Nazaretu, oskarżonego o uzurpację tytułu „króla żydowskiego".

Podróże Europejczyków do Jerozolimy w XIX stuleciu

Podróże na Bliski Wschód stały się możliwe w latach trzydziestych XIX wieku, z chwilą przejścia Lewantu pod panowanie egipskiego paszy Muhammeda Alego. Liczba odwiedzających Jerozolimę Europejczyków zaczęła rosnąć, przy czym odwiedzali oni ten region z najróżniejszych powodów.

Jedną z grup stanowiły osoby mające plany i zamierzenia misyjne. Założona w roku 1809 organizacja CMJ (Church's Ministry among Jewish People) zaczęła wysyłać duchownych z zadaniem nawrócenia nielicznych jerozolimskich Żydów z judaizmu na chrześcijaństwo. Nową formę wiary zaczęto również proponować chrześcijanom ortodoksyjnego obrządku wschodniego. W roku 1846 anglikanie i luteranie ustanowili w Jerozolimie wspólne biskupstwo; w tym samym roku w jerozolimskim Starym Mieście zbudowano anglikański kościół Christ Church, pełniący początkowo rolę kaplicy dla pracowników konsulatu brytyjskiego.

Do drugiej grupy odwiedzających należeli ludzie, których dziś nazwalibyśmy pielgrzymami lub turystami. Jednym z najsławniejszych był Amerykanin Mark Twain, autor *Huckleberry Finna*. Jego relacja z podróży, zatytułowana *The Innocents Abroad* (*Prostaczkowie za granicą*) zawiera szczere do bólu, a zarazem zabawne opinie o tym, co zastał w Palestynie. Jerozolima była wówczas małą, w widoczny sposób podupadającą turecką wioską, a reszta Palestyny wyglądała równie biednie i nieciekawie.

W roku 1842 w podróż szlakami biblijnymi wybrał się zamiłowany artysta David Roberts. Odwiedzając kolejno Synaj, Jerozolimę i Galileę, wykonał kilka litografii (takich jak reprodukowana poniżej). W XIX wieku prace te przybliżyły biblijne ziemie ludziom Zachodu, a dziś dają wyobrażenie o zmianach, jakie się dokonały w ciągu minionych 160 lat.

Trzecią grupę podróżujących do Ziemi Świętej stanowili przedstawiciele rodzącej się wówczas archeologii biblijnej. Założona w 1865 roku Fundacja Badań Palestyny (Palestine Exploration Fund) wydawała periodyk pod nazwą „Quarterly Statements", w którym opisywano najnowsze odkrycia. Z ramienia Fundacji w Palestynie pracowało wielu archeologów, np.: Charles Warren badający w roku 1867 Wzgórze Świątynne, odkrywca słynnych szybów znanych pod jego nazwiskiem (patrz: s. 148) oraz Charles Conder, autor ważnej pracy pt. *Tentwork in Palestine* wydanej w roku 1878. Wiele elementów Wzgórza Świątynnego zawdzięcza swe nazwy archeologom XIX wieku. Należą do nich m.in.: Brama Barclaya (od nazwiska Josepha Barclaya pracującego tam w roku 1852) oraz Łuk Robinsona (odkrycie Edwarda Robinsona, późniejszego profesora studiów biblijnych w Nowym Jorku, który odwiedził Jerozolimę w roku 1838).

Innym zasłużonym archeologiem był Konrad Schick – muzyk pochodzenia szwajcarsko-niemieckiego.

Wszyscy ci badacze zgodnie potwierdzali bardzo zły stan Jerozolimy. W Dolinie Tyropeonu przez wieki gromadziły się gruzy i odpady. Wiele historycznych budynków zostało porzuconych. Chrześcijańska bazylika Grobu Pańskiego znajdowała się w opłakanym stanie (po trzęsieniu ziemi w roku 1808) i nie mogła budzić w nikim podniosłych uczuć – zwłaszcza w osobach o protestanckich poglądach i gustach. Robinson postrzegał ją jako relikt epoki „naiwnej wiary" i „legendarnych tradycji"; zastanawiał się wielokrotnie, czy nie była po prostu „oszustwem bigotów".

Zaczęto wysuwać alternatywne hipotezy na temat miejsca ukrzyżowania Jezusa. Fergusson (założyciel Fundacji Badań Palestyny) sugerował na przykład Kopułę Skały. W roku 1842 Niemiec Otto Thenius zaproponował „czaszkowate" wzgórze na północny wschód od Bramy Damasceńskiej. Jego wizja pobudziła wyobraźnię kolejnych odwiedzających, do których należeli: Amerykanie Fisher Howe (1853), Charles Robinson (1867) i Selah Merrill (1875–77); Brytyjczyk Henry Tristram (1858); a także sławny przybysz z Francji Ernest Renan, autor wpływowego, „liberalno-protestanckiego" *Życia Jezusa* (*Life of Jesus*, 1863).

W ich ślady poszedł Charles Conder, a także gen. Charles Gordon, mieszkający w roku 1883 w budynku znanym dziś jako Spafford House, koło Bramy Damasceńskiej. Mając doskonały ogląd owego „czaszkowatego wzgórza" z balkonu tego domu, zaczął je nazywać w listach „moją Golgotą". Relacje z jego pobytu w Palestynie (*Reflections in Palestine*), napisane w roku 1883, ukazały się krótko po jego śmierci w bitwie pod Chartumem w styczniu 1885 roku.

Pod koniec XIX wieku wielkie zainteresowanie Jerozolimą i ogromny napływ przyjezdnych z Zachodu powodowały w tym mieście znaczne zmiany. Liczące się państwa i instytucje europejskie nabywały w mieście nieruchomości i rozszerzały swoją obecność wieloma innymi sposobami. Francuzi zbudowali Szkołę Biblijną i Archeologiczną (Ecole Biblique), powstał klasztor Notre Dame dla francuskich pielgrzymów, a Rosjanie stworzyli szereg obiektów udzielających wsparcia pielgrzymom prawosławnym. Niezależne działania podejmowali również anglikanie i luteranie: w roku 1898 konsekrowano anglikańską katedrę św. Jerzego oraz luterański kościół Zbawiciela na Starym Mieście. Znamienną kulminacją dziewiętnastowiecznych poczynań w Ziemi Świętej była wizyta króla pruskiego Wilhelma II, którego udział w poświęceniu kościoła luterańskiego wymagał... zniszczenia Bramy Jaffy, by mógł on wjechać konno na teren Starego Miasta.

Droga Krzyżowa (Via Dolorosa)

Z pretorium do przypuszczalnego miejsca egzekucji nie było daleko. Zgodnie z utrwaloną tradycją miejsce to znajduje się obecnie wewnątrz bazyliki Grobu Pańskiego (zob. s. 190). Jak dotąd, znaleziono jedynie nieliczne pozostałości Bramy Gennath (Ogrodowej), nie ma jednak wątpliwości, że w tym punkcie muru było kiedyś wyjście. Średniowieczna *Via Dolorosa* z jej kolejnymi „stacjami" powstała w wyniku błędnego założenia, że Jezusa sądzono w **twierdzy Antonia** (usytuowanej po północnej stronie świątyni).

Podczas badań archeologicznych twierdzy prowadzonych w XIX wieku odnaleziono fragment starożytnego bruku, który skojarzono ze wzmianką w Ewangelii według św. Jana. Pewne znaki na kamieniach (związane z grą w kości znaną jako „gra królewska") sugerowały związek z miejscem, w którym żołnierze kpili z Jezusa. Miejsce to należy obecnie do Panien Syjońskich przy łuku i kościele **Ecce Homo** (łac. „Oto człowiek" – J 19,5 – słowa, które według ewangelisty Jana miał wypowiedzieć Piłat). Niestety, archeolodzy jednoznacznie datują ów bruk na II wiek, był on więc częścią nawierzchni forum (lub placu targowego) zbudowanego przez Hadriana podczas rekonstrukcji miasta.

Ponadto, łuk Ecco Homo widoczny nad Drogą Krzyżową, to środkowy prześwit bramy miejskiej wzniesionej przez Heroda Agryppę (41--44). Niemniej jednak, miejsca te są warte obejrzenia, dają bowiem pojęcie o charakterze ulic starożytnej Jerozolimy, choć nie przenoszą nas *stricte* do czasu męki Jezusowej.

I tak oto dochodzimy do punktu, w którym trzeba się skupić na kulminacji owej męki, czyli na ukrzyżowaniu.

Pielgrzymi na Via Dolorosa przechodzą pod łukiem Ecce Homo; modlitwę prowadzą ojcowie franciszkanie

Golgota i grób

ROZDZIAŁ 13

Skarpa (trafnie nazywana Miejscem Czaszki) w pobliżu grobu w ogrodzie, na północ od murów Starego Miasta

Gdy przyszli na miejsce, zwane „Czaszką", ukrzyżowali tam Jego i złoczyńców, jednego po prawej, drugiego po lewej Jego stronie. Lecz Jezus mówił: „Ojcze, przebacz im, bo nie wiedzą co czynią". Potem rozdzielili między siebie Jego szaty, rzucając losy. A lud stał i patrzył. Lecz członkowie Wysokiej Rady drwiąco mówili: „Innych wybawiał, niechże teraz siebie wybawi, jeśli On jest Mesjaszem, Wybrańcem Bożym". (...) Był także nad nim napis w języku greckim, łacińskim i hebrajskim: „TO JEST KRÓL ŻYDOWSKI".

Jeden ze złoczyńców, których [tam] powieszono, urągał Mu (...). Lecz drugi, karcąc go, rzekł: (...) „Jezu, wspomnij na mnie, gdy przyjdziesz do swego królestwa". Jezus mu odpowiedział: „Zaprawdę, powiadam ci: Dziś ze Mną będziesz w raju".

Było już około godziny szóstej i mrok ogarnął całą ziemię aż do godziny dziewiątej. Słońce się zaćmiło i zasłona przybytku rozdarła się przez środek. Wtedy Jezus zawołał donośnym głosem: „Ojcze, w Twoje ręce powierzam ducha mojego". Po tych słowach wyzionął ducha. Na widok tego, co się działo, setnik oddał chwałę Bogu i mówił: „Istotnie, człowiek ten był sprawiedliwy".

Ewangelia według św. Łukasza, 23,33-35. 38-39a. 40a. 42-47

Od śmierci do życia

Ukrzyżowanie było prawdziwie barbarzyńską formą zabijania, wymyśloną przez Rzymian wiele stuleci wcześniej i stosowaną głównie wobec niewolników oraz tych, którzy sprzeciwiali się panowaniu Rzymu.

Rzymski wódz Krassus zasłynął ukrzyżowaniem około sześciu tysięcy niewolników po stłumieniu ich powstania pod wodzą Spartakusa w roku 71 prz. Chr. Większość mieszkańców Imperium Romanum znała tę karę, nawet jeśli sami nie byli świadkami jej wykonywania. Pomimo jednak częstego stosowania, nawet dla niektórych Rzymian ukrzyżowanie było na tyle odrażające, że słowa „krzyż" unikano w rozmowach, zwłaszcza w wyższych sferach towarzyskich Rzymu (*Pro Rabirio* 16).

W Palestynie w 4 roku prz. Chr. wykonano około 2000 ukrzyżowań podczas tłumienia powstania w Galilei przez rzymskiego namiestnika Syrii Warusa (zob. s. 34). Gdy zatem Jezus zachęcał słuchaczy, by „brali swój krzyż", brzmiało to szokująco. Nie jest jasne, jak często administracja rzymska stosowała tę formę egzekucji w południowej prowincji judejskiej. W pobliżu Jerozolimy znaleziono tylko jeden szkielet człowieka ukrzyżowanego w I wieku po Chr., ale mogło ich być znacznie więcej. Delikatna sytuacja polityczna związana z zarządzaniem Judeą mogła sprawić, że Rzymianie woleli stosować mniej drastyczne formy egzekucji. Albowiem dla mieszkających tam Żydów egzekucja taka wiązała się z podwójnym wstydem. Po pierwsze, w Starym Testamencie osoba skazana na śmierć „na drzewie" była przeklęta przez Boga (por. Pwt 21,23). Po drugie, publiczne obnażenie było czymś szczególnie wstydliwym, zaś ludzie krzyżowani zwykle byli nadzy. Ewangeliści nie piszą jasno, że tak było w przypadku Jezusa, ale fragment o żołnierzach rzucających losy o suknię Jezusa (Łk 23,34) może być subtelną formą przekazania informacji, że nawet Jemu nie oszczędzono tego poniżenia.

Niewinny buntownik

Jezus został zatem potraktowany jak każdy niewolnik lub buntownik przeciw władzy Rzymu. Ewangelie w tym miejscu posługują się gorzką ironią. Szczególnie Łukasz

Ukrzyżowanie w świecie antycznym

Ukrzyżowanie było formą kary stosowaną przez Rzymian wobec klas niższych – niewolników, sprawców brutalnych przestępstw, a szczególnie tych, którzy uczestniczyli w buntach i spiskach przeciw władzy rzymskiej. W Judei masowo krzyżowano uczestników kolejnych powstań przeciw Rzymowi: w roku 4 prz. Chr. (patrz: s. 34), a następnie w latach 70 i 135 po Chr. Ofiary krzyżowano zwykle nago i często nie grzebano ich ciał, pozostawiając je na pastwę drapieżnego ptactwa.

W 1968 roku odnaleziono kości człowieka ukrzyżowanego w Giv'at ha-Mivtar, w niewielkiej odległości od Jerozolimy w kierunku północnym. Z badań antropologicznych wynika, że człowiek ten został ukrzyżowany w I wieku po Chr. oraz że w chwili śmierci miał ponad dwadzieścia lat. Jego przedramiona powyżej nadgarstka były przebite gwoźdźmi, a nogi połamane. Nawet po upływie blisko 2000 lat kości jego stóp były nadal przygwożdżone do siebie.

Na tej podstawie wywnioskowano, że ofiary stawiano przy krzyżu tak, aby można było gwoźdźmi przybić ich przedramiona. Następnie podginano im nogi (najprawdopodobniej obie razem) w taki sposób, by ciężar ciała obciążał ramiona. Wówczas gwoździe rozdzierały przedramiona dochodząc do nadgarstków. Jeśli na pionowej belce krzyża znajdowało się podparcie, ofiara mogła się na nim wesprzeć, co tylko przedłużało agonię. Śmierć następowała wskutek uduszenia, kiedy ukrzyżowany nie miał już siły podnieść się na tyle, aby zaczerpnąć tchu.

stara się jasno pokazać, że Jezus nie był buntownikiem. Jego przeciwnicy otwarcie oskarżali go przed Piłatem o to, że odwodził lud od „płaceniu podatków Cezarowi" (Łk 23,1), ale z tej samej Ewangelii wynika, że prawda była dokładnie odwrotna. Jezus bowiem powiedział: „Oddajcie więc Cezarowi to, co należy do Cezara"(Łk 20,25). Po przesłuchaniu Piłat przekonał się, że oskarżenie Jezusa o to, że podburza lud, jest fałszywe. Dlatego wyraźnie mówi, że nie znajduje „w Nim żadnej winy w sprawach, o które Go oskarżacie" (Łk 23,14). Jezus kilkakrotnie wyraźnie ostrzegał słuchających go – nawet upadając pod ciężarem krzyża – co stanie się z Jerozolimą, jeśli nadal będą trwać w sprzeciwie wobec Rzymu: „(...) twoi nieprzyjaciele otoczą cię wałem, oblegną cię i ścisną zewsząd. Powalą na ziemię ciebie i twoje dzieci" (Łk 19,43-44). Tak więc Jezus nie był z pewnością buntownikiem.

Ponieważ jednak został ukrzyżowany przez Rzymian, publicznie uznano go za spiskowca. Nic dziwnego, że Łukasz stara się pomóc czytelnikom zobaczyć w tym głębszą prawdę. Pięciokrotnie w swojej relacji podkreśla, że Jezus nie był winny zarzutów buntu, jakie mu stawiano: jego niewinność uznali Piłat i Herod, jeden z tych, których z nim ukrzyżowano, a także stojący obok setnik (por. Łk 23,4.14.22.41.47). Kontrastuje z nim postać Barabasza, o którym Łukasz pisze dwukrotnie, że był uwięziony „za rozruch powstały w mieście i za zabójstwo", a który mimo to odzyskał wolność. Dla Łukasza Jezus jest człowiekiem niewinnym, który pozwolił się potraktować jak buntownik, co w głębszym sensie znaczy, że ten który był bez grzechu, zajął miejsce grzeszników.

Łukaszowe postrzeganie krzyża

Wszyscy ewangeliści wykazują niezwykłą wstrzemięźliwość w opisywaniu wydarzenia, które musiało dla nich tak wiele znaczyć. Inaczej niż w książkach i filmach stworzonych później, nie próbują wydobyć patosu z tej historii, ani opisywać emocji osób w niej występujących. Nie opatrzyli też tekstu „komentarzem", zawierającym późniejsze idee teologiczne. Zgodnie z wiarą pierwszych chrześcijan „Chrystus (...) umarł za nasze grzechy" (1 Kor 15,3). Ale nawet o tym nie ma mowy w samym opisie męki – niezależnie od tego, jak bardzo autorzy byli o tym przekonani. Zależało im tylko na tym, aby ich opisy mówiły same za siebie. Poszukiwanie wskazówek pozostawili czytelnikom.

W przypadku Ewangelii według św. Łukasza, oprócz wspomnianego przekonania o niewinności Jezusa, przewijają się inne tematy:

- Jezus jest „Królem Żydowskim", jak głosi tabliczka przybita do krzyża nad jego głową, a także „Mesjaszem, Wybrańcem Bożym" (jak wykrzykuje wyszydzający go tłum). Jednak nie został ani ukoronowany, ani przyjęty przez swój lud. Mimo to „przyjdzie do swego królestwa", co dostrzega skruszony złoczyńca.
- Jezus jest Zbawcą, który przyszedł, aby „zbawić" ludzkość (por. Łk 2,1; 19,10). Przynosi jednak zbawienie poprzez mękę, od której sam siebie nie może „wybawić": „Innych wybawiał, niechże teraz siebie wybawi" (Łk 23,35).
- To On przynosi ludziom „odpuszczenie grzechów". Czyni to, umierając jako niewinny i wstawiając się za tymi, którzy jawnie grzeszą przeciwko niemu: „Ojcze, przebacz im, bo nie wiedzą, co czynią" (Łk 23,34).
- To On przepowiada nieuchronne zburzenie świątyni jerozolimskiej. Jego śmierć powoduje rozdarcie zasłony świątynnej, otwierając w ten sposób przybytek Boga dla wszystkich, którzy do Boga przychodzą poprzez Jego śmierć.
- Wydarzenie to ma wymiar prawdziwie uniwersalny, bo choć pod wieloma względami był to w Jerozolimie dzień jak inne, nastąpił okres głębokiej ciemności, kiedy

„słońce się zaćmiło". Mogła to spowodować burza piaskowa lub jakieś przedziwne zjawisko, które tylko utwierdziło uczniów w przekonaniu, że w śmierci Jezusa było coś, co wywarło głęboki wpływ, zarówno na świat duchowy, jak i fizyczny.

Wszystko to zostało opisane bez żadnych upiększeń, ale z pewnością wystarczy, aby każdy czytelnik Ewangelii zatrzymał się pod krzyżem i postarał się pod powierzchnią widzialnych zdarzeń ujrzeć ich głębszy sens. Tak więc zostajemy zmuszeni do zatrzymania się na miejscu egzekucji pod murami Jerozolimy.

Z krzyża do grobu

Był tam człowiek dobry i sprawiedliwy, imieniem Józef, członek Wysokiej Rady. Nie przystał on na ich uchwałę i postępowanie. Był z miasta żydowskiego Arymatei, i oczekiwał królestwa Bożego. On to udał się do Piłata i poprosił o ciało Jezusa. Zdjął je z krzyża, owinął w płótno i złożył w grobie, wykutym w skale, w którym nikt jeszcze nie był pochowany.

Ewangelia według św. Łukasza 23,50-53

Musimy jednak iść dalej, bo sama historia dalej nas prowadzi. Ciało Jezusa zdjął z krzyża człowiek imieniem Józef, z „żydowskiego miasta Arymatei" (miasteczka znajdującego się w odległości ośmiu kilometrów na północny zachód od Jerozolimy). Był członkiem Sanhedrynu, który „nie przystał" na jego decyzję (por. Łk 23,51). Chociaż nie był w stanie uratować Jezusa od śmierci, chciał przynajmniej zapewnić mu godny pogrzeb. Czasem ciała ukrzyżowanych pozostawały na krzyżach przez wiele dni; inne zrzucano na sterty, gdzie przyciągały głodne i bezpańskie psy. Dla Żydów było to nie do pomyślenia; i teraz, kiedy zbliżał się dzień szabatu, nie było chwili do stracenia.

Zatem w piątek późnym popołudniem Józef wraz z Nikodemem i kilkoma innymi osobami obwiązali ciało Jezusa w płótna razem z wonnościami (por. J 19,40) i złożyli w należącym do Józefa grobie. Grób był wycięty w skale i znajdował się w pobliżu. Przyglądały się temu „niewiasty, które z Nim przyszły z Galilei", a które „obejrzały grób i w jaki sposób zostało złożone ciało Jezusa" (Łk 23,55). Aby uchronić ciało przed drapieżnikami, wejście do grobu zabezpieczono kamieniem. Później wszyscy szybko udali się do domów w mieście. Zrobili to w samą porę, gdyż zdążyli przed szabatem, który zapewne upłynął im w mroku i smutku.

Ten pośpiech sprawił, że prawdopodobnie ciało Jezusa złożono na półce w przedniej części grobowca, z myślą, że w odpowiednim czasie zostanie przeniesione do właściwego grobu. Zamierzano bowiem powrócić – być może w niedzielę – by w spokoju zabalsamować ciało i umieścić je w miejscu ostatecznego spoczynku. Jezus został „pochowany", ale niekoniecznie był to „właściwy", ostateczny pochówek. Jednak wydaje się wysoce prawdopodobne: ciało Jezusa położono na kamiennej półce w przedniej części grobu, po prawej jego stronie (por. J 20,5; Mk 16,5) w taki sposób, by było widoczne od wejścia.

Pierwsza Wielkanoc

Niewiasty miały zamiar wrócić do grobu rankiem w niedzielę, aby dokończyć czynności związanych z pochówkiem Jezusa. Wstały przed świtem, spotkały się gdzieś w mieście,

Daleko stąd jest zielone wzgórze poza murami miasta, gdzie ukrzyżowano naszego Pana, który umarł za nas wszystkich.

Cecil Alexander, Zielone wzgórze

Praktyki pogrzebowe w I wieku

Badania archeologiczne prowadzone w Jerozolimie i okolicach w ostatnich 30 latach dają nam szczegółowy obraz praktyk pogrzebowych w I wieku naszej ery. W tym okresie Góra Oliwna była nadal używana jako miejsce pochówku. Zmarłych chowano także na zachód od miasta, gdzie wapienne podłoże było wystarczająco miękkie.

W pierwszym wieku komorę grobowca zwykle wycinano w skale. Rozchodziły się z niej szyby drążone w głąb skały pod kątem 90 stopni. W tych szybach, zwanych *kochim*, składano ciała w „pierwszym etapie" pochówku. Owijano je płótnem i namaszczano wonnościami, których później można było dodać w miarę potrzeby. We względnie suchym klimacie jerozolimskim ciało rozkładało się w ciągu półtora do dwóch lat. Po upływie tego czasu kości zmarłego przenoszono na miejsce „ostatecznego" pochówku, umieszczając je w kamiennym naczyniu lub urnie zwanej *ossuarium*. Na urnie widniało zwykle imię zmarłego, a samo naczynie przechowywano w innym miejscu komory grobowej (zob. informacje na s. 173 na temat *ossuarium* Kajfasza).

Czasami w grobowcu znajdował się jeszcze przedsionek, w którym mogli przebywać żałobnicy. Prawie zawsze wejście było dość niskie, tak że wchodząc należało się schylać lub nawet wczołgiwać. Wejście musiało być zasłonięte kamieniem na tyle małym, by dało się go wygodnie przetaczać, a jednocześnie dość ciężkim, by chronił grób przed psami i padlinożernym ptactwem. Kamień był także barierą (choć czasem niewystarczającą) przed rabusiami cmentarnymi. W pobliżu grobu kopano zwykle bruzdę, wzdłuż której kamień się przesuwał i zapadał w rowek, co utrudniało jego odsunięcie przez jedną osobę.

Wejście do grobu w pobliżu Jerozolimy pochodzącego z I wieku – widać kamień używany do zamykania wejścia

Groby typu *kochim* były powszechne w okresie od 100 roku prz. Chr. aż do upadku Jerozolimy w roku 70 po Chr. Inną, rzadszą formą było *archesolium*. Była to płaska półka na ścianie komory, którą zwykle wycinano pod sklepieniem łukowym. Ewangeliczny opis sugeruje wyraźnie, że ciała Jezusa nie umieszczono w grobie typu *kochim*, nawet jeśli jego uczniowie mieli zamiar później to zrobić. Zamiast tego umieszczono je na czymś w rodzaju skalnej półki.

przemknęły cicho przez bramę miejską od strony Ogrójca i skierowały się w kierunku opuszczonych kamieniołomów – do miejsca, które kojarzyło im się teraz z barbarzyńskimi torturami, niesprawiedliwością polityczną i zwykłą ludzką tragedią. Był chłodny, wilgotny poranek kwietniowy. Niewielka grupka składała się zapewne z czterech kobiet (Maria Magdalena, Joanna, Zuzanna i druga Maria). Miały nadzieję, że nikt nie zwróci na nie uwagi i że wspólnym wysiłkiem uda im się odsunąć kamień u grobu.

Z czasem ta wyprawa kilku kobiet stała się najsławniejszą wyprawą. Kiedy bowiem kobiety podeszły do grobu, zobaczyły że kamień został odsunięty. A gdy przełamując lęk, zajrzały do komory grobowej, nie znalazły tym ciała Jezusa, choć jego okrycie było nadal na miejscu.

Wydarzenia późniejsze są dobrze znane i najlepiej, jeśli opiszą je sami ewangeliści. Mieli oni świadomość, że to, co relacjonują, jest niezwykłe i nieprawdopodobne, ale piszą o tym wprost, bez ozdobników. Ich relacja jest surowa i pełna świeżości:

[Niewiasty] nie znalazły ciała Pana Jezusa. Gdy wobec tego były bezradne, nagle stanęło przed nimi dwóch mężczyzn w lśniących szatach. Przestraszone, pochyliły twarze

ku ziemi, lecz tamci rzekli do nich: „Dlaczego szukacie żyjącego wśród umarłych? Nie ma go tutaj; zmartwychwstał. Przypomnijcie sobie, jak wam mówił, będąc jeszcze w Galilei: „Syn Człowieczy musi być (…) ukrzyżowany, lecz trzeciego dnia zmartwychwstanie". Wtedy przypomniały sobie Jego słowa i wróciły od grobu, oznajmiły to wszystko Jedenastu i wszystkim pozostałym. (...) Lecz słowa te wydały im się czczą gadaniną i nie dali im wiary. Jednakże Piotr wybrał się i pobiegł do grobu; schyliwszy się, ujrzał same tylko płótna. I wrócił do siebie, dziwiąc się temu, co się stało.

Ewangelia według św. Łukasza, 24,3-9.11-12

Był to początek długiego, pamiętnego dnia – pierwszego dnia radości wielkanocnej. Nim dzień ten się skończył, Jezus – jak podaje Łukasz – ukazał się Kleofasowi i jego przyjacielowi w drodze do Emaus, a także Piotrowi oraz uczniom zgromadzonym w Wieczerniku (por. Łk 24,13-49). Rozpacz zmieniła się w nadzieję, a smutek w radość; w miejsce uczucia straty i opuszczenia pojawiła się nowa świadomość więzi z Jezusem.

Przeżywając niewiarygodną radość po zmartwychwstaniu Jezusa, Jego uczniowie zaczęli zdawać sobie sprawę, co to przedziwne wydarzenie oznacza dla nich samych. Dowiedzieli się więc, że śmierć nie jest końcem wszystkiego, że poza grobem jest życie. Bóg, wskrzeszając Jezusa z martwych, odkrył przed nimi prawdę, że kiedyś wszyscy ludzie zmartwychwstaną. Oznaczało to, iż Bóg Izraela wypełnił obietnicę daną swemu ludowi:

rozpoczął nową erę i okazał swą moc wobec stworzenia. Także to, że Jezus rzeczywiście jest Mesjaszem i Panem oraz że spoczęła na nich wielka odpowiedzialność za wypełnienie zadania, które miało zmienić ich życie na zawsze. Bo tylko oni byli wybranymi „świadkami tego" (Łk 24,48). To do nich należało przekazanie całemu światu dobrej nowiny o zmartwychwstaniu.

Dlatego później uczniowie Jezusa rozeszli się na cztery strony świata, głosząc nauki Bożego Pomazańca i swego Mistrza. Ale podróże apostolskie zainspirowane radością zmartwychwstania miały się dopiero rozpocząć.

Dzień zmartwychwstania, niechaj cała ziemia je rozgłasza

Święty Jan Damasceński, ok. 790 r.

183

Ważne daty – Golgota i grób

30 Ukrzyżowanie Jezusa (7 kwietnia lub 4 kwietnia 33 roku); przypuszczalnie na północny zachód od Bramy Gennath na terenie opuszczonego kamieniołomu (eksploatowanego jeszcze w II w prz. Chr.)	**335** Poświęcenie bazyliki Grobu Pańskiego (pod nieobecność Konstantyna) i ponowne przyjęcie Ariusza do wspólnoty Kościoła; główne kazanie wygłasza Euzebiusz z Cezarei	**1099** Przybycie krzyżowców do Jerozolimy; w momencie ich wkroczenia do bazyliki Grobu Pańskiego ze śpiewem *Te Deum* w mieście dokonuje się krwawa rzeź
41–44 Obszar ten staje się przedmieściem rozrastającej się Jerozolimy (samo miejsce prawdopodobnie pozostaje niezabudowane) oraz przypuszczalnym miejscem odwiedzin św. Pawła i innych chrześcijan	**348/50** Cyryl, biskup Jerozolimy, głosi *Katechezy* dla kandydatów do chrztu przy Grobie Pańskim; zawiera w nich naukę o „drzewie krzyża świętego", która teraz rozprzestrzenia się „po całym świecie"	**1185** Przywrócenie panowania muzułmańskiego nad Ziemią Świętą; od tego czasu klucze do bazyliki Grobu Pańskiego pozostają w rękach rodziny muzułmańskiej
70 Miasto zostaje zburzone przez Rzymian; miejsce męki Jezusa pozostaje w obrębie zrujnowanych murów miejskich	**ok. 355** Dokończenie rotundy Anastasis otaczającej grób	**1808** Pożar w rotundzie; przeprowadzenie remontu na koszt Francji i Turcji
ok. 290 Euzebiusz w swoim *Onomastikonie* (74,19-21) wzmiankuje o Golgocie, którą „pokazują w Aelii na północ od góry Syjon" (chodzi o bizantyjską górę Syjon)	**384** Śmierć biskupa Cyryla, koniec wizyty Egerii w Jerozolimie (zob. s. 114) **631** Cesarz Herakliusz I przywozi relikwie krzyża świętego z powrotem do Jerozolimy (po zrabowaniu przez Persów w roku 614)	**1838** Wizyta Edwarda Robinsona z USA, który podważa autentyczność miejsca, w którym miał się znajdować grób Chrystusa **1842** Pierwsza sugestia istnienia alternatywnego Miejsca Czaszki na północny wschód od Bramy Damasceńskiej (autorem tej koncepcji jest Otto Thenius)
325 Św. Makary, biskup Jerozolimy, uczestniczy w Soborze Nicejskim; Konstantyn nakazuje przeprowadzenie rozpoznania miejsca kaźni Jezusa	**638** Patriarcha Sofroniusz zaprasza kalifa Omara do modlitwy przy grobie Pańskim, ale ten odmawia; po południowej stronie grobu powstaje meczet Omara	**1867** Odkrycie grobu w ogrodzie **1883** Wizyta generała Charlesa Gordona i jego poparcie dla alternatywnego Miejsca Czaszki
326 Odnalezienie grobu, a także kawałków drewna, później uznanych za „drzewo krzyża świętego"	**1009** Bazylika i grób w znacznym stopniu zniszczone przez kalifa Hakima	**1894** Utworzenie Stowarzyszenia Grobu w Ogrodzie
333 Pielgrzym z Bordeaux (*BP* 593-94) wspomina o nowej bazylice zbudowanej przez Konstantyna, o Golgocie i grobie Chrystusa	**1042–1048** Częściowe odbudowanie bazyliki i grobu za panowania cesarza Konstantyna Monomacha, przy czym wcześniejszą rotundę przekształcono w kościół (zwrócony na wschód)	**1953** Na wprost alternatywnego Miejsca Czaszki powstaje arabska stacja autobusowa **2000** Dokończenie renowacji dachu rotundy w bazylice Grobu Pańskiego

Golgota dzisiaj

Poszukiwanie Golgoty

Wszystkie Ewangelie wspominają, że Jezus został ukrzyżowany w miejscu zwanym „Czaszką" (Łk 23,33). Podają też oryginalną nazwę aramejską „Golgota", która w łacińskim przekładzie Pisma Świętego została nazwana „Kalwarią". Nie wiadomo, skąd wzięła się ta makabryczna nazwa: czy była tam skała przypominająca kształtem czaszkę? Czy też było to stałe miejsce egzekucji? Można przypuszczać, że znajdowało się ono w pobliżu miasta i bramy miejskiej, a w Ewangeliach mówi się, że ci, którzy tamtędy przechodzili, szydzili z Jezusa.

Ale gdzie znajduje się to miejsce? Dla wielu osób odwiedzających Jerozolimę jest to podstawowe pytanie. Zwłaszcza dla chrześcijan Golgota to miejsce szczególne, głęboko zakorzenione w ich myśleniu i zapewne głęboko przeżywane. Jest więc naturalne, że chcieliby wiedzieć, czy możliwe jest dokładne określenie, gdzie dokonało się ukrzyżowanie i gdzie nastąpiło zmartwychwstanie. Możemy założyć, że pytanie to nękało wielu pielgrzymów na przestrzeni ostatnich dwóch tysiącleci: gdzie jest prawdziwa Golgota?

Pełniejsze omówienie tej ważnej kwestii zawarłem w mojej wcześniejszej książce pt. *The Weekend that Changed the World* („Trzy dni, które odmieniły świat", 1998). Znajdują się tam osobne rozdziały dotyczące historii dwóch ważnych miejsc – bazyliki Grobu Pańskiego oraz grobu w ogrodzie – a także rozdział, przedstawiający argumenty poszczególnych stron sporu.

Góra Oliwna?

W ostatnich latach niektórzy przewodnicy wycieczek zwrócili uwagę na jeszcze jedną możliwość: Jezus mógł zostać ukrzyżowany na Górze Oliwnej. Głównym propagatorem tej teorii jest niedawno zmarły Ernest Martin, który w swojej książce *The Secrets of Golgotha* (*Tajemnice Golgoty*, 1996), skupia się głównie na reakcji setnika rzymskiego na śmierć Jezusa. Czy setnik wygłosił swoje stwierdzenie dlatego, że widział *jednocześnie* śmierć Jezusa i fakt rozdarcia się zasłony świątynnej (Łk 23,45-47)? Jeśli tak, to musiał się znajdować na Górze Oliwnej – jedynym miejscu w Jerozolimie, z którego ktoś stojący poza świątynią mógł widzieć, co działo się w przybytku.

Jednak z tekstu Ewangelii nie wynika, że setnik *osobiście* widział, co dzieje się w świątyni. Inne argumenty przytaczane przez Martina oparte są wyłącznie na spekulacji, a także na błędnym odczytaniu tekstów wczesnochrześcijańskich. We wczesnym chrześcijaństwie nie szerzono pogłosek, jakoby Góra Oliwna była miejscem śmierci Jezusa. Teoria Martina wydaje się też mało realna z przyczyn praktycznych: władze rzymskie chciały, by egzekucje odbywały się tak szybko, jak to możliwe, i w miejscu położonym bliżej miasta, bardziej widocznym dla ludzi tam wchodzących.

Pielgrzymi powinni zatem skupić uwagę na dwóch usutuowaniach: jedno z nich to cichy ogród; drugie – to pełna życia i ruchu bazylika. Zgodnie z Ewangelią według św. Jana; „(...) na miejscu, gdzie Go ukrzyżowano, był ogród, w ogrodzie zaś nowy grób, w którym jeszcze nie złożono nikogo" (J 19,41). Szukamy zatem miejsca egzekucji z grobem w pobliżu, przy czym jedno i drugie ma być położone tuż za murami miasta. Które z tych dwóch miejsc jest bardziej prawdopodobne?

Grób w ogrodzie

Miejsce grobu w ogrodzie spełnia opisywane warunki, ponieważ za czasów Jezusa znajdowało się poza murami miejskimi. Jest tam antyczny grobowiec, przypominający opis ewangeliczny, a w pobliżu znajduje się dziwne wzgórze, które w pewnych okolicznościach istotnie może kojarzyć się z czaszką.

Odwiedzając to miejsce, mamy wrażenie spokoju w naszej pośpiesznej wędrówce. Pomimo hałasu dobiegającego z pobliskich ulic, po przejściu przez bramę przybysz wchodzi do innego świata. Jego spokój i piękno, ale także serdeczne przywitanie przez wolontariuszy dają możliwość zebrania myśli, co jest tak potrzebne pielgrzymom. Po obejrzeniu wielu miejsc oraz wsłuchaniu się w argumenty i dyskusje historyczne, mamy wreszcie szansę zatrzymać się i pomyśleć.

Po przybyciu na miejsce pielgrzymi kierowani są do punktu widokowego na wschodnim krańcu ogrodu. Mogą tu zapomnieć o głośnej arabskiej stacji autobusowej w dole, mogą też dobrze przyjrzeć się zboczu wzgórza, które w niektórych porach dnia przypomina czaszkę. Dlatego niektórzy nazywają je **Miejscem Czaszki**. Szczególnie popołudniami cienie w „oczodołach" podkreślają to makabryczne podobieństwo.

Wejście do grobu w ogrodzie; niemal cały ten obszar znajdował się pod ziemią, gdy po raz pierwszy odkryto grobowiec w 1867 roku

Starożytna tradycja łączy to miejsce nie tylko z lamentem proroka Jeremiasza, który płakał nad zburzeniem Jerozolimy, ale także z żydowskim miejscem egzekucji (przez ukamienowanie). Jeśli tak było istotnie, osoby skazane na śmierć umieszczano u stóp zbocza, około trzech metrów poniżej obecnego poziomu jezdni. W trakcie kamienowania uczestnicy mogli zrzucać kamienie także ze szczytu. Jeśli nawet miejsce to nie jest sceną ukrzyżowania Jezusa, mogło być tym, w którym kilka lat później ukamienowano św. Szczepana, pierwszego męczennika chrześcijańskiego (por. Dz 7,54-60).

Odwiedzający mogą wrócić tą samą drogą do głównej części ogrodu i obejrzeć **duży podziemny zbiornik** oraz antyczną **prasę do wina**, które dowodzą, że w okresie biblijnym miejsce to było wykorzystywane jako ogród. Następnie staną przed samym **grobem**, którego mały otwór znajduje się w pionowej ścianie skalnej, a u dołu biegnie podłużny kanał czy bruzda. Niektóre wycięcia w skałach pochodzą z okresu wojen krzyżowych (kiedy ten obszar służył jako stajnie dla koni i mułów), większość jednak jest starsza. Duże kamienne płyty na prawo od wejścia umieszczono tam wkrótce po odkryciu grobowca w 1867 roku. I być może dzięki temu przywróciły one wejściu jego oryginalny kształt.

Wejście do grobu

Wejście do wnętrza komory grobowej dostarcza silnych przeżyć. Sam grób dobrze pasuje do opisu ewangelicznego: zmieściłoby się tu kilku żałobników, a główna komora pochówku jest rzeczywiście widoczna od wejścia i znajduje się po prawej jego stronie (wcześniej zagradzała ją pionowa płyta skalna). Można było zatem położyć ciało na poziomej półce około pół metra ponad podłogą. Większość odwiedzających stara się zachować ciszę

Dwa spośród trzech *loculi* używanych do pochówku wewnątrz grobu w ogrodzie; widoczne na zdjęciu bruzdy pokazują, gdzie były pionowe płyty skalne

w grobie, poczuć jego chłód, zadumać nad jego starożytną historią i próbować wyobrazić sobie, co mogło się tu wydarzyć przed przybyciem niewiast.

Wychodząc ponownie na słońce, odwiedzający czują, że widzieli coś bardzo starożytnego i silnie oddziałującego – grobowiec tuż za murami Jerozolimy. Czy to rzeczywiście było miejsce pochówku Jezusa? Jeśli nawet nie, i tak wielu odnosi wrażenie, że przybliżyło ich ono do historycznych wydarzeń, przynajmniej w wyobraźni, bardziej niż jakiekolwiek inne.

Niektórzy jednak zaczynają stawiać ważne pytania. Po stronie pozytywów odnotowujemy fakt, że jest to antyczny grób, położony za murami miasta; przeciwko przemawiają odkrycia współczesnej archeologii, wskazujące na to, że ze względu na styl architektury i inne cechy grób ten jest znacznie starszy (pochodzi z epoki żelaza?), a zatem w czasach Jezusa nie był to już grób „nowy".

Jednak dla wielu osób autentyczność grobu nie jest sprawą najważniejszą. Dla nich ważniejsze jest samo zmartwychwstanie Jezusa, a nie precyzyjne określenie miejsca – niektórzy powiedzieliby, że Osoba jest dla nich bardziej istotna niż miejsce. Grób ten pomaga jednak nawet sceptykom zdać sobie sprawę z tego, że opowieść ewangeliczna jest zakorzeniona w rzeczywistej historii i dotyczy autentycznej śmierci. Pomaga też odwiedzającym nawiązać kontakt z namacalną historią poprzez uruchomienie wyobraźni i osobistego zaangażowania.

Chrystus w ogrodzie

Dlatego tak ważne jest, że obszar ten został zachowany w formie ogrodu, a nie przekształcony w świątynię czy ogrodzone miejsce kultu. Dzięki temu odwiedzający może się przenieść wyobraźnią do owego pierwszego poranka wielkanocnego. Dla wielu osób tu właśnie barwny i sugestywny opis z dwudziestego rozdziału Ewangelii według św. Jana nabiera ostrości – także dlatego, że Jan wyraźnie mówi o tym miejscu jako o „ogrodzie".

Usiadłszy gdzieś w głębi ogrodu, mając w zasięgu wzroku wejście do grobu, odwiedzający mogą sobie wyobrazić Piotra i Jana, jak zdyszani biegną ku wejściu. Mogą też ujrzeć oczyma duszy płaczącą i stojącą przed wejściem Marię Magdalenę, która jest przekonana, że zabrano jej Pana. Według Jana zmartwychwstały Jezus staje za nią i łagodnie pyta, czemu płacze. Ona jednak bierze go za ogrodnika. „(…) jeśli ty Go przeniosłeś, powiedz mi, gdzie Go położyłeś, a ja Go wezmę" (J 20,15). W tym momencie Jezus wypowiada tylko jedno słowo – jej imię, ale wypowiada je z pełną zrozumienia miłością: „Mario!" Ona odwraca się i spogląda na tego, który do niej mówi, nie wierząc własnym uszom i oczom. W tym momencie rozpoznaje go i woła: „Nauczycielu!" Nie był to więc ogrodnik, ale Jezus – Ten, który przynosi nowe życie i sam jest Życiem.

Grób w ogrodzie nadaje życie tej scenie i łagodnie otwiera zwiedzających na możliwość doświadczenia, po wiekach, własnego spotkania ze zmartwychwstałym Chrystusem. Dlatego dla wielu ludzi na całym świecie chwila refleksji w tym właśnie miejscu była ważnym momentem umacniającym ich w postanowieniu „podążania śladami Jezusa".

Nadszedł potem także Szymon Piotr (…). Wszedł on do wnętrza grobu i ujrzał leżące płótna oraz chustę, która była na Jego głowie, leżącą nie razem z płótnami, ale oddzielnie zwiniętą na jednym miejscu.
J 20,6-7

Euzebiuszowy opis grobu Chrystusa i budowli Konstantyna

Bazylikę Grobu Pańskiego trudno dziś zrozumieć bez biskupa Euzebiusza. Jako biskup Cezarei na początku panowania Konstantyna (a później autor jego biografii), zdaje nam bezpośrednią relację o tym, co działo się w tym miejscu po roku 325. Poszukując grobu Jezusa, Konstantyn kazał zniszczyć forum i świątynie pogańskie zbudowane tam w II wieku, zakładając – być może niesłusznie – że cesarz Hadrian specjalnie nakazał je zbudować na przekór chrześcijanom.

Relacja Euzebiusza opisuje ulgę miejscowych chrześcijan. Ich przekonanie – pomimo ryzyka, jakie się z tym wiązało – że w tym właśnie miejscu był grób Chrystusa, wreszcie przyniosło owoce. Jedno z niewielu znanych „poszukiwań archeologicznych" z czasów starożytności okazało się uwieńczone wielkim powodzeniem. Oto Euzebiuszowy opis odnalezienia grobu:

[Konstantyn] uznał, że jego obowiązkiem jest uczynić dla wszystkich obiektem znanym i godnym uwielbienia błogosławione miejsce Zmartwychwstania Pańskiego w Jerozolimie (...). Tę Grotę Zbawienia pewni ludzie bezbożni i niegodziwi zamierzali usunąć z oczu ludzi (...). Podjęli przeto wielki trud, z odległości przynosząc ziemię, i przykryli całe miejsce (...) i tak ukryli świętą grotę pod ciężkim ziemnym nasypem. Wówczas (...) [zbudowali] mroczną świątynię dla nieczystego demona o imieniu Afrodyta (...) [Konstantyn] (...) nie godził się nie dostrzegać, że owo miejsce (...) ukryte zostało pod wszelkim rodzajem nieczystości (...) wydał rozkaz, że to miejsce ma być całkowicie oczyszczone (...). Zaraz, jak tylko został wydany jego rozkaz, owe dzieła oszustwa zostały strącone ze swej dumnej wyniosłości i zrzucone na ziemię, a budowle, miejsca zamieszkania błędu (...) obalone i całkowicie zburzone (…).

Wydał dalsze rozkazy, że materiał z tego, co zostało zburzone, i kamień, i drewno, powinien być wyniesiony i wyrzucony najdalej od tego miejsca. (...) rozkazał, aby sam grunt kopać na dość znaczną głębokość (...). I ten rozkaz wypełniono niezwłocznie. Lecz skoro tylko pojawiła się pierwotna powierzchnia gruntu, która była pod pokrywą ziemi, nagle, wbrew wszelkim oczekiwaniom, odkryte zostało czcigodne i najświętsze świadectwo zbawczego Zmartwychwstania. Ta rzeczywiście święta ze świętych grota stanowiła wierny obraz powracającego do życia Zbawiciela. Po tym jak była ukryta i pogrążona w ciemnościach, znowu wyszła na światło i dostarczyła wszystkim, którzy przyszli patrzeć na widowisko, jasny i widoczny dowód cudów, których sceną była niegdyś, świadectwo Zmartwychwstania Zbawiciela jaśniejsze od wszystkiego, co warazić może jakikolwiek głos.

Euzebiusz z Cezarei, *Życie Konstantyna* 3,25-28

Dla Euzebiusza odkrycie grobu, ukrytego przez blisko 300 lat, było samo w sobie doświadczeniem bliskim „zmartwychwstania", odpowiadającym ukryciu Jezusa w grobie przez trzy dni. Nic dziwnego, że miejscowi chrześcijanie mieli poczucie, iż znajdują się na progu nowej ery; także dlatego, że dopiero co przeżyli okres gwałtownych prześladowań ze strony cesarstwa. Ich wiara w Chrystusa została publicznie potwierdzona jako słuszna. Nic więc dziwnego, że Euzebiusz (po raz pierwszy w swoim dziele) uderza w podniosły ton, uznając

że to „święte miejsce" jest milczącym, ale pełnym mocy świadkiem Ewangelii.

Euzebiusz zamieszcza następnie cytat z listu Konstantyna do biskupa Jerozolimy, Makarego, zawierający praktyczne wskazówki na temat budowy bazyliki. Cesarz wspomina o „ostatnim cudzie" odnalezienia grobu i podkreśla pragnienie, aby:

(...) to święte miejsce, które z Bożego rozkazu uwolniłem od wstrętnego dodatku w postaci haniebnego idola, jakby od przygniatającego ciężaru; miejsce, które od początku było święte w Boskim wyroku, a teraz okazuje się jeszcze świętsze, skoro ujawniło światu wiarygodny dowód Męki Zbawiciela. Słuszne jest bowiem – [pisze dalej] – aby miejsce największego cudu świata otrzymało godną ozdobę.

Euzebiusz z Cezarei, *Życie Konstantyna* 3,30-31

Sam Konstantyn nie miał możności odwiedzenia grobu. Widzimy tu jednak nie tylko jego osobiste, religijne zaangażowanie, lecz także przekonanie o świętości pewnych miejsc (które mógł przekazać Euzebiuszowi). Co ciekawe, w jego tekście mamy odniesienie do odkrycia kawałka drewna (który, jak sądzono, pochodził z krzyża Chrystusa). Niektórzy uczeni sądzą, że list Konstantego, wspominający o „męce Zbawiciela", a nie o zmartwychwstaniu, może oznaczać, iż cesarz mówi nie o odkryciu grobu – miejsca zmartwychwstania – ale o drugim „cudzie", to jest o cudownie zachowanym drzewie krzyża.

Euzebiusz opisuje następnie budowle wzniesione przez Konstantyna. Głównym ich elementem był „grób pełen wspomnień przedwiecznych", który Konstantyn „przyozdobił wspaniałymi kolumnami, rozjaśniając mrok pieczary dziełami sztuki". Przestrzeń przed wejściem wyłożono kamieniem i otoczono kolumnadą – „wielki obszar pod otwartym niebem". Od strony wschodniej była bazylika, przyozdobiona marmurowymi kolumnami i przykryta dachem z ołowiu.

Relacja Euzebiusza jest kwiecista i pozostawia wiele pytań bez odpowiedzi. Nie odnosi się ona wyraźnie do Golgoty, mimo że (jak widać z załączonego planu, punkt 9) stanowiła wyzwanie, ale także istotny element zamysłu architektów Konstantyna. W odtworzeniu planu wzięto pod uwagę obraz Grobu Pańskiego z mozaikowej Mapy z Madaba (zob. s. 199). Na planie uwidoczniono stopnie, prowadzące do trzech głównych odrzwi, wychodzących od strony wschodniej na główną ulicę Jerozolimy. Należy pamiętać również, że rotundę wybudowano w czasach późniejszych niż relacja Euzebiusza (około 355 roku).

Jeśli chodzi o sam opis grobu, Euzebiusz jest też bardzo oszczędny w szczegółach. U Cyryla, jednego z późniejszych biskupów Jerozolimy, znajdujemy więcej szczegółów (*Katechezy* 10,19; 13,39; 14,5,9,22). Według niego, w momencie odkrycia grobu widoczny był kamień zasłaniający wejście, a także jakieś pozostałości naturalnego „ogrodu" (być może reszki ziemi?). Przed wejściem był też naturalny przedsionek, „wyżłobiony w skale", ale został on usunięty przez rzemieślników pracujących na zlecenie Konstantyna. To odpowiadałoby jedynej wzmiance Euzebiusza (napisanej wkrótce po odkryciu grobu), w której mówi o „grobie stojącym samotnie w pośrodku równiny, mającym w sobie tylko jedną grotę" (*O Objawieniu Bożym* 3,61).

Najwyraźniej architekci Konstantyna postanowili zre-
dukować grób do pojedynczej pieczary i odciąć go od
otaczających skał.

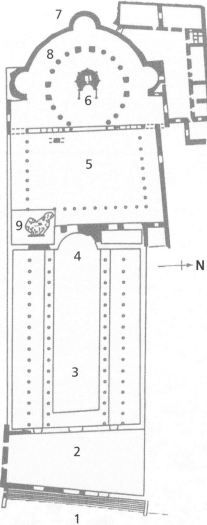

Sanktuarium Grobu Pańskiego w IV wieku (na podstawie
opracowań Corba [1981] i Biddlego [1999]). Do bazyliki
Martyrion (Martyrium) (3) wchodziło się od strony ulicy, czyli
Cardo, znajdującej się od wschodu (1), poprzez atrium (2).
Głównym punktem była absyda zachodnia, zwana *hemisfairion*
(4). Za Martyrium znajdował się ogród (5) przed grobem (6).
Pozostałe groby *kochim* (7) zostały częściowo zniszczone
w trakcie budowania rotundy (8). Rysunek pokazuje
„asymetrię" całego kompleksu budynków, spowodowaną
niemal na pewno koniecznością uwzględnienia dużej skały
Golgoty (9)

Model bizantyjskiej Jerozolimy w kościele św. Piotra „in
Gallicantu". Widok ogólny (*na górze*) od strony północno-
-wschodniej pokazuje dwie ulice obstawione kolumnami,
zbiegające się w obszarze obecnej Bramy Damasceńskiej.
W głębi widać kościół Nea zbudowany w szóstym wieku przez
Justyniana. Po prawej znajduje się sanktuarium Konstantyna na
miejscu Golgoty. Na środkowym zdjęciu widać okazałe wejście
i pięć stopni z Cardo Maximus (głównej ulicy). Sam kościół był
zwrócony w kierunku zachodnim, a nie wschodnim, co było na
owe czasy nietypowe. Patrząc od strony północno-zachodniej
(*zdjęcie na dole*) widać dziedziniec między Golgotą (na niej
widoczny duży krzyż) i rotundą pokrywającą grób.

Bazylika Grobu Pańskiego

Bazylika Grobu Pańskiego kontrastuje z poprzednio opisywanym grobem w ogrodzie. Ciemny kościół, głęboko w sercu miasta, nie wydaje się dobrym miejscem na lokalizację Golgoty i grobu, który w czasach Jezusa znajdował się najwyraźniej poza murami miasta.

Współczesne badania naukowe wskazują, że w I wieku miejsce to znajdowało się poza murami miasta. Nie pozostało zbyt wiele śladów tych murów, ale w pobliżu znajdują się inne groby typu *kochim* pochodzące z pierwszego wieku. Dowodzi to, że obszar ten musiał w jakimś momencie znajdować się poza murami miejskimi. Wiemy także od Józefa Flawiusza, że Herod Agryppa w czasie swojego panowania (41–44 po Chr.) dokonał rozbudowy miasta. Zatem prawie na pewno obszar, o którym mowa znalazł się w granicach miasta zaledwie dekadę po ukrzyżowaniu Jezusa.

Tradycja starochrześcijańska dotycząca tego miejsca jest bardzo mocna. Najwyraźniej lokalnej gminie chrześcijańskiej udało się przekazać z ust do ust pamięć o miejscu grobu aż do czasów Konstantyna, którego budowniczowie odkryli wskazane miejsce i istotnie znaleźli tam groby typu *kochim*. Już samo to było potwierdzeniem, że lokalni chrześcijanie nie mylili się w swojej pamięci o tym miejscu. Dlaczego podjęliby ryzyko domagania się, aby Konstantyn zniszczył świątynię pogańską (zbudowaną przez jednego z jego najsławniejszych poprzedników, Hadriana), jeśli nie mieliby mocnych podstaw do przypuszczania, że dokładnie tam znajdował się prawdziwy grób?

Ciekawych informacji dostarcza wędrowiec z II wieku imieniem Melito, który przybył do Jerozolimy z Sardis. W jego relacji czytamy ze zdziwieniem, że Jezusa ukrzyżowano „na głównym placu" Jerozolimy. Dlaczego autor przeczy relacjom ewangelistów? Prawdopodobnie odnosi się do tego, co widział w trakcie własnego pobytu w Jerozolimie. Pokazano mu miejsce, na którym ukrzyżowano Jezusa, ale znajdowało się tam teraz forum rzymskie i pogańska świątynia, leżące w pobliżu założonego przez Hadriana miasta Aelia Capitolina. Do tej tradycji nawiązuje później Euzebiusz, pisząc że Golgotę „pokazują w Aelii". Są zatem istotne powody, aby uznać, że ba-

Bazylika Grobu Pańskiego (od strony północno-zachodniej); widać główną kopułę (rotundę) nad grobem uznawanym tradycyjnie za grób Jezusa; sanktuarium Konstantyna rozciągało się jeszcze 50 metrów dalej na wschód, w kierunku głównej ulicy (linia cienia biegnąca od lewej do prawej); budowle po prawej stronie to meczet Omara i biała wieża luterańskiego kościoła Zbawiciela (1898)

zylika Grobu Pańskiego znajduje się generalnie w tej samej okolicy, w której miały miejsce wydarzenia opisywane w Ewangelii. Zaś budowniczowie Konstantyna prawidłowo wybrali jeden z odkrytych przez siebie grobów jako grób Chrystusa prawdopodobnie dlatego, że jako jedyny odpowiadał opisom ewangelicznym.

Jeśli tak było w istocie, to Golgota w I wieku była obszarem pustynnym. Były tam pozostałości dawnego kamieniołomu, pokryte luźną warstwą ziemi i rzadką roślinnością. Na tym obszarze znajdował się przynajmniej jeden występ skalny górujący nad terenem kamieniołomu, który nie został odsłonięty przez robotników, ponieważ jego środkiem biegła szczelina. Być może właśnie ta skała przypominała czaszkę i nadała nazwę całemu

otoczeniu. Z punktu widzenia Rzymian byłoby to idealne miejsce na krzyżowanie skazańców: teren nieużyteczny dla innych celów, położony blisko bramy miejskiej i wyraźnie widoczny. Około 35 metrów dalej znajdowało się kilka grobów wyciętych w płytkiej skarpie wokół kamieniołomu; jeden z nich należał do Józefa z Arymatei.

Duchowe przygotowanie do zwiedzania

W odróżnieniu od grobu w ogrodzie, bazylika Grobu Pańskiego może być trudna do przyjęcia dla odwiedzających. Skomplikowany układ budynków noszący ślady wieków może wprawić w zakłopotanie. Także widok wielu wyznań chrześcijańskich, zdających się konkurować ze sobą o miejsce, może obudzić negatywne skojarzenia i zmusić nas do zadania sobie pytania: jeśli to rzeczywiście miejsce zmartwychwstania Chrystusa, to czy dobrze świadczy ono o Jego wyznawcach?

To prawda, że bazylika Grobu Pańskiego jest pełna znaków ludzkiej słabości, ale w ten sposób, paradoksalnie, pokazuje tylko ludzką skłonność do grzechu, za którą – jak wierzą chrześcijanie – umarł w tym miejscu Jezus. Nie powinniśmy też być zbyt surowi i krytyczni wobec budowli, która – właśnie ze względu na swoje położenie i fakt, iż oznaczała tak wiele dla tak wielu ludzi na przestrzeni wieków – stała się centrum sprzecznych dążeń i zamiarów. Przecież ludzie zwykle walczą najzacieklej o to, co uważają za najcenniejsze.

Przyjąwszy inny punkt widzenia, odwiedzający mogą zobaczyć w tej bazylice szczególnego świadka tego, czym jest Chrystus dla tak wielu ludzi. Jest ona „żywą księgą historii" ludzkich reakcji na Jego śmierć. Ta nieuporządkowana budowla przypomina nam, że Bóg chrześcijan nie jest odległy od ludzkiej słabości, ale że – być może właśnie w tym miejscu – On sam zdecydował się wstąpić w ten nieporządek.

Co więcej, choć długa historia tego miejsca jest naznaczona śmiercią i zniszczeniem, pozostaje ono jedyną na świecie świątynią, w której centrum znajduje się *pusty grób*. Jest to bowiem, owszem, bazylika Grobu Pańskiego, ale także – w stosowniejszej tu terminologii Kościoła Wschodniego – bazylika Zmartwychwstania.

Odwiedzający odnieśliby znacznie bardziej pozytywne wrażenie, gdyby mogli zobaczyć bazylikę w latach 335–1000. Przez blisko siedemset lat można było z głównej ulicy po stronie wschodniej wchodzić po kilku stopniach do ogromnego i przestronnego sanktuarium. Posuwając się dalej na wschód, można było obejść otoczony kolumnami otwarty ogród i stamtąd spoglądać na grób wycięty w skale, który był otoczony ścieżką dla pielgrzymów i przykryty ogromną kopułą (zob. model s. 189).

Budowle konstantyńskie na Golgocie były istotnie imponujące i pozostawiały przestrzeń zarówno dla prywatnej modlitwy, jak i dla obrzędów liturgicznych. Głosiły one, że w tym oto miejscu Król królów został pochowany w ostatecznym poniżeniu i ubóstwie. W ten sposób oddawały Jezusowi tę cześć, której nie dane mu było otrzymać w chwili śmierci. Celem budowli było także ogłoszenie całemu Cesarstwu Konstantyna, że owo miejsce cierpienia i śmierci jest także miejscem, w którym śmierć została pokonana i w którym Bóg zwyciężył.

Niektórzy z nas woleliby zapewne, by temu miejscu przywrócono wygląd z pierwszego wieku – dawnego kamieniołomu z odrobiną roślinności. Jednak tego typu upodobanie do rzeczy „naturalnych" i „autentycznych" pojawiło się stosunkowo niedawno. Obszar ten został zabudowany i „zniszczony" dla potomnych już w czasach Hadriana w II wieku – dlatego w IV wieku chrześcijanie *musieli* podjąć próbę zbudowania tam czegoś innego. Prawie na pewno my na ich miejscu postąpilibyśmy podobnie. Tragedia polega na tym,

Jeśli Jezus nie zmartwychwstał, historia zbawienia kończy się w ślepej uliczce palestyńskiego grobu.

G. E. Ladd

że budując coś tak wspaniałego, narazili to miejsce na ataki ekstremistów – i dokładnie tak się stało w roku 1009, kiedy to kalif Hakim wysłał wojsko, aby obrócić świątynię w gruzy.

Po tym wydarzeniu budowla nigdy nie odzyskała dawnej świetności. To, co widzą dziś zwiedzający, to efekt wysiłków krzyżowców, próbujących ten chaos choć trochę uporządkować. Wchodząc do bazyliki odwiedzający wstępują w gruncie rzeczy na dziedziniec Konstantyna, przy czym po prawej stronie mają jego potężną bazylikę i miejsce Golgoty, zaś sam grób nieco po lewej. Dziedziniec Konstantyna stał się świątynią krzyżowców.

Pamiętając o tym, pielgrzymi i turyści mogą wzbudzić w sobie trochę współczucia i zrozumienia dla tego miejsca, które wówczas przemówi do nich swoją historią. Mogą też wspomnieć tysiące pielgrzymów, którzy wcześniej przeszli przez to miejsce – miejsce śmierci Jezusa.

Główne obiekty do obejrzenia przed wejściem do bazyliki

Do kompleksu budynków jest tylko jedno wejście otwarte dla publiczności, ale wiele osób rozpoczyna zwiedzanie gdzie indziej – zaledwie 90 metrów na wschód, na ulicy Bazaru (Suq Chan es-Zeit lub Suq Chan as-Zait, Suq Khan), dokładnie wzdłuż osi północ-południe i wzdłuż zbudowanej przez Hadriana ulicy Cardo Maximus. Budowla Konstantyna rozciągała się aż do tego miejsca i część jej murów widoczna jest na tyłach sklepu „Słodycze Zelatimo" oraz Hospicjum Rosyjskiego.

Jeśli jednak pielgrzymi wejdą pod górę od strony Suq Khan, roztoczy się przed nimi wspaniały widok na rotundę; dzięki temu będą mogli sobie wyobrazić, jak daleko sięgała potężna bazylika Konstantynowska. Wejdą następnie na mały dziedziniec i znajdą się w innym świecie, w otoczeniu mnichów etiopskich siedzących w swych glinianych chatkach. Etiopczycy przybyli tu w XVII wieku i od tego czasu utrzymują ten klasztor jako oazę względnego spokoju. Wieczorem w Wielką Sobotę wierni wypełniają dziedziniec klasztorny, a etiopscy mnisi świętują zmartwychwstanie, wykrzykując i tańcząc wokół kopuły znajdującej się pośrodku, jakby daremnie poszukiwali ciała Chrystusa.

Kopuła pośrodku dziedzińca przepuszcza światło do znajdującej się poniżej krypty św. Heleny. Tak więc odwiedzający znajdujący się w tym momencie „na dachu" są mniej więcej na poziomie posadzki bazyliki Konstantyna będącej teraz stropem podziemnej krypty. Przechodząc z szacunkiem przez kaplicę Etiopczyków (warto zwrócić uwagę na freski przedstawiające króla Salomona odwiedzanego przez etiopską królową Sabę), pielgrzymi schodzą kilka stopni w dół, wchodząc na duży dziedziniec przed bazyliką Grobu Pańskiego.

Zwykle jest tu wielu pielgrzymów, ale w Wielkim Tygodniu miejsce to jest wprost zatłoczone (głównie prawosławnymi przybyszami z Cypru). Grecka ceremonia obmywania stóp odbywa się wcześnie rano w Wielki Czwartek. Dwa dni później, w Wielką Sobotę, pielgrzymi ze świecami oczekują na ich zapalenie od paschału, który zostanie wyniesiony z bazyliki. Huczy wielki dzwon na pobliskiej dzwonnicy, wszyscy wołają „Chrystus zmartwychwstał", a wielu zabierze w swych lampkach ogień (symbolizujący zmartwychwstanie Jezusa) do domu – niektórzy będą go strzec do końca życia.

Etiopscy mnisi
przed swymi
celami na terenie
znajdującym się
nad „kryptą"
Grobu Pańskiego

Wejście do bazyliki

Po wejściu do bazyliki, pielgrzymi zwykle wspinają się po stromych schodach do miejsca, w którym **według tradycji znajdowała się Golgota**. Jest to miejsce ciemne, oświetlone świeczkami płonącymi na ołtarzach Ormian i Greków. Skała Golgoty osłonięta jest szkłem. Jest to największy fragment niewybranej skały, który za czasów Jezusa wznosił się na wysokość około 5 metrów powyżej poziomu kamieniołomu. Prawdopodobnie był okryty ziemią, tworząc wzniesienie, ale możemy się tylko domyślać, że Jezus mógł być ukrzyżowany na jego szczycie. W Ewangeliach nie ma mowy o żadnym „wzgórzu" ani o tym, że Jezus był na nim ukrzyżowany. Wbrew popularnym wyobrażeniom ukrzyżowanie mogło odbyć się nisko, na poziomie gruntu.

Schodząc po drugich schodach i skręcając w prawo, odwiedzający mijają szybę, za którą widać szczelinę w skale Golgoty. Archeologowie twierdzą, że z jej powodu skała nigdy nie opuściła kamieniołomu. Niektórzy autorzy łączą powstanie szczeliny z ukrzyżowaniem i towarzyszącym mu trzęsieniem ziemi (por. Mt 27,51).

Drzewo krzyża

W tym miejscu rozpoczyna się półokrągłe obejście otaczające absydę kościoła krzyżowców (każdego dnia po południu przechodzą tędy franciszkanie wspominający stacje Drogi Krzyżowej). Później pielgrzymi schodzą zwykle do **krypty Św. Heleny** (niedawno odnowionej przez Ormian). Jest jeszcze jedna krypta położona na niższym poziomie po prawej stronie, którą warto odwiedzić, gdyż dobrze z niej widać naturalną skałę Golgoty i ślady po kamieniołomie. Obie krypty, szczególnie ta niżej położona, musiały w czasach biblijnych pełnić rolę cystern, a potem zostały przykryte przez Hadriana, gdy teren wyrównywano pod budowę forum rzymskiego i rynku.

Powiązanie krypty z matką Konstantyna, św. Heleną, powstało ze względu na jej udział w historii odnalezienia drzewa krzyża – być może właśnie w jednej z cystern. Z całą pewnością Helena odwiedziła Jerozolimę w 326 roku, a dwadzieścia lat później biskup Cyryl napisał, że drzewo krzyża zostało „rozesłane po całym świecie". Nie ma jednak wiarygodnych świadectw z epoki, stwierdzających że św. Helena osobiście uczestniczyła w tym odkryciu, zaś późniejsze teksty z drugiej połowy IV wieku zawierają elementy w oczywisty sposób legendarne – na przykład opowieść o tym, że Helena znalazła trzy krzyże i rozpoznała, który z nich jest właściwy (tj. na którym umierał Jezus, a nie któryś ze złoczyńców) dzięki temu, że ktoś powstał z martwych przez dotknięcie drzewa.

W rzeczywistości odkrycie mogło być znacznie bardziej prozaiczne. Robotnicy pracujący przy oczyszczaniu terenu, już po odkryciu grobu, znaleźli w wysypisku fragment drewna i natychmiast przypisali mu cudowne właściwości. Wiadomo, że Euzebiusz z Cezarei nie był przekonany o jego autentyczności. Jednak miejscowi chrześcijanie zaczęli szybko o tym rozpowiadać, rozsyłając fragmenty „relikwii" do innych kościołów, co usilnie wspierał biskup Cyryl.

Cały świat napełnił się drzewem krzyża, kawałek po kawałku
Św. Cyryl Jerozolimski

Przed obejrzeniem grobu

Wracając na poziom posadzki i obchodząc dalej absydę, odwiedzający mijają **kilka wysokich**, blisko siebie położonych **filarów**. Filary krzyżowców pełniące funkcję nośną można łatwo odróżnić od cieńszych filarów z głowicami w kształcie koszy. Te drugie są starsze i pochodzą z epoki konstantyńskiej. Tylko tyle pozostało z kolumnady otaczającej dziedziniec. Stojąc tu, pośrodku zamkniętej bazyliki, trudno sobie wyobrazić to miejsce jako otwarte i przestronne. A jednak uświadomienie sobie tego pomoże pielgrzymom zrozumieć, jak wyglądało podejście do grobu przez 700 lat po roku 325. Tuż obok, za rogiem, znajduje się **według tradycji grób Chrystusa**, który wzbudził tyle emocji u rzemieślników Konstantyna i który odcięli od otaczającej go skały tak, aby mógł stać osobno w całej okazałości.

Pierwszy kontakt z tym obiektem może być dosyć szokujący. Jest to bowiem dziewiętnastowieczna rotunda, podparta metalowymi wspornikami, aby się nie zawaliła. Trudno naprawdę przypisać jej wybitne walory estetyczne. Historia dokonała tu okrutnego spustoszenia: najpierw robotnicy Konstantyna, pełni dobrych intencji, usunęli część otoczenia grobu; ich pracę zniszczył w dużym stopniu Hakim w roku 1009; dach zawalił się po wielkim pożarze w 1808 roku; w 1927 roku budynek osłabiło gwałtowne trzęsienie ziemi... Po tym wszystkim zdumiewające jest, że cokolwiek jeszcze pozostało!

Można jednak zobaczyć pozostałość pierwotnej skały przez małą kapliczkę koptyjską na tyłach grobu, zaś ostatnie badania archeologiczne – niektóre wykonane przy użyciu nowoczesnego sprzętu technicznego – pokazały, że pod nowszymi konstrukcjami znajduje się więcej oryginalnej skały niż wcześniej sądzono.

Wielu uważa – nie bez podstaw – że tu właśnie pochowano Jezusa. Zatem, nie zważając na brzydotę i zły stan techniczny tego miejsca, ludzie zatrzymują się tam w celu zadumy nad wydarzeniami, które ono upamiętnia, a być może wchodząc do środka, łączą się z tysiącami innych, którzy tu dziękowali za zmartwychwstanie. Dobra nowina, jaką głosi ten szczególny grobowiec, polega właśnie na tym, że jest on pusty. Nie mamy – jak mówi Łukasz – "szukać żyjącego pośród umarłych". Dlatego, jeśli odwiedzający spodziewali się, że w tym miejscu odczują szczególną obecność Chrystusa, prawie na pewno będą rozczarowani. "Nie ma go tutaj: zmartwychwstał!" (Łk 24,6)

Nie można opuścić bazyliki Grobu Pańskiego bez krótkiej wizyty w **kaplicy Syryjczyków**, znajdującej się dalej na zachód od edykułu. Tutaj, w świetle świecy lub pochodni, widać wyraźnie **groby typu** *kochim* z I wieku. Komory, w których chowano ciała, zostały przecięte masywną ścianą budowli konstantyńskiej. W tym miejscu widać jasno, że obszar ten znajdował się rzeczywiście poza murami miasta w czasach Jezusa. Widać też, że budowniczy Konstantyna znaleźli kilka grobów; wybrali jednak właśnie ten i najwyraźniej mieli ku temu powody.

Przed odejściem należy jeszcze zwrócić uwagę na kilka szczegółów: wspaniałe sklepienie **rotundy** (dokończone dopiero w 2000 roku, będące dowodem, że współpraca między różnymi wyznaniami chrześcijańskimi opiekującymi się budowlą jest możliwa), chór Greków, chór Łacinników, **Katholikon**, a przy samym wejściu **Kamień Namaszczenia**.

Sam kamień pochodzi z XIX wieku, ale upamiętnia płytę skalną, na której położono ciało Jezusa, aby je namaścić przed pogrzebem. Wspominający to wydarzenie pielgrzymi przynoszą tu własne wonności i olejki. Czyniąc tak, powtarzają uczynek Marii Magdaleny, która namaściła w Betanii stopy Jezusa na kilka dni przed pogrzebem (zob. s. 111). Jezus powiedział wówczas: "Dobry uczynek spełniła względem mnie. Gdziekolwiek po całym świecie głosić będą tę Ewangelię, będą również opowiadać na jej pamiątkę to, co uczyniła". To namaszczenie może dowodzić wielkiego oddania Chrystusowi, a odwiedzającym nasuwa ważne pytanie: "Wobec śmierci Chrystusa, czy jest jakiś «dobry uczynek», którym ja mu się odwdzięczyłem?"

Golgota i grób

Tradycyjny grób Jezusa otoczony przez rotundę zbudowaną przez grecki Kościół prawosławny po pożarze w roku 1808

Groby typu *kochim*
odkryte przez
budowniczych
Konstantyna, które
wskazują, że obszar
ten znajdował się za
czasów Jezusa poza
murami miasta

Kamień Namaszczenia
w pobliżu wejścia
do bazyliki

Nabożeństwa chrześcijańskie w bizantyjskiej Jerozolimie

Po odkryciu grobu Jezusa w roku 325 podejście chrześcijan do Jerozolimy i do Ziemi Świętej zmieniło się radykalnie.

Pod koniec IV wieku wokół oznaczonych w terenie świętych miejsc funkcjonował szlak pielgrzymowania (opisany m.in. przez św. Hieronima w Liście 108, poświęconym pielgrzymce jego przyjaciółki Pauli). Nastąpił rozkwit usług dla pielgrzymów. Pojęcie „świętego miejsca" zapadło głęboko w świadomość chrześcijańską, podobnie jak wyobrażenie Jerozolimy jako świętego miasta. W czasie kiedy pierwsze sobory rozważały kwestię Bóstwa Chrystusa, Palestyna – ziemia będąca świadkiem Jego wcielenia – dzięki świętym miejscom potwierdzała Jego niezwykłą tożsamość. Z punktu widzenia politycznego cesarze rzymscy, w ślad za Konstantynem, uznali chrześcijańską Palestynę za pożyteczny symbol Cesarstwa Bizantyjskiego.

Jedną z głównych postaci był św. Cyryl – biskup Jerozolimy od roku 348 do śmierci w roku 384. Jego *Katechezy* dają nam fascynujący wgląd w jego pasję dla powstającej idei Ziemi Świętej.

W swoich pismach Cyryl często mówi o Jerozolimie jako o świętym mieście. Wydarzenia z roku 70 nie zmieniły w niczym zamiarów Boga względem tego szczególnego miejsca. Miało ono zatem wielkie znaczenie dla życia i myśli chrześcijańskiej. Podobnie „święte" i „błogosławione" były wszystkie miejsca opisywane w Ewangeliach. Były ważnymi „świadkami" historycznymi, ale miały również zdolność budzenia wiary i poczucia obecności Boga. Miały także dar zawstydzania i podważania poglądów nieprzyjaciół Chrystusa, a z drugiej strony ukazywania Jego osoby oczom wiernych.

Ten sam autor pięciokrotnie wspomina o relikwii „prawdziwego drzewa krzyża", która została rozpowszechniona wśród wiernych, by „napełnić cały świat". W ten sam sposób, w jaki apostołowie przekazywali nowinę o krzyżu w pierwszym wieku, teraz odwiedzający Jerozolimę ważni goście mieli prawo wywieźć ze sobą fizyczne szczątki krzyża (*Katechezy*, 4,10; 10,19; 13,4). Cyryl postarał się, aby szczątki te, pozostające w bazylice jerozolimskiej były wystawiane w Wielki Piątek oraz aby były przedmiotem kultu – całowane przez wiernych. Cyryl dobrze ich jednak pilnował, gdyż wcześniej ktoś z odwiedzających „odgryzł i ukradł kawałek świętego drzewa" (Egeria, *Pielgrzymka do miejsc świętych* 37,2).

Cała ta historia budzi wiele sceptycyzmu. Jednak w XIX wieku pewien człowiek o nazwisku de Fleury, sam sceptycznie nastawiony, objechał wszystkie katedry, które szczyciły się posiadaniem kawałka „prawdziwego drzewa krzyża" i – wbrew swoim oczekiwaniom – odkrył, że łączna ilość drewna stanowiła najwyżej trzecią część objętości rzeczywistego krzyża. Zatem legenda owa nie została rozdmuchana aż w takim stopniu, jak podejrzewają cynicy. Jest też teoretycznie możliwe, choć statystycznie mało prawdopodobne, że zachowane szczątki naprawdę były w użyciu podczas Jezusowej męki w Wielki Piątek.

Promocja Jerozolimy przez Cyryla musiała wpłynąć na politykę Kościoła. Przed rokiem 325 dla określenia Jerozolimy używano pogańskiej nazwy „Aelia", a zwierzchnikiem biskupa Jerozolimy był biskup Cezarei. Jednak już w roku 451 Jerozolima stała się jednym z pięciu „patriarchatów" Kościoła (obok Rzymu, Aleksandrii, Antiochii i Konstantynopola). Jej ranga zatem niepomiernie wzrosła.

Promowanie Jerozolimy przez Cyryla miało także bardziej dalekosiężne skutki. Bizantyjska Jerozolima miała zmienić sposób sprawowania kultu przez chrześcijan i kształt liturgii. Biskup Cyryl był pionierem prowadzenia modlitw wokół miejsc znanych z Ewangelii, co było w dużym stopniu uzależnione od miejsca i pory roku. W ten sposób ukształtował się „rok kościelny", którego uroczystości odbywały się w Betlejem w okresie Bożego Narodzenia i na Górze Oliwnej w dniu Wniebowstąpienia. Przybywający do Jerozolimy byli pod dużym wrażeniem tego obyczaju, toteż zróżnicowanie liturgii w zależności od pór roku przyjęło się wkrótce w całym Cesarstwie. Oznacza to, że bizantyjskiej Jerozolimie wiele współczesnych kościołów zawdzięcza kształt roku liturgicznego: Adwent i Boże Narodzenie, Objawienie Pańskie, Wielki Post, Triduum Paschalne, Zmartwychwstanie, Wniebowstąpienie i Zesłanie Ducha Świętego. Tak jak w pierwszym wieku Jerozolima była źródłem pierwszego przesłania o Jezusie, tak 300 lat później miała się stać podstawą wspólnego wzorca oddawania Mu czci na całym świecie.

Egeria była jedną z osób odwiedzających w owym czasie Jerozolimę. Z jej dziennika dowiadujemy się, jak wyglądała liturgia Wielkiego Tygodnia w ostatnich latach życia patriarchy Cyryla. Oto lista (tylko niektórych!) nabożeństw:

* **Sobota św. Łazarza (godz. 13.00)**   Uroczystości w Lazarium w Betanii
* **Niedziela Palmowa (13.00)**   Procesja z kościoła Eleona do miasta
* **Wielki Wtorek (po zmroku)**   Czytanie Apokalipsy w kościele Eleona
* **Wielka Środa (po zmroku)**   Czytanie dotyczące Judasza Iskarioty w Martyrium (przy grobie Jezusa)
* **Wielki Czwartek (14.00)**   Eucharystia odprawiana „Na tyłach krzyża" (w godzinach 19.00-23.30)
  Śpiewanie pieśni i czytania w kościele Eleona
* **Wielki Piątek (od północy)**   Śpiewanie pieśni i czytania w Imbomon (sanktuarium Wniebowstąpienia)
* **Wielki Piątek (tuż przed wschodem)** Procesja do Ogrójca
* **Wielki Piątek (od 8.00 do 12.00)**   Wystawienie drzewa krzyża na Golgocie
* **Wielki Piątek (od 12.00 do 15.00)**   Czytanie Męki Pańskiej „U stóp krzyża"
* **Sobota (20.00 aż do po północy)**   Wigilia Paschalna w Martyrium (przyjęcie nowoochrzczonych do wspólnoty)
* **Niedziela Wielkanocna (od południa do 20.00)**   Nabożeństwa w Eleonie i Imbomon; następnie procesja do Anastasis na czytania z Ewangelii według św. Jana 20,19-25 (zmartwychwstały Jezus ukazuje się Tomaszowi)

Fragment mozaikowej posadzki w Madaba (Jordania), przedstawiającej Jerozolimę jako święte miasto na początku VII wieku po Chr.; widać wyraźnie dwie główne ulice z rzędami kolumn (łączącymi się w pobliżu dzisiejszej Bramy Damasceńskiej) oraz trzy główne kościoły (patrz: plan na str. 169); wejście do bazyliki Grobu Pańskiego jest lepiej widoczne po odwróceniu mozaiki górną częścią do dołu.

Emaus

Tego samego dnia dwaj z nich byli w drodze do wsi, zwanej Emaus, oddalonej sześćdziesiąt stadiów od Jerozolimy. Rozmawiali oni z sobą o tym wszystkim, co się wydarzyło. Gdy tak rozmawiali i rozprawiali z sobą, sam Jezus przybliżył się i szedł z nimi. Lecz oczy ich były niejako na uwięzi, tak że Go nie poznali (...). Na to on rzekł do nich: „O, nierozumni, jak nieskore są wasze serca do wierzenia we wszystko, co powiedzieli prorocy! Czyż Mesjasz nie miał tego cierpieć, aby wejść do swej chwały?" I zaczynając od Mojżesza poprzez wszystkich proroków wykładał im, co we wszystkich Pismach odnosiło się do Niego.

Tak przybliżyli się do wsi, do której zdążali, a On okazywał, jakoby miał iść dalej. Lecz przymusili Go, mówiąc: „Zostań z nami, gdyż ma się ku wieczorowi i dzień się już nachylił". Wszedł więc, aby zostać z nimi. Gdy zajął z nimi miejsce u stołu, wziął chleb, odmówił błogosławieństwo, połamał go i dawał im. Wtedy oczy im się otworzyły i poznali Go, lecz On zniknął im z oczu. I mówili nawzajem do siebie: „Czyż serce nie pałało w nas, kiedy rozmawiał z nami w drodze i Pisma nam wyjaśniał?" W tej samej godzinie wybrali się i wrócili do Jerozolimy.

Ewangelia według św. Łukasza 24,13-16,25-33

W drodze

A gdy rozmawiali o tym, On sam stanął pośród nich i rzekł do nich: „Pokój wam".
Łk 24,36

Autorzy Nowego Testamentu opierają swój dowód zmartwychwstania Jezusa na dwóch głównych argumentach – pustym grobie oraz świadectwach uczniów, którym Jezus ukazał się po śmierci. Na początku lat pięćdziesiątych pierwszego wieku św. Paweł opisywał niektóre z tych spotkań uczniów z Jezusem – ukazał się on na przykład Piotrowi i Jakubowi; ukazał się też Dwunastu, a następnie „więcej niż pięciuset braciom równocześnie" (1 Kor 15,6).

Każdy z autorów Nowego Testamentu wybiera tych kilka spotkań z Jezusem zmartwychwstałym, które najbardziej odpowiadają jego przesłaniu: Jan wybiera ukazanie się Jezusa Marii Magdalenie, Tomaszowi i uczniom w czasie połowu ryb na Jeziorze Galilejskim; Mateusz opisuje ukazanie się kobietom, a następnie wszystkim uczniom na górze w Galilei. Łukasz skupia się jednak przede wszystkim na tym, co wydarzyło się w dniu zmartwychwstania w samej Jerozolimie oraz w jej okolicach: Jezus ukazuje się dwóm uczniom idącym do Emaus, po czym wracają oni pospiesznie do Jerozolimy, gdzie Jezus wcześniej ukazał się Szymonowi Piotrowi, a następnie uczniom zebranym w Wieczerniku (por. 24,36-49). Pierwsza księga autorstwa św. Łukasza kończy się zatem w chwili, kiedy Jezus podsumowuje „dobrą nowinę" przekazaną uczniom w Jerozolimie. Stanowi to zarazem wprowadzenie do drugiej księgi tego autora, w której dobra nowina zostanie z Jerozolimy przekazana „wszystkim narodom".

Tajemniczy wędrowiec

Historia „drogi do Emaus" nie bez powodu jest jednym z najczęściej cytowanych fragmentów Ewangelii: Kleofas i jego towarzysz (mógł to być inny uczeń, ale mogła też być Maria, żona Kleofasa) musieli opuścić miasto około południa, aby dojść do Emaus – wioski, o której Łukasz pisze, że była położona w odległości 60 stadiów czyli 11 kilometrów od Jerozolimy. Byli głęboko przygnębieni i zasmuceni tym, co nastąpiło w końcu tygodnia i ze smutkiem rozmawiali o wydarzeniach poprzedzających egzekucję Jezusa. Ich świat się zawalił, a nadzieje rozbiły o twardą skałę kalkulacji politycznych.

I wówczas zjawia się tajemniczy Wędrowiec! Idąc obok nich, prosi aby wyrzucili z siebie to, co ich niepokoi, a następnie zaczyna stopniowo odbudowywać ich świat i przywracać nadzieję. Ich serca „pałały w nich", gdy wyjaśniał im nauki Pisma. Przecież już w Starym Testamencie przewidziane było cierpienie Mesjasza, a następnie Jego wejście „do swej chwały" (Łk 24,26). Ale w tym momencie nie potrafili sobie wyobrazić, na czym po tak strasznej kaźni owa „chwała" miała polegać.

A potem wszystko wróciło do normy. Wszedłszy do ich domu, Gość uczynił to, co widzieli przedtem kilkakrotnie: pomodlił się, a potem połamał chleb. Wtedy „oczy im się otworzyły". Cały czas rozmawiali z samym Jezusem! Nic więc dziwnego, że mimo wieczornej pory natychmiast wrócili tą samą drogą do Jerozolimy. Tę zadziwiającą wieść trzeba było przekazać innym.

Cztery troski św. Łukasza

Łukasz poświęca sporo miejsca tej historii i opowiada ją barwnie. Widać tu wyraźnie emocje. W rezultacie czytelnicy od wieków znajdują w niej coś, z czym silnie się identyfikują: oto utracone nadzieje obracają się w radość; jest też motyw Jezusa, który idzie obok swoich uczniów przez drogę życia. Cała historia ma oddziałać na czytelnika na różnych poziomach. A jednak decyzja ewangelisty o jej zamieszczeniu wynika z czterech głównych powodów.

Po pierwsze i najważniejsze, jego troską jest pokazanie prawdy o zmartwychwstaniu. Czytelnicy mają nabrać tej samej pewności, jaką miał Łukasz: ciało Jezusa fizycznie powstało z grobu. Nie mamy do czynienia ze snem, ale z rzeczywistością. Obraz Jezusa idącego drogą nie ma wzbudzić jedynie sentymentalnego poczucia Jego „ciągłej obeności". Nie, Łukasz daje czytelnikowi coś znacznie bardziej konkretnego. Późniejsze wydarzenia w Wieczerniku wyjaśniają to jeszcze wyraźniej, gdy Jezus pokazuje rany na rękach i nogach oraz specjalnie zjada trochę pieczonej ryby w ich obecności. W swoim lęku i zdumieniu uczniowie sądzą, że to duch, ale Jezus odpowiada: „(…) duch nie ma ciała ani kości, jak widzicie, że Ja mam" (Łk 24,37-39).

Oczywiście, w historii tej pozostają pytania: w jaki sposób sam Jezus przeniósł się z Emaus do Jerozolimy? Łukasz wyraźnie pokazuje czytelnikowi, że wydarzenia, które opisuje, są niezwykłe i nieoczekiwane. Nie da się ukryć zadziwienia i poczucia tajemnicy. Ale ma nadzieję, że – pokazując, jak wątpliwości i obawy uczniów przemieniły się w nową pewność – uda mu się przeprowadzić czytelnika tą samą drogą.

Jednym z najwyraźniejszych motywów relacji Łukasza jest to, że zmartwychwstanie było zupełnie nieoczekiwane. Chociaż Kleofas wiedział o pustym grobie, nie postrzegał tego jako źródła nadziei, a raczej jako dodatkowy powód przygnębienia. I nawet gdy zmartwychwstały Jezus opowiadał im po drodze o „chwale" Mesjasza, nie mogli się zorientować, z kim rozmawiają; a później w Wieczerniku byli zdumieni, zaskoczeni, i „z radości jeszcze nie wierzyli" (Łk 24,41). Po prostu nikt się nie spodziewał, że Jezus zmartwychwstanie. Wydarzenia spadły na nich jak grom z jasnego nieba, i dopiero po zawaleniu się wszystkich planów mogła na nowo powstać nadzieja.

Po drugie, Łukasz kieruje myśl czytelnika ku śmierci Jezusa. Opisując ukrzyżowanie, przedstawia jedynie suchą relację, bez komentarza czy pokazania głębszego znaczenia. Teraz z ust samego Jezusa słyszymy, co się naprawdę zdarzyło. Jego śmierć nie była przypadkowa – była konieczna, bo „czyż Mesjasz nie miał tego cierpieć?" (Łk 24,26). Tak, został skazany na śmierć przez wspólne działanie władz żydowskich i rzymskich („arcykapłanów i przywódców"). Jednak głębszym powodem był tajemniczy zamysł Boży, o którym napomykali już prorocy Starego Testamentu, że przez cierpienie Mesjasza świat dostąpi „odpuszczenia grzechów". Tak więc śmierć ta miała swój cel, dla dobra innych, aby „wszystkie narody" dostąpiły błogosławieństwa. Śmierć Jezusa miała zniweczyć ludzki grzech, przyjąć na siebie jego konsekwencje i oddalić sąd, tak aby ludzkość mogła doświadczyć miłości i przebaczenia Boga.

Następnie Łukasz zwraca uwagę na kwestię Pisma. Możemy sobie wyobrażać, że w obliczu ważnego doświadczenia, jakim było spotkanie ze zmartwychwstałym Jezusem,

Lecz On rzekł do nich: „Czemu jesteście zmieszani i dlaczego wątpliwości budzą się w waszych sercach? Popatrzcie na moje ręce i nogi: to Ja jestem. Dotknijcie się mnie i przekonajcie: duch nie ma ciała ani kości, jak widzicie, że Ja mam".

Łk 24,38-39

uczniowie nie będą potrzebowali czegoś tak prozaicznego jak Biblia. A jednak zmartwychwstały Jezus zarówno na drodze do Emaus, jak i w Wieczerniku, oddaje pierwszeństwo pismom Starego Testamentu: „I zaczynając od Mojżesza poprzez wszystkich proroków wykładał im, co we wszystkich Pismach odnosiło się do Niego" (Łk 24,27). Musiało to być dość niezwykłe „nauczanie Pisma Świętego", prowadzone przez Tego, który znajdował się w samym centrum jego przekazu. Ale Jezus zdecydował się na ten wykład chcąc, by uczniowie zrozumieli, że zarówno Jego śmierć, jak i zmartwychwstanie były zgodne z Pismem – że w gruncie rzeczy były punktem, do którego zmierzała cała historia biblijna. Miało to pomóc im w odczytaniu na nowo znaczenia krzyża i zmartwychwstania. Była to także lekcja o tym, jak powinniśmy teraz odczytywać Biblię – nie jako księgę, która już się zdezaktualizowała, lecz jako dar Boży, który dopiero teraz utwierdził swój autorytet.

I wreszcie mamy zdumiewający moment: Jezus zostaje rozpoznany w Emaus przy łamaniu chleba. Kilka tygodni później uczniowie Jezusa, odpowiadając na Jego naukę, będą „łamali chleb" w swoich domach (Dz 2,42). I od tej pory był to jeden z głównych sposobów upamiętnienia Jezusa – dzielenie się posiłkiem zwanym Wieczerzą Pańską lub Eucharystią. Jest tu zatem aluzja do tego, co później zostało nazwane Najświętszym Sakramentem.

Łukasz zdaje się zatem mówić czytelnikowi: podobnie jak uczniowie w Emaus spotkali Jezusa przy „łamaniu chleba", wy też możecie Go spotkać w przyszłości. Pisma są ważne, ale ważna jest też Eucharystia. I jedno, i drugie trzeba umieścić w kontekście dwóch wielkich wydarzeń ewangelicznych – Krzyża i Zmartwychwstania. Bez nich nie sposób spotkać Chrystusa i poznać jego przebaczenia, ale gdy czytelnik weźmie je sobie do serca zarówno Pisma, jak i Eucharystia pociągną go do siebie; poczuje on głód, aby poznać bliżej Chrystusa.

Jest to zatem właściwe miejsce, aby Łukasz zakończył tu swoją Ewangelię, a my – abyśmy tu skończyli pierwszą część naszej podróży śladami Jezusa. Łukasz wyjaśnił nam, że dzięki zmartwychwstaniu ta opowieść może wyjść poza ramy książki i wejść w naszą rzeczywistość, oraz że sam Jezus chce iść z nami naszą drogą.

Historia opowiedziana przez Łukasza w pierwszej części dotyczy podróży w kierunku Jerozolimy: „postanowił udać się do Jerozolimy" (Łk 9,51), zatem czytelnik musiał wyprawić się wraz z Jezusem do miasta. Teraz rozpoczyna się następny etap, o którym mówią Dzieje Apostolskie, gdzie podróż odbywa się w przeciwnym kierunku. Podobnie jak uczniowie byli gotowi wyruszyć z Jerozolimy w świat, tak też czytelnik św. Łukasza jest zaproszony do drugiej części podróży. W całym tym obrazie historia o Emaus stanowi centrum, nie tylko jako punkt zwrotny w opowieści, ale jako wzór dla samej podróży. Bo w drodze napotkamy wiele okazji, aby usłyszeć o Jezusie poprzez Pisma, a także wiele miejsc odpoczynku, gdzie spotkamy Go „przy łamaniu chleba".

Emaus dzisiaj

Dla osób, które chciałyby jednoznacznie i łatwo zidentyfikować miejsca biblijne, Emaus może być powodem zamieszania i zniechęcenia. Z miejscem, o którym pisał św. Łukasz, utożsamiane są co najmniej cztery lokalizacje. Każda z nich jest warta odwiedzin.

Prawie na pewno biblijne Emaus należy utożsamiać z ruinami opuszczonej wioski arabskiej **Qalonija** (położonej powyżej dzisiejszej wsi Motza, do której drogowskaz znajduje się przy ostrym zakręcie – o 90 stopni – na głównej drodze z Jerozolimy do Tel Awiwu).

To właśnie znaczyły słowa, które mówiłem do was, gdy byłem jeszcze z wami: Musi się wypełnić wszystko, co napisane jest o Mnie w Prawie Mojżesza, u Proroków i w Psalmach.
Łk 24,44

Ważne daty – Emaus

ok. 1020–1000 prz. Chr.	Arka Przymierza tymczasowo przechowywana w Kiriat Jearim (1 Sm 6,21–7,2)	70	Wespazjan przekazuje weteranom wojennym inne Emaus, leżące według opisu 30 stadiów od Jerozolimy (Józef Flawiusz, *Wojna żydowska* 7,217); wkrótce zostaje ono nazwane Colonią
161 prz. Chr.	Główne walki o Emaus w wojnie Machabeuszy z wojskami syryjskimi (1 Mch 3,38-4,15; 9,50)	ok. 115	Emaus jest przypuszczalnie siedzibą rabbiego Akiby
43 prz. Chr.	Rzymianin Kasjusz sprzedaje mieszkańców Emaus w niewolę za niepłacenie podatków (Józef Flawiusz, *Wojna żydowska* 1,2.222)	221	Juliusz Afrykańczyk (chrześcijański uczony) wyprawia się do Rzymu i skutecznie przekonuje cesarza Elagabalusa do odbudowy Emaus jako rzymskiego miasta Nikopolis
4 prz. Chr.	Warus, gubernator Syrii, pali Emaus po rebelii (Józef Flawiusz, *Wojna żydowska* 2,71)	290	Euzebiusz rozpoznaje w Nikopolis biblijne Emaus w swoim *Onomastikonie* (co powtarza 100 lat później św. Hieronim w *Liście* 108)
68–70	Piąty Legion stacjonuje w Emaus (Józef Flawiusz, *Wojna żydowska* 4,444)	ok. 500	Bizantyjska bazylika zbudowana w Nikopolis

AD 630	Mieszkańcy opuszczają Nikopolis z powodu zarazy
1140	Krzyżowcy (błędnie) uznają Kiriat Jearim za Emaus i budują duży kościół w pobliżu obozu wojskowego
1500	Przeniesienie tradycji Emaus do al-Qubeibeh (tam znajdował się kościół i zamek krzyżowców)
XIX wiek	Kiriat Jearim otrzymuje nazwę Abu Gosz
1948	Mieszkańcy opuszczają arabską wioskę Qalonija (wcześniej Emaus/Colonia położone w pobliżu dzisiejszej wioski Motza)
1967	Arabska wioska Amwas (położona na miejscu dawnego Emaus/Nikopolis) zostaje zniszczona, w jej miejsce utworzono Ajjalon

Qalonija położona była na skalistym grzbiecie nad Motza, a jej nazwa pochodzi od rzymskiej Colonii – miejsca gdzie zamieszkała kolonia weteranów wojennych z rozkazu Wespazjana po pierwszym powstaniu żydowskim w 70 roku po Chr. Ale Colonia była nową nazwą tego miejsca. Według Flawiusza wcześniej nosiło ono nazwę Emaus.

Zmiana nazwy utrudniła chrześcijanom poszukiwanie Emaus Łukaszowego; maleńka wioska po prostu znikła z mapy. W tym czasie odkryto niedaleko znacznie większe miasto, które w czasach Jezusa także nosiło nazwę Emaus. W III wieku po Chr. zostało ono przemianowane na **Nikopolis**, ale pamięć dawnej nazwy przetrwała aż do czasów muzułmańskich. Było więc naturalne, że Euzebiusz z Cezarei, tworząc listę miejsc biblijnych w końcu trzeciego wieku, utożsamił Emaus Łukaszowe z owym drugim Emaus. Tradycja ta utrzymała się przez okres Bizancjum i z czasem zbudowano tam duży kościół.

Ta jednoznaczna identyfikacja wymagała jednak pewnej modyfikacji tekstu biblijnego. Prawie na pewno oryginalny tekst Łukasza mówił, że Emaus leżało w odległości „sześćdziesięciu stadiów" od Jerozolimy (por. Łk 24,13). Jednak niektóre manuskrypty mówią o 160 stadiach – co przypadkiem odpowiada odległości między Jerozolimą a Nikopolis.

Kiedy przybyli krzyżowcy, nastąpiło kolejne zamieszanie. Emaus/Nikopolis w VII wieku zniszczyła zaraza. Szukając miejsca położonego 60 stadiów od Jerozolimy, krzyżowcy wybrali **Kiriat Jearim**. Była to wioska o bogatej historii starotestamentalnej: w tym miejscu przechowywano przez dwadzieścia lat Arkę Przymierza, po odbiciu jej Filistynom, zanim król Dawid zabrał ją do Jerozolimy. Krzyżowcy zapewne wybrali ją jednak dlatego, że był tam duży obóz wojskowy, stanowiący dobry punkt postojowy w drodze do Jerozolimy. W XIX wieku wioska została nazwana **Abu Gosz** od imienia miejscowego przywódcy.

Krzyżowcy zostali wkrótce pokonani, a ich Emaus poszło w zapomnienie. Około roku 1500 franciszkanie uznali, że Emaus znajduje się w **al-Qubeibeh,** gdzie wcześniej krzyżowcy wznieśli kilka budowli o przeznaczeniu wojskowym i rolniczym.

Wracając do pierwszego i najbardziej autentycznego Emaus (Qalonija) zauważymy, że dodatkowym powodem, dla którego nie zwrócono nań uwagi, była odległość od Jerozolimy. Łukasz prawdopodobnie mówi nam o odległości „tam i z powrotem". Sześćdziesiąt stadiów (około 7.5 mili lub 12 kilometrów) to odległość, jaką w sumie przeszli uczniowie Jezusa tego dnia – do Emaus i z powrotem (biegnąc do Jerozolimy, i to pod górę!).

Podczas niedawnych prac wykopaliskowych w okolicy Qaloniji odkryto kilka interesujących budynków z I wieku po Chr., ale zwykłemu turyście niełatwo się tam dostać. Natomiast ci, którzy chcieliby odtworzyć wędrówkę z Jerozolimy do Emaus, będą rozczarowani, ponieważ teren ten jest obecnie w dużym stopniu zabudowany. Tak więc pozostałe trzy lokalizacje Emaus, jako spokojniejsze, mogą lepiej dopomóc nam w przeżyciu tych ważnych wydarzeń.

W al-Qubeibeh znajduje się kościół, odbudowany w roku 1902, który w Poniedziałek Wielkanocny zapełnia się wiernymi katolickimi. W Abu Gosz jest klasztor benedyktyński, zaś kościół zbudowany tam przez krzyżowców stanowi dobry przykład właściwego dla nich stylu architektury – odpadające freski są podobne do bizantyjskich, ale mają łacińskie napisy. I wreszcie w Emaus/Nikopolis można zwiedzać ruiny Ajjalon. W tym ostatnim miejscu można także odprawić mszę w otwartych ruinach kościoła krzyżowców (zbudowanego na posadzce większego kościoła bizantyjskiego). Grupy pielgrzymów często tak czynią, szczególnie w przypadku reprezentantów wyznań innych niż katolickie, którzy mają mniej możliwości wyboru miejsca na nabożeństwo. Jest to często dobry punkt na zakończenie pielgrzymki do Ziemi Świętej (nawet w drodze na lotnisko), w momencie, kiedy odwiedzający zaczynają zastanawiać się, jak przenieść to, co zobaczyli, do swoich domów.

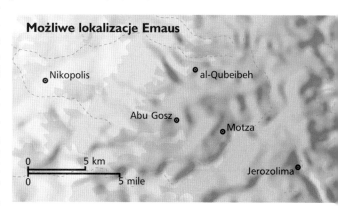

Możliwe lokalizacje Emaus

Bo chociaż żadne z tych trzech miejsc prawdopodobnie nie jest historycznym Emaus, wielkim przeżyciem może być wyobrażenie sobie, jak chrześcijanie z okresu bizantyjskiego, krzyżowcy i franciszkanie modlili się w nich, i powtórzyć to, co na swój sposób przeżywali w przeszłości: wysłuchać słów Pisma i przełamać chleb w imię Jezusa. W ten sposób epizod z Emaus, z jednej strony unikalny i niepowtarzalny, w pewnym sensie powtarza się i na nowo staje się rzeczywistością naszych czasów, kiedy Chrystus spotyka nas i prowadzi w naszą przyszłość.

Emaus: podróż trwa dalej

Według tradycji wczesnochrześcijańskiej św. Łukasz był nie tylko lekarzem, ale i artystą malarzem. Nie wiadomo dokładnie, jak powstała ta tradycja – być może wzięła się z faktu, iż ten właśnie ewangelista potrafił najlepiej oddać portrety bohaterów i „odmalować" ludzkie uczucia. Z całą pewnością w historii spotkania na drodze do Emaus widać talent artysty.

W ostatnim na przykład rozdziale swojej Ewangelii Łukasz świadomie pokazuje nam trzy „ujęcia" zmartwychwstania, z których każde wiąże się z dniem tego wydarzenia (Ewangelia według św. Łukasza nie wspomina o późniejszych ukazaniach się Jezusa). Rozdział dwudziesty czwarty Łukasza jest więc jakby „dniem z życia" zmartwychwstałego Chrystusa. Wszystko dzieje się „w pierwszy dzień tygodnia" (Łk 24,1). Łukasz może odnosić się tu do żydowskiej wiary, że dzień po szabacie był „ósmym dniem", w którym Bóg odnowił swoje stworzenie. Zmartwychwstanie Jezusa jest u Łukasza ostatecznym „ósmym dniem" – lub też „pierwszym dniem" nowego stworzenia. Świat narodził się na nowo!

Znajdujemy tu także inne cechy wskazujące na talent artysty: wyrazisty obraz emocji uczniów (zmęczeni i smutni, zniechęceni i zrozpaczeni, zaskoczeni i zdumieni), który kontrastuje z ich późniejszą radością i podnieceniem. Łukasz pokazuje też przesunięcie w czasie między emocjami uczniów a ich świadomością; uczniowie orientują się, co się stało, dopiero po wydarzeniu: „(…) czy serce nie pałało w nas, kiedy rozmawiał z nami (…)?"(Łk 24,32). Także sama tematyka podróży z Jerozolimy i z powrotem dobrze koresponduje z wiodącą myślą obu jego ksiąg – Ewangelii i Dziejów Apostolskich – opisujących podróż, najpierw w kierunku Jerozolimy, a potem od niej w świat. Autorowi wyraźnie zależy, aby jego czytelnicy w swojej podróży także spotkali zmartwychwstałego Chrystusa.

Zwrócenie uwagi na te zabiegi artystyczne sprawia, że niektórzy podają w wątpliwość historyczną prawdę opowiadania o Emaus. Widząc zainteresowania teologiczne św. Łukasza, twierdzą, że owa pozornie „historyczna" opowieść jest wymyślona – autor umieścił ją wyłącznie jako tło dla bardziej „duchowych" rozważań. Innymi słowy, ponieważ Łukasz był przekonany, że można nadal spotkać się z Jezusem, wymyślił historię o Jego spotkaniu z uczniami jako ilustrację tej niewidzialnej rzeczywistości. Głoszący tę tezę uważają, że w sensie historycznym epizod z drogi do Emaus nigdy się nie wydarzył, a w innym sensie wydarza się cały czas.

Gdyby Łukasz mógł osobiście odpowiedzieć na te zarzuty, bez wątpienia nie zgodziłby się z nimi. Był z całą pewnością przekonany, że spotkanie w Emaus zdarzyło się naprawdę. Cały rozdział dwudziesty czwarty podkreśla, że zmartwychwstanie Jezusa nie było wyłącznie wydarzeniem ze sfery „duchowej", w umysłach uczniów, ale miało wyraźny charakter fizyczny: „Dotknijcie mnie i przekonajcie się: duch nie ma ciała ani kości, jak widzicie, że Ja mam" (Łk 24,39). Oczywiście, autor mógł otrzymać błędne informacje i mylić się, ale z całą pewnością nie stara się świadomie oszukać czytelników.

Łukasz zapytałby także swoich krytyków, dlaczego uważają, że historia i teologia muszą być ściśle oddzielone od siebie. Podobnie jak istnieje sztuka, która „prawdziwie oddaje życie", tak i rzeczywistość duchowa może mieć korzenie w realnych wydarzeniach historycznych. Nic nie stoi na przeszkodzie, by historyk był zarazem artystą i teologiem, szczególnie gdy – jak wierzył Łukasz w kwestii zmartwychwstania – sam Bóg w sposób dramatyczny wszedł w *prawdziwą ludzką historię*.

Łukasz twierdziłby zapewne, że spotkanie duchowe z Chrystusem w naszym „dziś" jest możliwe tylko dlatego, że wcześniej nastąpiło wydarzenie historyczne – pokonanie śmierci przez Chrystusa w zmartwychwstaniu. Można powiedzieć: „nie może nastąpić B jeśli przedtem nie zajdzie A; jeśli zdarza się B, to tylko dlatego, że wcześniej zdarzyło się A". Innymi słowy, jeśli Emaus zdarza się „cały czas", to dlatego, że w pewnym momencie w przeszłości Emaus zdarzyło się naprawdę.

Na końcu pierwszej księgi Łukasz zostawia więc czytelnika z możliwością osobistego spotkania z Chrystusem. Cała jego Ewangelia to zaproszenie, aby spotkać tę Postać, obecną zarówno wewnątrz historii, jak i poza nią. Jest to zaproszenie otwarte – jego Ewangelia niczego od czytelnika nie wymaga, pozostawiając otwarte karty księgi i dając czas (podobnie jak to było w przypadku uczniów z Emaus), aby świadomy umysł „dogonił" emocje,obudzone przez zawartą tam opowieść.

Łukasz ma też więcej do powiedzenia. W drugiej księdze, Dziejach Apostolskich, wyjaśnia, co nastąpiło potem, a także w jaki sposób punkt zwrotny jego pierwszej opowieści stał się punktem wyjścia dla drugiej części. Ale ta druga relacja nie ma sensu bez pierwszej. Inaczej mówiąc, czytelnik nie zrozumie, co znaczy podróż z Jerozolimy, jeśli wcześniej nie przebył drogi do Jerozolimy. Bo dramatyczne wydarzenia śmierci i zmartwychwstania Jezusa w Jerozolimie stanowią punkt centralny całej historii; i tylko ci, którzy do końca weszli w głąb tych wydarzeń, mogą z nich wyjść na zewnątrz, w świat.

Sam Jezus wyruszając do Jerozolimy powiedział: „Jeśli kto chce iść za Mną, niech się zaprze samego siebie, niech co dnia bierze krzyż swój i niech Mnie naśladuje" (Łk 9,23). Jeśli chcemy iść „śladami Jezusa", musimy pamiętać, że ślady te nieuchronnie doprowadzą nas do Jego krzyża. Tylko wówczas, kiedy sami doszliśmy do krzyża, możemy „co dnia" iść jego śladami.

Indeksy

Grubą czcionką wyróżniono cytaty wiodące w tematach rozdziałów

Indeks ogólny

Bibliografia

Teksty źródłowe i pomocnicze

Eteria [Egeria], *Pielgrzymka do miejsc świętych*, tłum. Władysław Szołdrski CSRS, Wydawnictwo ATK, Warszawa 1970.

Euzebiusz z Cezarei, *Życie Konstantyna*, tłum. Teresa Wnętrzak, WAM, Kraków 2007.

Jan Moschos, *Łąka duchowa*, tłum. ks. Marek Starowieyski, w: Paweł Monembassi, *Opowiadania dla duszy pożyteczne o cnotliwych i bogobojnych mężach i niewiastach*, Mała Biblioteka Ojców Kościoła, t. 1, Wydawnictwo „M", Kraków 1993.

Józef Flawiusz, *Dawne dzieje Izraela*, tłum. Zygmunt Kubiak i Jan Radożycki, Księgarnia św. Wojciecha, Poznań–Warszawa–Lublin 1979.

Józef Flawiusz, *Wojna żydowska*, tłum. Jan Radożycki, Księgarnia św. Wojciecha, Poznań 1980.

Orygenes, *Przeciw Celsusowi*, tłum. Stanisław Kalinkowski, Wydawnictwo ATK, Warszawa 1986.

Pismo Święte Starego i Nowego Testamentu, Biblia Tysiąclecia, wyd. trzecie poprawione, Wydawnictwo Pallotinum, Poznań–Warszawa 1980.

Św. Cyryl Jerozolimski, *Katechezy*, tłum. ks. Wojciech Kania, Wydawnictwo „M", Kraków 2000.

Baldi D. OFM, *W ojczyźnie Chrystusa. Przewodnik po Ziemi Świętej* (uzup. Aleksander Kowalski), Biblioteka Franciszkańska, Kraków–Asyż 1993.

Encyklopedia Katolicka, t. 1–11, Wydawnictwo KUL, Lublin 1973–2006.

Grabner-Haider A. (red.). *Praktyczny słownik Biblijny*, IW PAX i Wydawnictwo Księży Palotynów, Warszawa 1994.

Manzanares C. V., *Pisarze wczesnochrześcijańscy I–VII w. Mały słownik*, Wydawnictwo Verbinum, Warszawa 2001.

Murphy-O'Connor J., *Przewodnik po Ziemi Świętej*, Oficyna Wydawnicza „Vocatio", Warszawa 2001.

Problematyka nowotestamentowa

Humphreys C. J. i Waddington W. G., *The Star of Bethlehem, a Comet in 5 BC and date of Christ's birth*, „Tyndale Bulletin" 43,1 (1992), ss. 31-56.

Humphreys C. J. i Waddington W. G., *The Jewish Calendar, a Lunar Eclipse and the Date of Christ's crucifixion*, „Tyndale Bulletin" 43,2 (1992), ss. 351–52.

McGrath A. E. (red.), *The New Lion Handbook: Christian Belief*, Oxford: Lion Hudson 2006.

Walker P. W. L., *Jesus and the Holy City: New Testament perspectives on Jerusalem*, Grand Rapids: Eerdmans 1996.

Walker P. W. L., *Jesus and His World*, Oxford: Lion Hudson, 2003.

Wright N. T., *Jesus and the Victory of God*, London: SPCK 1996.

Wright N. T., *The Challenge of Jesus*, London: SPCK 2000.

Teologia biblijna i zagadnienia współczesne

Alexander T. D. i Gathercole S. (red.), *Heaven and Earth? The Temple in biblical theology*, Carlisle: Paternoster 2004.

Brueggemann W., *The Lnad: Place as gift, promise and challenge in biblical faith*, London: SPCK, London 1978.

Chapman C., *Whose Promised Land*, (Oxford: Lion Hudson 2002.

Chapman C., *Whose Holy City? Jerusalem and the Israeli-Palestinian conflict*, Oxford: Lion Hudson 2004.

Munayer S., *Seeking and Pursuing Peace: the process, the pain and the product*, Jerusalem: Musalaha 1998.

Walker P. W. L. (red.), *Jerusalem Past and Present in the Purposes of God*, Carlisle/Grand Rapids: Paternoster/Baker, 1994.

Walker P. W. L., z: Wood M. i Loden L. (red.), *The Bible and the Land: Western, Jewish and Palestinian approaches*, Jerusalem: Musalaha 2000.

Walker P. W. L., z: Johnston, P. S. (red.), *The Land of Promise: biblical, theological and contemporary perspectives*, Leicester: IVP 2000.

Wright N. T., *The Way of the Lord*, London: SPCK 1999.

Problematyka historyczna

Bartholomew C. i Hughes F. (red.), *Explorations in a Christian Theology of Pilgrimage*, Aldershot: Ashgate 2004.

O'Mahoney, A. (red.), *The Christian Heritage in the Holy Land*, London: Scorpion Cavendish 1995.

Walker P. W. L., *Holy City, Holy Places? Christian Attitudes to Jerusalem and the Holy Land in the fourth century*, OUP: Oxford 1990).

Walker P. W. L., z: Tomlin G. S., *Walking in His Steps: a guide to exploring the land of the Bible*, London: HarperCollins 2001.

Walker P. W. L., *Pilgrimage in the Early Church*, w: Bartholomew i Hughes (red.), ss. 73-91.

Wilken, R. T., *The Land Called Holy: Palestine in Christian History and Thought*, New Haven: Yale University Press, 1992.

Wilkinson J., *Egeria's travels to the Holy Land*, Warminster: Aris and Phillips, wyd. II, 1982.

Zagadnienia archeologiczne

Barkay G., *The Garden Tomb: was Jesus buried here?*, „Biblical Archeological Review" 12.2 (kwiecień 1986), ss. 40-57.

Biddle, M., *The Tomb of Christ*, Stroud: Sutton Publications 1999.

McRay J., *Archeology and the New Testament*, Grand Rapids: Baker 1991.

Mare, W. H., *The Archeology of the Jerusalem Area*, Grand Rapids: Baker 1987.

Martin E. L., *Secrets of Golgotha: the lost history of Jesus crucifixion*, publ. pryw. 1996.

Millard A., *Discoveries from Bible Times*, Oxford: Lion Hudson 1997.

Murphy O'Connor J., *The Holy Land: An Oxford archeological guide from earliest times to 1700*, Oxford: OUP wyd. IV, 1998.

Pixner B., *With Jesus in Jerusalem: his first and last days in Judea*, Jerusalem: Corazin 1996.

Walker P. W. L., *The Weekend that Changed the World: the mystery of Jerusalem's empty tomb*, Marshall Pickering, London 1999.

Relacje z podróży

Dalrymple W., *From the Holy Mountain: a journey among the Christians of the Middle East*, London: HarperCollins 1997.

Morton H. V., *In the Steps of the Master*, oryginał, 1935), przedruk przez Methuen 2001.

Praill D., *The Return to the Desert: a journey from Mount Hermon to Mount Sinai*, London: HarperCollins, 1995

Źródła zdjęć

AKG-London: s. 137 (Peter Connolly) (ze zbiorów Zooid Pictures Ltd).

Alamy: s. 27 (Eitan Simanor), s. 119 (Trevor Smithers/SRPS).

Alec Garrard (the Splendour of the Temple), Fressingfield, Suffolk, UK: s. 134.

Bibleplaces.com: s. 34 (Todd Bolen).

Brian C. Bush: ss. 143, 151, 189, 191.

David Alexander: ss. 19, 24-25, 65, 160.

Ecole Biblique st Archéologique française de Jérusalem, Couvent Saint-Etienne: s. 161.

Elia Photo Service, Jerusalem: s. 167.

Garden Tomb (Jerusalem) Association: ss. 176, 185 (górne i dolne), 186 (Brian C. Bush).

Garo Nalbandian: ss. 20-21.

Getty Images Ltd: s. 32 (Richard Passmore).

Hanan Isachar: ss. 79, 90, 100, 102, 105, 145, 151.

Jon Arnold: ss. 26 (Hanan Isachar), 103 (Jon Arnold).

Lion Hudson plc: ss. 133, 180 (David Townsend).

NASA: s. 8.

Pantomap Israel Ltd: s. 152-53.

Peter Walker: ss. 14, 37, 39, 40, 41 (górne, środkowe i dolne), 46, 47, 49, 52-53, 55, 56, 58, 60, 63, 72, 77 (góre prawe i lewe, dolne), 78, 91, 108, 114, 122, 126, 128, 130, 131, 135, 142, 144, 146 (górne i dolne), 147, 149, 154, 168, 170, 182, 190, 194, 196, 197 (górne i dolne), 198.

Photo Scala, Florencja: ss. 35 (Hermitage Museum, St Petersburg, 1990), 48 (Church of the Autostrada del Sole, 1990), 98 (Pinacoteca, Watykan, 1990), 123 (Musée des Beaux-Arts, Tours, 1990), 136 (Santo Spirito, Florencja,1991), 157 (Museo de Arte Catalana, Barcelona, 1990), 163 (za zgodą: Ministero Beni e Att. Culturali, 1990).

Sonia Halliday Photographs: ss. 7, 28, 44-45, 67, 70, 80, 83, 88, 110, 115, 181, 201.

Zev Radovan: ss. 25, 31, 93, 96, 117, 173, 175, 199.